LE JOUR DES CENDRES

Né en 1961 à Paris, Jean-Christophe Grangé découvre le monde en devenant journaliste. C'est lors d'un reportage sur les oiseaux migrateurs que naît l'idée de son premier roman, *Le Vol des cigognes*. Son deuxième thriller, *Les Rivières pourpres*, est adapté à l'écran par Mathieu Kassovitz ; le film, comme le roman, connaît un immense succès en France mais aussi dans le reste du monde. Devenue culte, l'œuvre de Grangé est traduite en plus de trente langues… La plupart de ses thrillers ont été adaptés au cinéma ou à la télévision.

Paru au Livre de Poche :

LE CONCILE DE PIERRE
CONGO REQUIEM
LA DERNIÈRE CHASSE
L'EMPIRE DES LOUPS
LA FORÊT DES MÂNES
KAÏKEN
LA LIGNE NOIRE
LONTANO
MISERERE
LE PASSAGER
LES RIVIÈRES POURPRES
LE SERMENT DES LIMBES
LA TERRE DES MORTS
LE VOL DES CIGOGNES

JEAN-CHRISTOPHE GRANGÉ

Le Jour des cendres

ROMAN

ALBIN MICHEL

ISBN : 978-2-253-07946-0 – 1re publication LGF

I

LA VIGNE

1

Elle connaissait les règles élémentaires.

Toujours porter le costume traditionnel et la coiffe de prière. Ne jamais toucher de matériaux synthétiques. Renoncer au téléphone portable, aux ordinateurs et même à tout instrument électrique. Ne porter ni montre ni bijoux. Ne jamais consommer un aliment qui ne soit directement issu du Domaine. Ne jamais couper l'ombre d'un autre avec son corps…

En tant que saisonnière, elle n'était pas obligée de suivre ces principes. Elle devait seulement arborer la tenue imposée durant la journée de vendanges. À dix-huit heures, on les ramenait, elle et les autres, dans un campement à l'extrémité nord du Domaine où ils pouvaient réintégrer la vie normale, celle que les Émissaires qualifiaient de « mondaine ». Plus tard, des 4 × 4 sombres aux vitres fumées leur apportaient eau et nourriture, comme à des lépreux.

— Ivana, tu viens ou quoi ?

Elle suivit Marcel dans le fourgon. Sept heures trente du matin, départ des troupes. Il faisait froid, il faisait nuit, et les VTT (véhicules de transport de troupes) qu'utilisaient les Émissaires étaient lugubres – des camions-bennes qui donnaient à chaque départ des airs de déportation.

Ivana rajusta sa coiffe et s'installa près de Marcel sur la plateforme à ciel ouvert. Depuis son arrivée, deux jours plus tôt, elle n'avait pu parler qu'à quelques saisonniers et celui-là était le plus sympa, en dépit de son allure patibulaire.

— Tu veux t'en rouler une ?

Il lui tendait un paquet de tabac et une minuscule boîte de feuilles. Sans un mot, Ivana se mit à confectionner une clope digne de ce nom, malgré les cahots de la route.

Côté vestimentaire, elle trichait un peu, avec sous sa robe noire un ensemble Uniqlo en matière Heattech – ce genre d'astuce était toléré et les Émissaires eux-mêmes devaient s'équiper sous leur uniforme avec des maillots et des collants de leur confection. En novembre, en Alsace, les températures ne dépassent pas 10 degrés.

Elle alluma sa clope et observa le paysage. Des vignes, peignées comme des dreadlocks, à perte de vue. Avant de s'embarquer dans cette galère, elle avait vérifié la topographie des lieux. La majeure partie de la propriété, appelée le « Domaine », abritait des vignobles. Au centre, le « Diocèse » regroupait les fermes et les infrastructures des Émissaires. L'ensemble était strictement privé et aucun étranger n'avait le droit d'y pénétrer.

Seule exception à la règle, le moment des vendanges, où les anabaptistes n'avaient pas le choix : pour récolter à la main le raisin en temps et en heure, il leur fallait embaucher des saisonniers durant deux semaines. *Bienvenue Ivana...*

Elle ferma les yeux et se laissa bercer par les secousses. À cet instant, elle se sentait plutôt bien. Les petits déjeuners de la Communauté étaient excellents – des produits simples, bio comme elle les aimait – et l'air glacé de la campagne alsacienne lui claquait les joues avec une sorte de tendresse joyeuse.

Secoue-toi, ma vieille. T'es pas là pour rêvasser. Elle rouvrit les yeux et donna un coup de coude à Marcel, qui somnolait à ses côtés.

— T'as entendu parler du mort ?

— Quel mort ? demanda Marcel, paraissant se souvenir de la clope allumée entre ses doigts.

Le saisonnier avait un air d'ancien taulard. La trentaine, teint blême, dents à la peine, sa gueule tirait en longueur. Dans ce visage trop creux pour être honnête, il avait ce regard chafouin des voyous qui rêvent de se la couler douce au soleil et passent la plupart de leur temps en centrale.

— On m'a dit qu'on avait trouvé un cadavre dans une chapelle…

— À Saint-Ambroise, ouais…

Il fumait par petites bouffées comme s'il économisait son souffle. La moitié de sa figure était absorbée par le chapeau réglementaire : une sorte de panama en paille qui lui allait comme un bonnet inca à Pablo Escobar.

— C'est quoi l'histoire ? relança Ivana.

— Qu'est-ce que ça peut t'foutre ? T'es d'la police ?

Elle se força à rire.

— Non, sans déconner…, insista-t-elle.

— Y a une semaine, raconta enfin Marcel, la voûte d'une vieille chapelle située à côté du Domaine s'est effondrée. Y avait un gars en dessous. Un type important de la Communauté.

— Le chef ?

— Y a pas d'chef ici, mais Samuel était l'évêque. Celui qui dirige la messe.

— Il dirigeait rien d'autre ?

— J'vais t'dire un truc, ma grande. Tu poses trop d'questions.

Le camion s'engagea sur un chemin de terre, les noyant d'un coup dans un nuage de poussière. Autour d'eux, les rangs des vignobles lui rappelaient les croix du cimetière américain de Suresnes. Au hasard des placements de l'Aide sociale à l'enfance, elle avait passé plusieurs années dans ce coin-là, quand elle était môme.

— La chapelle est en rénovation, reprit soudain Marcel, parlant plus fort pour couvrir le bruit des soubresauts. J'crois qu'des échafaudages se sont cassé la gueule et que tout s'est écroulé. Samuel a été écrasé par les moellons.

— C'était un accident ?

Marcel n'eut pas le temps de répondre : les camions s'arrêtaient. Chaque ouvrier descendit, en silence et en file indienne, s'il vous plaît. Elle n'avait pas vraiment compté mais les saisonniers devaient être une soixantaine. Ajoutés aux anabaptistes, ça faisait une bonne centaine de gars prêts à se plier en deux toute la journée sur les vignes.

Marcel n'était certainement pas une source d'information majeure mais il était une caisse de résonance.

Auprès de lui, elle pouvait au moins apprendre ce que les saisonniers racontaient sur le drame. C'était un début.

Bien sûr, Ivana s'était rancardée sur le dossier. Les gendarmes de Colmar ne savaient pas grand-chose eux non plus. Pour l'instant, ils penchaient pour un accident mais attendaient le diagnostic des experts en bâtiment. Ils avaient interrogé des membres de la Communauté. En pure perte. Les Émissaires usaient d'un jargon abscons, à la fois lénifiant et emphatique.

Alors, Philippe Schnitzler, le procureur de Colmar, les avait appelés, eux, Pierre Niémans et Ivana Bogdanovic, membres uniques de l'OCCS (Office central contre les crimes de sang), spécialistes des homicides bizarres et des mobiles tordus. Juste un boulot de consultation. Ils avaient décidé de se partager la tâche : elle à l'intérieur, lui à l'extérieur.

Émissaires et saisonniers se mettaient en place, c'est-à-dire en rangs face aux vignes, pour écouter la prière matinale. Les hommes, costume noir et chemise blanche, chapeau de paille et grosses galoches. Les femmes, robe de tissu épais, tablier gris, coiffe en organdi. De loin, les Émissaires ressemblaient aux amish américains. De près aussi.

Ivana se gratta la tête (elle ne supportait pas sa coiffe) et considéra encore le paysage qui se précisait dans le jour naissant : au-delà des vignobles, les plaines et les bois alsaciens étaient plutôt une bonne surprise. Deux mois auparavant, les hasards (sinistres) du boulot les avaient envoyés à quelques kilomètres de là, de l'autre côté du Rhin, en Forêt-Noire. Ivana s'attendait donc aux mêmes pinèdes sombres et autres lacs d'acier qui vous glacent les veines.

Pas du tout. La région déployait une campagne à la française, douce, bienveillante. En automne, les arbres étaient rouges, cuivrés ou carrément plumés, mais les pâturages (les Émissaires étaient aussi éleveurs) tenaient le coup, verts encore, fournis, soyeux.

Les vignes surtout offraient un vrai déchaînement de beauté. Leurs feuilles, d'un jaune éclatant, semblaient découpées à même la lumière et les grappes claires brillaient comme des taches d'or. On aurait dit que leur peau, quoique plissée, avait du mal à contenir la liqueur qui s'y formait déjà.

Soudain, un barbu face à eux prit la parole, s'adressant à la fois à Dieu, à la terre, et à leurs humbles serviteurs, les saisonniers ici présents.

2

« Rendons grâce à Dieu pour la terre et le ciel
Pour le soleil et la pluie
Et pour la succession des saisons… »

Ivana parlait allemand mais les Émissaires s'exprimaient dans un dialecte du XVIe siècle qui n'avait rien à voir avec la langue des clubs de Berlin.

Toujours serviables, ils leur avaient donné une traduction des prières ponctuant la journée de travail. Le livret indiquait aussi à quel moment certaines phrases devaient être reprises en chœur – et en français.

Pas question d'endoctrinement. Vraiment pas. Ils souhaitaient seulement que chacun intègre cette vérité : le fruit de leur travail était d'abord et avant tout un don de Dieu. Les vendangeurs n'étaient que des intercesseurs entre le ciel et la terre.

Chacun reprit en chœur :

« En toi, Seigneur, notre espérance ! »

L'officiant changeait chaque matin. Il n'existait dans la communauté aucune hiérarchie. Les Émissaires acceptaient même, le cas échéant, qu'un saisonnier s'y colle.

« Rendons grâce à Dieu pour l'espérance qui nous habite
Quand nous semons et plantons
En attendant de récolter. »

L'auditoire répondit encore :

« En toi, Seigneur, notre espérance ! »

Ivana jouait son rôle avec humilité, tout en observant du coin de l'œil les religieux qui demeuraient sur la droite, à l'écart.

Plus que leur costume, c'était leur physique qui marquait leur appartenance au groupe. Ils avaient tous la même tête, ou presque. Teint d'hostie et traits de plume pour les femmes, visage rond et barbe en collier pour les hommes, rouquins pour la plupart.

Ils paraissaient sortir d'un autre siècle, l'époque des pionniers de l'Ouest, des pèlerins de l'Est, ceux qui avaient traversé les océans, les déserts, les montagnes, une bible dans une main, une pioche dans l'autre.

« Demandons à Dieu de bénir notre travail
Dans les champs, les vignes, les vergers, les jardins
Pour que leurs produits renouvellent nos forces à son service. »

Ivana murmura :

« En toi, Seigneur, notre espérance ! »

Au-dessus d'eux, le jour prenait son élan. Bientôt, le ciel éclaterait d'un bleu luminescent et la lumière se répandrait entre les travées. Avec sa peau en papier vélin, Ivana devait se badigeonner toute la journée d'écran total. Pas très traditionnel, mais efficace.

Elle réalisa qu'elle avait loupé un ou deux versets. Pas grave. Elle éprouvait aux côtés des Émissaires une sorte d'ivresse qui se passait de mots. Leur foi la fascinait. Cette conviction profonde, infaillible, qui les unissait dans un même destin… Elle les imaginait tous avec gravée au fond de la paume la même ligne de vie.

À son arrivée, elle s'était attendue à une secte flippante qui fleurait bon le lavage de cerveau et l'escroquerie céleste. Au lieu de ça, elle avait découvert une ferveur silencieuse, sans faille, indifférente aux autres.

Ivana ne croyait pas en Dieu. Pourtant, après avoir échappé aux coups de cric de son père, aux bombardements serbes, aux overdoses dans les caves et à une condamnation pour homicide volontaire (merci Niémans), elle aurait eu toutes les raisons de croire en une volonté supérieure qui, malgré ces galères, l'avait à la bonne.

Mais jusqu'ici elle s'était contentée de survivre, sans réfléchir au pourquoi du comment.

« Demandons à Dieu de bénir les efforts
De tous ceux qui cherchent à répartir
Les biens de la terre… »

Oui, elle les considérait avec envie – avec leurs visages sereins, leurs yeux tournés vers l'intérieur, leur foi modeste. Elle aurait voulu vivre ainsi : sans le moindre doute ni le moindre écart… Elle aurait voulu éprouver au fond d'elle-même ce sentiment bienheureux d'appartenir à une vérité, d'en être à la fois l'exemple et la conscience…

« En toi, Seigneur, notre espérance ! »

Un meurtre, se dit-elle soudain. *Samuel Wending a été tué dans la chapelle et je le démontrerai*. Elle avait décidé ça sans l'ombre d'une preuve ni même d'un indice, mais elle se le répétait avec rage et amertume.

— Oh, tu dors ou quoi ? demanda Marcel. On y va, ma grosse.

Elle rajusta sa coiffe, tira sur le pan de sa robe et attrapa sa hotte en osier tressé.

Voilà qui elle était vraiment : une flic paumée qui ne connaissait qu'une parade face aux attendrissements – se convaincre de la suprématie du Mal sur terre.

— Un meurtre, murmura-t-elle encore entre ses dents, aucun doute possible.

3

Pour son entretien d'embauche, on l'avait reçue dans une grange. Elle avait annoncé la couleur : aucune expérience, pas la moindre connaissance concernant la vigne.

Les Émissaires, fidèles à leur réputation de patience et de générosité, l'avaient engagée sans hésiter. Après tout, il ne restait que quelques jours de vendanges et cette novice semblait déterminée à faire de son mieux…

On lui avait fourni quelques explications. On pratiquait ici les vendanges tardives, attendant une surmaturation du raisin, qu'on appelait aussi « pourriture noble ». Super. Ces baies agonisantes, cueillies au bon moment, produisaient un véritable nectar, un gewurztraminer puissant et liquoreux.

Ivana ne buvait pas de vin mais elle les croyait sur parole. On lui avait montré comment cueillir les grappes en coupant la rafle, la branche végétale du raisin. *Couic-couic*. Rien de plus simple, sauf qu'il fallait choisir avec soin les grappes à prélever. Tout était question de couleur… Les grains qu'elle cueillait depuis deux jours ressemblaient à des raisins secs, petits et fripés, dont les meilleurs étaient les plus sombres.

Elle s'était vite prise au jeu, auprès de ces hommes et de ces femmes vêtus de noir, auréolés de buée ou frappés par un soleil glacé. À genoux ou courbé, on répétait sans trêve le même geste, ensuqué par l'odeur du raisin, aussi forte que celle de la peinture à l'huile.

Le premier soir, en se couchant, elle avait cru qu'elle ne pourrait jamais se relever. Le problème était la position qu'elle devait garder : au ras des feuilles, cassée en deux, avec sa coiffe qui tombait et les genoux douloureux.

Mais dès la deuxième journée, elle s'y était faite. Le grand air lumineux l'avait aidée à surmonter ses courbatures et les nervures des feuilles lui avaient murmuré d'être patiente. Elle était là pour collecter des infos. Elle pouvait bien, en attendant, cueillir du raisin…

De temps à autre, elle levait le nez et apercevait les Messagers (c'était leur autre nom) qui vendangeaient plus loin. Ils évitaient de se mêler aux saisonniers et quand ils leur parlaient, c'était avec une douceur affectée, une distraction hautaine. Ils avaient beau jouer les humbles, Ivana sentait chez eux une prétention discrète, un sentiment de supériorité. Les autres, tous les autres, les « Mondains », n'étaient qu'une erreur spirituelle, une offense à Dieu.

— Qui va remplacer le type qui est mort ? relança Ivana.

— Qu'est-ce que tu veux dire ?

— Tu m'as dit qu'il était le chef, faut bien qu'un autre prenne la tête du groupe, non ?

Marcel suspendit son geste : un genou au sol, l'autre jambe repliée, le poignet en appui dessus, il tenait son sécateur baissé comme une arme en position de sécurité.

— D'abord, j't'ai jamais dit que Samuel était le chef. J't'ai même dit le contraire : y a pas de chef dans cette communauté.

Parmi les feuilles, Ivana choisit une grappe, la détacha et la balança dans sa hotte.

— J'ai dû mal comprendre.

— C'est ça, et par ailleurs, j'te l'ai déjà dit, tu poses trop de questions.

Elle sentit que c'était le moment de contre-attaquer :

— Parce que toi, tu t'en poses pas, peut-être ? L'ambiance ici te paraît normale ? Les costumes ? Les règles ? La prière ? Le fait qu'on soit parqués comme des pestiférés dans un coin du Domaine ?

Marcel haussa les épaules et se remit à jouer du sécateur. D'attaquant, il passa en défense :

— Ça fait cinq ans que j'bosse ici. Les vendanges tardives, c'est une vraie aubaine. Un bon moyen d'se faire encore un peu de thune avant l'hiver.

— Et leur mode de vie, ça t'intrigue pas ?

Il déposa délicatement une grappe dans sa hotte.

— Je vendange et je prends mon fric, c'est tout.

Elle baissa les yeux sur son propre costume.

— Mais quand même, ces fringues…

— Mesure de décence. J'peux pas leur en vouloir. Souvent, les vendangeurs bossent le cul à l'air.

— Même en novembre ?

— Tu m'as l'air d'être une sacrée chieuse.

Il avait prononcé ce commentaire sans sourciller, sur le ton du gars qui sait qu'il existe des filles comme ça sur terre mais que ce n'est pas grave, car il ne s'y frotterait jamais.

— Donc, pas de chef ?

— Pas d'chef.

— Qui dirige le travail de production ?

— Un gars qui s'appelle Jakob.

— Celui d'hier matin ?

Un petit rondouillard était venu les briefer. Ils étaient dans les temps mais il ne fallait pas se relâcher : plus que trois jours pour terminer le Grand Œuvre !

— Exactement. C'est lui qui supervise le processus de vinification, de la récolte jusqu'à la mise en fûts pour le vieillissement.

Ivana n'insista pas mais elle n'en pensait pas moins : le petit homme, avec sa voix de sirop et son sourire coincé aux commissures, avait tout à fait le profil du dictateur sournois.

Un rival de Samuel ?

Un suspect en puissance ?

Le long du campement des saisonniers, elle avait repéré une faille dans le grillage. La nuit prochaine, elle irait jeter un œil dans l'église.

4

Ivana partie, Pierre Niémans s'était farci la paperasse et l'étude du dossier en solitaire, derrière son bureau parisien. Il détestait ça : il avait l'impression d'être un embusqué, alors que les autres montaient au feu.

Maintenant, en ce mercredi après-midi du 14 novembre, il voyageait seul en TGV. Un vrai supplice. Des sièges qui puaient la moquette, des passagers à tête de mite, des contrôleurs débraillés qui s'adossaient aux fauteuils comme s'ils draguaient dans un club…

L'un d'entre eux justement lui réclamait son billet. Niémans s'exécuta sans lui jeter un regard, puis se cala au fond de son fauteuil – une place isolée, seul point positif.

C'était surtout la destination qui le rendait malade, l'Alsace. Encore un truc qu'il ne comprenait pas : leur nouvelle brigade était censée les envoyer aux quatre coins de la France et voilà que deux affaires, coup sur coup, les ramenaient au même point, ou presque. Après la Forêt-Noire et ses sapins, la vallée de Florival et ses vignes. Seigneur ! À quelques kilomètres de la baraque de ses grands-parents !

Ce n'était plus une malchance, mais une malédiction.

Cette guigne portait un nom : Philippe Schnitzler, procureur de Colmar et accessoirement ami d'enfance. Disons plutôt qu'ils avaient partagé un certain nombre d'années sur le même banc de galère. Ils n'avaient jamais gardé de vrais contacts et avaient mené leur barque chacun de leur côté.

Mais voilà que Schnitzler se souvenait soudain de son pote à l'occasion de cette mort suspecte dans une chapelle. Accident ? Sabotage ? Meurtre ? On allait demander son avis à ce bon vieux Niémans…

Il jeta un œil au paysage à travers la vitre, songeant à Ivana qui s'était portée volontaire pour se fader les vendanges. Il ne croyait pas trop à cette infiltration de dernière minute. Les saisonniers devaient être tenus à l'écart et il y avait peu de chances que son équipière, même de l'intérieur, puisse tirer les vers du nez aux Émissaires. Surtout à trois jours de la fin de la récolte.

Faute de mieux, il se replongea dans son dossier. Ce qu'il lisait entre les lignes, c'était que la Communauté avait un statut très particulier dans la vallée. Leur vin était le plus célèbre du coin et faisait vivre, indirectement, pas mal de locaux.

On avait donc interrogé les Émissaires avec des pincettes. En retour, ils avaient refusé l'autopsie puis interdit à quiconque de pénétrer sur leurs terres. La chapelle étant située hors du Domaine, rien n'autorisait les gendarmes à venir fouiner du côté de leur royaume. Schnitzler avait toutefois réussi à imposer l'autopsie mais… c'était tout.

Déjà cinq jours que Samuel était mort et le dossier de la gendarmerie était aussi fin qu'un menu de snack. Le ministère public avait donc renouvelé le délai de flagrance avec une idée derrière la tête : donner carte blanche à Niémans pour secouer tout ce petit monde, sans le moindre juge à l'horizon.

Le flic sentait aussi une autre vérité, quasi subliminale. Si Schnitzler l'avait appelé, c'est que lui-même flairait quelque chose de pas très net dans ce Domaine. La mort de Samuel était l'occasion de faire la clarté sur ce monde anachronique, via Niémans et sa délicatesse légendaire.

Une annonce inaudible les avertit qu'on arrivait en gare de Colmar et Niémans se crispa en entendant l'accent de l'agent de la SNCF. *Welcome back home*.

Il attrapa sa valise et opéra en lui-même un mouvement diffus de bonne volonté. Comme s'il regroupait, mentalement, ses forces. Il allait falloir s'accrocher pour supporter ce deuxième séjour en terre trop connue…

— Merde.

Le juron venait de lui échapper sur le marchepied de la voiture en apercevant l'officier de gendarmerie qui l'attendait sur le quai. Le capitaine Stéphane Desnos était, comme son nom ne l'indiquait pas, une femme.

Et qui plus est : pas mal du tout.

5

Depuis longtemps, des rumeurs circulaient sur ses relations avec les femmes. Soit il ne les supportait pas, soit il les aimait trop. On prétendait qu'il était misogyne. Ou au contraire qu'il avait un cœur d'artichaut. Tout était vrai, tout était faux. Ça dépendait des moments, voilà tout.

En revanche, une règle était immuable : il évitait de travailler avec la gent féminine. Ce genre de présence le dérangeait, parce que, justement, il y était trop sensible. Dans une enquête, il faut avoir l'esprit libre, et froid. Un cerveau de flic, c'est comme une bibliothèque. Il faut toujours surveiller sa température et son taux d'hygrométrie.

— Commandant Pierre Niémans ?

Il acquiesça d'un bref signe de tête. D'autorité, la gendarme empoigna sa valise à roulettes, comme pour bien marquer la parité qui allait régner lors de leur collaboration.

Elle répéta plusieurs fois son propre nom et se mit en marche. Niémans la suivit, en retrait, détaillant sa silhouette. La trentaine, bien en chair, carrément sensuelle même. Le flic se focalisait sur ses hanches harnachées comme un rayon de quincaillerie – ceinturon de sécurité, holster en Cordura, calibre, bâton télescopique, gants, menottes, porte-chargeur…

Sous cet attirail de violence, ses fesses rondes tenaient un tout autre langage. Niémans jura encore, pour lui-même. Il pouvait oublier la froideur du limier et son esprit bibliothèque…

La capitaine lui lançait en retour de brefs coups d'œil par-dessus l'épaule. Elle paraissait désorientée par ce grand gars en manteau noir, lunettes strictes et coupe en brosse, qui ne faisait aucun effort d'amabilité.

Ils parvinrent sur le parking où une Mégane flambant neuve les attendait. Ses portières affichaient « GENDARMERIE NOTRE ENGAGEMENT, VOTRE SÉCURITÉ ». Une mauvaise idée, cette sérigraphie. Jamais bon d'arborer un tel mot d'ordre, surtout quand on arrive sur une scène de crime avec un cadavre déjà froid en guise de client.

Stéphane Desnos plaça la valise de Niémans dans le coffre. *Encore plus grave que prévu*. Elle avait un corps musclé, bien proportionné, avec quelque chose de tendre qui le rendait immédiatement désirable. Sa poitrine était pleine, lourde, magnétique. Et son visage, assez banal, mais régulier et innocent, achevait de dégoupiller cette pure grenade.

Sur l'attirance sexuelle, Niémans avait une théorie, assez banale, mais qui marchait très bien pour lui. Le désir, comme toute énergie naturelle, gagnait en puissance si on l'entravait. Une institutrice était bandante parce qu'elle représentait l'autorité, la morale. Un uniforme était excitant parce qu'il barrait la route à votre concupiscence. Même des lunettes pouvaient suffire à vous faire grimper aux rideaux… Alors une gendarmette solidement armée, dont les seins débordaient de son blouson entrouvert, c'était, comment dire, un cas d'école.

— Vous m'écoutez ou non ?

Niémans s'ébroua de ses divagations.

— Bien sûr, vous disiez ?

— Je vous expliquais où se trouve Brason.

— Je connais la région.

Desnos lui lança un regard méfiant. Les mains crispées sur son ceinturon, elle paraissait deviner ses pensées lubriques.

— Vous voulez conduire ? demanda-t-elle, ayant sans doute compris à quel genre de macho elle avait affaire.

— Ça ira. Prenez le volant.

— Où voulez-vous aller ? Au poste ?

— Non. À la chapelle.

— Tout de suite ?

Il acquiesça et monta côté passager.

— On m'avait dit que vous seriez deux, reprit-elle en s'installant derrière le volant.

— Eh bien, je suis tout seul.

Avant de démarrer, Stéphane se mit en devoir de retirer son blouson en se contorsionnant sur son siège. Il vit ainsi surgir, dans l'entrebâillement de la chemise, une bretelle de soutien-gorge blanc, puis une moitié de bonnet qui lui accrocha le bas-ventre à la manière d'une serpette.

Pour faire diversion, il se livra lui-même à un bref combat avec sa ceinture de sécurité.

Alors que Desnos démarrait – et que la température de l'habitacle redescendait –, il réalisa qu'en fait de misogyne invétéré, il n'avait jamais trouvé meilleur partenaire qu'une femme : Ivana Bogdanovic, son adjointe actuelle, sa petite Slave, son écureuil…

Cette pensée lui réchauffa le cœur et il put enchaîner d'un ton maîtrisé :

— Parlez-moi de l'enquête. Dites-moi où vous en êtes.

6

— Rien de neuf, malheureusement. Les Émissaires sont mutiques. Les analyses sur les lieux n'ont rien donné et on attend toujours les experts.

Histoire de meubler la conversation, Desnos se lança dans un long exposé sur la communauté.

Au XVIe siècle, les anabaptistes, persécutés en Suisse et en Allemagne, s'étaient réfugiés en Alsace. Parmi ces différents groupes, mennonites, huttérites, amish, seuls les Émissaires étaient restés sur place, considérant que Dieu leur avait confié un cadeau divin, cette terre qui produisait un vin unique.

En réalité, un seigneur local touché par leur foi leur avait officiellement donné au XVIIe siècle ces parcelles s'étendant sur plus de 300 hectares. Depuis cette époque, ils n'avaient plus bougé. Une simple communauté en noir et blanc qui ne rendait de comptes à personne et qui produisait son gewurztraminer à un rythme métronomique.

Ils roulaient maintenant vers la vallée de Florival, où coule la Lauch. Il avait déjà vérifié sur une carte : les terres des Émissaires se trouvaient à une dizaine de kilomètres à l'est de Brason, au pied du Grand Ballon, le point culminant du massif des Vosges.

Il faisait beau, Niémans ne pouvait le nier, mais cette fin d'après-midi nimbée de soleil ne lui disait rien qui vaille.

— Parlez-moi du meurtre, l'interrompit-il tout à coup.

— Houlà, rien ne dit qu'il s'agit d'un meurtre !

— J'ai lu que les étais qui soutenaient la voûte avaient cédé. Dans le rapport, on parle de sabotage.

— Pour l'instant, il n'y a aucune certitude.

— Et on en aura quand ?

— Pas moyen de savoir. Les experts réquisitionnés par…

Une enquête à la française. Presque une semaine après les faits, on poireautait toujours comme on attend chez soi le plombier les pieds dans l'eau.

À présent, Niémans reconnaissait les lieux : ils avaient dépassé les coteaux qui entourent Guebwiller et qui produisent plusieurs grands crus classés de la région. Il avait tant de fois sillonné ces routes à vélo… À l'époque, on évoquait les Émissaires à voix basse, comme un peuple mystérieux, aux coutumes bizarres.

Soudain, il vit apparaître des clôtures et des panneaux à répétition : « PROPRIÉTÉ PRIVÉE ».

— On arrive au Domaine, commenta Desnos.

— Pas très accueillant.

— Les Messagers ne dérangent personne et ils ne veulent pas être dérangés en retour.

Le flic perçut une note agressive dans le timbre de Desnos. Il comprit de quel côté elle se situait.

— Pourquoi ont-ils d'abord refusé l'autopsie ?

— C'est contraire à leurs principes. Ils protègent l'intégrité physique des personnes. Ils refusent aussi toute transfusion sanguine.

— Dans le dossier, il n'y a pas beaucoup de PV d'audition. Vous n'avez pas fait d'enquête de voisinage ?

— Quel voisinage ? La chapelle jouxte le domaine des Émissaires et tous ceux qu'on a interrogés ont refusé de nous parler ou ont répondu à côté. De toute façon, ils ne pouvaient pas signer les procès-verbaux.

— Pourquoi ?

— « Que votre parole soit oui, si c'est oui ; non, si c'est non ; ce qu'on y ajoute vient du Malin », dit le Christ dans l'Évangile selon saint Matthieu. Cette parole leur interdit de prêter serment.

Soit Desnos avait vraiment potassé la question, soit elle était très proche des Émissaires.

— Parlez-moi de Samuel. J'ai lu que c'était l'évêque de la Communauté.

— Il dirigeait les messes, c'est tout.

— Il n'était pas leur gourou ?

— Le seul gourou que les anabaptistes connaissent, c'est le Christ.

Desnos jouait vraiment son rôle d'ambassadrice à la perfection. Pendant ce temps, les vignes défilaient, toujours clôturées par du fil barbelé, toujours ponctuées du signe « PROPRIÉTÉ PRIVÉE ».

— Selon vous, comment vivent-ils la mort de Samuel ?

— Avec résignation. Ils ne sont pas du genre à se lamenter. Pour l'heure, leur seule obsession est d'achever les vendanges dans les temps.

Niémans, encore un cliché de flic, associa directement les vendanges à l'idée de grand cru et de fric – cette fortune que les Messagers avaient accumulée au fil des siècles.

— Je suppose qu'ils sont aussi au-dessus des réalités matérielles ?

— Tout à fait. Rien n'appartient à personne. L'activité viticole est gérée par une coopérative et les revenus encaissés par une fondation.

— Le sexe ?

La gendarmette parut outrée.

— C'est quoi ces questions ?

— Ne faites pas l'enfant. Il n'y a jamais eu de problèmes de ce côté-là au Domaine ? Des abus sur mineurs ? Des plaintes pour viol ?

— Non.

Elle avait répondu à voix basse, sur un ton qui marquait sa déception. Elle semblait souffler : « Si c'est ça, le grand flic de Paris… »

Niémans laissa courir. Pas d'enjeux de pouvoir, pas d'histoires de fric – et il fallait a priori écarter une affaire de mœurs : côté mobile, c'était les vaches maigres.

— Pourquoi Samuel est-il allé à la chapelle ce soir-là ?

— Il surveillait les travaux de rénovation. Il s'y rendait chaque jour.

— Qui a découvert le corps ?

— Des Émissaires, dans la nuit. Ils étaient inquiets de ne pas le voir revenir aux chais. Durant les vendanges, ils travaillent jour et nuit.

— Il y avait quelque chose à voler dans la chapelle ?

— Non.

— L'église n'est pas sur le territoire du Domaine et c'est un site catholique. Pourquoi financent-ils sa rénovation ?

— Ils l'ont achetée au début du XXe siècle. À leurs yeux, c'est un lieu symbolique. Au fil des siècles, face aux persécutions, ils s'y sont souvent réfugiés.

Niémans vérifierait tout ça.

— Je n'ai pas reçu le rapport d'autopsie.

— On vient de nous l'envoyer.

Disant cela, elle passa le bras entre les sièges et fouilla dans son cartable posé à l'arrière. Niémans eut à nouveau droit au croissant de lune du soutien-gorge, immaculé comme les langes d'un bébé.

Il se plongea aussitôt dans les feuillets. Encore une déception. Jamais il n'avait lu un rapport médico-légal aussi succinct. Les dégâts étaient pourtant nombreux. Samuel avait le tronc brisé et une éviscération abdominale majeure. Les côtes avaient perforé les poumons, le sternum s'était enfoncé jusque dans le myocarde, l'intestin grêle et le côlon faisaient saillie à travers les muscles de l'abdomen, et plus en profondeur, la rate et le pancréas avaient éclaté.

Le document ne donnait aucune autre précision. Pas d'analyse toxicologique ni de commentaire sur les plaies.

— Qui a écrit ce torchon ? demanda-t-il en levant les yeux.

— Patrick Zimmermann.

— Il ne doit pas souvent rédiger ce genre de rapport.

— C'est sûr, il est pédiatre. Il possède un diplôme de légiste mais n'a jamais exercé.

— Qu'est-ce que c'est que ces conneries ?

— Les Émissaires ont accepté l'autopsie à condition que le corps de Samuel reste dans les environs.

— Les environs ?

— Le docteur Zimmermann exerce dans un dispensaire à Brason. C'est là-bas qu'il a examiné le cadavre. Les Émissaires le connaissent. Ils vont de temps en temps le consulter pour leurs enfants. Ils étaient en confiance.

Tout ça lui paraissait parfaitement absurde, mais il devinait que Schnitzler avait donné son aval pour faire avancer les choses et couper court aux discussions.

Il décida de trancher dans le lard :

— Vous diriez que c'est une secte ?

— Je l'attendais, celle-là.

Stéphane avait murmuré cette phrase sur un ton sarcastique.

— Répondez à ma question.

— Absolument pas. Cette communauté existe depuis plus de cinq siècles.

— Le temps n'a rien à voir là-dedans.

— Je veux dire qu'on peut simplement les considérer comme une branche marginale du christianisme. C'est en tout cas l'avis de la Miviludes.

La Mission interministérielle de vigilance et de lutte contre les dérives sectaires garde un œil sur tous les groupuscules à tendance religieuse ou superstitieuse en France. Des gars qui connaissent leur boulot.

— Si on les compare avec ce qui caractérise d'ordinaire une secte, reprit Desnos, les Émissaires ne répondent à aucun de ces critères.

— Par exemple ?

— Une secte a toujours un leader. Les Émissaires n'en ont pas. Il n'y a pas non plus d'enjeux d'argent ou de pouvoir dans leurs rangs. Ils vivent repliés sur eux-mêmes, dans la paix et le travail.

— Jamais de prosélytisme ?

— Surtout pas. Ils se reproduisent entre eux, fabriquent leur vin et suivent leurs préceptes, à l'écart du monde des Mondains.

Le terme parlait de lui-même : à eux la profondeur et la vérité, aux autres la superficialité et l'égarement.

— On ne peut pas vivre comme ça en France, en 2020, répliqua Niémans. Notre pays est un État de droit et nul n'est au-dessus des lois.

Desnos sourit – sans doute s'attendait-elle aussi à cette remarque :

— Vous avez raison. Ils font mine de se plier aux règles françaises. Ils ont un patronyme officiel, des fiches de salaire, ils paient leurs impôts. En réalité, tout se passe dans les bureaux de la coopérative. Rien ne franchit jamais la ligne du Diocèse. Ils ont un trésorier pour gérer tout ça.

— Vous savez comment il s'appelle ?

— Jakob.

Niémans allait poser une nouvelle question quand il aperçut dans les vignes quelque chose qui le troubla.

— Ralentissez, s'il vous plaît.

— Quoi ?

— Je vous dis de ralentir !

7

Ils étaient là, au labeur, dans la lumière du crépuscule. Une centaine d'hommes et de femmes courbés sur les ceps, formant un ensemble qui tenait du ballet. Tous habillés en noir, ils laissaient percer quelques touches de blanc – chapeaux de paille et chemises pour les hommes, coiffes et cols pour les femmes. À cette heure, cette bichromie resplendissait d'une manière particulière – les noirs paraissaient pailletés, les blancs avaient la délicatesse des cristaux de neige.

Sur la gauche, bien qu'habillés à l'identique, les saisonniers se démarquaient de leurs voisins. Encore jeunes pour la plupart, ils offraient une grande diversité de carrures, de carnations, d'expressions. On voyait aussi pointer des tatouages, le grand fléau du XXIe siècle.

Niémans revint aux Émissaires. Le tableau était à la fois beau comme un songe et précis comme une surpiqûre de machine à coudre. Sans savoir pourquoi, il songea à une toile qu'il avait vue au musée d'Orsay, *Une soirée*, de Jean Béraud. Une réception mondaine de la fin du XIXe siècle, où l'assemblée était en fracs et robes du soir… Pourquoi pensait-il à cette « soirée », c'est-à-dire à tout ce que rejetaient les Émissaires ?

Soudain, il comprit. Cette scène si paisible, si chorégraphiée, évoquait l'esprit de l'œuvre. Celui d'une fête tranquille, d'une cérémonie discrète et ritualisée, d'une allégresse tout en retenue…

Niémans avait vu quelques photos des Émissaires, mais le grain du réel renforçait ce que les images laissaient seulement pressentir : leur monde était différent, au sens où il paraissait constitué d'une autre matière, animé d'un autre esprit. Les feuilles, les sarments, la terre avaient l'air ici plus frais, plus vifs. Les tissus plus épais, plus rugueux. Même les barbes et les cheveux possédaient une texture qui semblait directement jaillie d'une autre époque.

Sa respiration se bloqua.

Il venait de remarquer Ivana, à genoux dans les vignes. Elle se trouvait du côté des saisonniers, mais avec sa peau de rouquine et ses cheveux auburn, elle aurait pu facilement se fondre parmi les Messagers.

D'ordinaire, la fliquette affichait un look sauvage, blouson, jean, boots, et dès qu'elle essayait d'en changer, ça ressemblait à une sortie de route. Mais la tenue des anabaptistes lui allait comme un gant. Ces vêtements simples et solennels révélaient sa pureté, sa délicatesse.

Niémans se prit à l'envisager comme une pécheresse convertie, comme ces révélés au lourd passif miraculeusement blanchis par leur rencontre avec Dieu. Ivana avait tué. Elle s'était droguée jusqu'à l'os. Elle avait abandonné son enfant. Mais elle était une

Marie Madeleine qui n'attendait qu'une occasion pour être sauvée.

En une seconde, un déclic de culasse, il se prit à avoir les jetons. Ce folklore d'un autre temps n'était peut-être qu'un mensonge, une façade qui cachait des enjeux meurtriers ou des secrets enfouis… S'il arrivait quelque chose à Ivana, il ne se le pardonnerait pas.

Il frissonna et se sentit de nouveau d'humeur sombre. Comme si tous ses neurones n'étaient plus chargés que d'ondes négatives.

— Accélérez, bougonna-t-il. On va pas coucher là.

8

Les saisonniers quittaient les premiers le vignoble, montant dans les camions-bennes comme un seul homme. Les Émissaires fermaient la marche, empruntant les derniers véhicules.

Au rappel, Ivana se planqua dans une travée et attendit. Les surveillants effectuaient une ronde à cheval mais, la nuit étant tombée, la Slave n'eut aucun mal à s'enfouir sous les feuillages. Elle observa ses congénères embarquer et songea, encore une fois, à un convoi de la mort.

Quand les moteurs grondèrent, elle se rapprocha. Bientôt, il ne resta plus que les bétaillères réservées aux Émissaires. Elle jaillit alors dans le faisceau des phares, faisant mine de rajuster sa robe – du genre je suis partie pisser un peu trop loin.

— Attendez-moi !

Le dernier véhicule stoppa. Elle courut et réussit à grimper à bord. Sur la passerelle, tous s'écartèrent. Le moindre contact physique avec les Mondains leur était interdit. Peut-être les considéraient-ils comme un matériau non organique, au même titre que le plastique ou le Kevlar.

Le camion prit de la vitesse, mais les regards demeurèrent fixés sur Ivana, qui s'assit sur un des bancs. Elle s'excusa vaguement dans la nuit et serra les jambes, à la manière d'une petite fille timide.

— Fais pas attention, lui souffla une voix.

Elle découvrit un visage qui lui souriait. La femme devait avoir à peine vingt ans et répondait parfaitement aux critères de la Communauté : cheveux châtains, sourcils clairs, pupilles pâles et attentives… Son visage tout rond accentuait encore sa jeunesse.

Ivana reprit son souffle, les mains crispées sur ses genoux. Presque aussitôt, la fatigue lui tomba dessus. Les courbatures dans les cuisses, les douleurs dans les doigts, la pression sur les épaules…

— Ça va ? Tu tiens le coup ? s'inquiéta sa voisine, devinant son épuisement.

— J'ai mal partout, répondit-elle, mais je pourrais pas dire où sont mes bras ou mes jambes…

— Ça passe au bout d'un moment, tu verras. Mais cette fois, tu n'auras pas le temps de t'habituer.

— Malheureusement.

Ivana fut surprise par sa propre réponse : à cet instant, elle était sincère.

— T'as du feu ? demanda la jeune femme, cigarette aux lèvres.

Ivana avait toujours dans sa poche le briquet Zippo qu'on lui avait laissé – parce qu'il était entièrement mécanique. Elle fit jaillir la flamme au plus près du visage de l'Émissaire.

Dans la clarté, ses traits apparurent plus nettement. Des sourcils ourlés, comme fléchis par une mystérieuse contrariété ou par un orgueil démesuré, un petit nez et une bouche sensuelle au tracé splendide. Sa beauté était italienne mais ses cheveux châtains et son teint de céramique étaient danois. Un mélange de Méditerranée et de Baltique.

— Comment tu t'appelles ?

— Ivana.

Aucune raison de tricher. À son arrivée, elle avait rempli une fiche sous son vrai nom. Elle savait que les Émissaires se renseignaient pour la forme, indifférents à l'administration française et aux réseaux sociaux, passe-temps inutiles des Mondains.

— Et toi ?

— Rachel.

Elle avait une voix claire, un ton rieur. Son timbre évoquait un petit cours d'eau, furtif, mutin, se faufilant entre les pierres et les mousses de la forêt.

— J'peux m'en rouler une ?

Ivana avait remarqué que la cigarette de Rachel était faite maison. L'Émissaire fouilla dans la poche de son tablier et en extirpa un kit à rouler : tabac, feuilles, sans nom ni conditionnement, serrés dans une petite housse de toile.

— C'est quoi comme tabac ?

— De l'alsacien. On le cultive ici.

— Vraiment ?

Rachel eut un bref sourire, un coup de pinceau sur une feuille blanche.

— On est du genre autonome.

Ivana bricola sa clope en quelques secondes – le tabac était blond, soyeux : il ressemblait à Rachel. Elle l'alluma puis demeura silencieuse, nez au vent.

C'était un moment particulier : la brise fraîche du soir lui faisait du bien mais surtout, elle se félicitait de sa situation. Entourée par des Émissaires, dévorée des yeux par cette jeune femme plutôt ouverte, elle venait d'effectuer un pas de géant.

— Ça m'étonne qu'on t'ait prise seulement pour quelques jours, remarqua Rachel.

— Les gens qui m'ont reçue étaient sympas. Je leur ai expliqué ma situation.

— Quelle situation ?

Elle tira une taffe avant de lâcher son mensonge :

— Pas de job, pas d'appart, pas de thune.

Rachel secoua ses mèches en signe d'empathie, puis se redressa, cambrée, comme pour maintenir en équilibre sa tête toute ronde, surmontée par la coiffe de prière. Elle saisit la main gauche d'Ivana, celle qui ne fumait pas. La flic frémit – Rachel venait d'enfreindre la loi du contact.

— Avec des doigts comme ça, tu dois pas avoir beaucoup d'expérience, non ?

— Aucune ! avoua-t-elle. C'était d'autant plus cool de m'embaucher.

— Encore une bonne action à mettre à notre actif !

— Vous avez pas peur des cas désespérés !

Elles s'esclaffèrent toutes les deux et Ivana comprit une nouvelle vérité : quand Rachel riait, elle donnait l'impression de livrer un secret. Son visage semblait s'envoler, perdre toute pesanteur. Et sa bouche s'ouvrait sur des dents très blanches, légèrement convexes, qui expliquaient la forme bombée de ses lèvres.

— Je savais plus quoi faire, reprit plus gravement Ivana, emportée par ses propres mensonges. J'ai essayé de trouver quelque chose dans les troquets du coin mais on avait besoin de personne. Alors j'ai tenté ma chance ici.

— Mais qu'est-ce que tu fais dans la région ? Tu as plutôt l'air d'une fille de la ville.

— Je suis de Paris, c'est vrai. J'avais une raison… personnelle de venir ici.

— Laquelle ?

Ivana fit mine d'hésiter. Rachel lui donna un coup de coude. Elle ne semblait décidément pas craindre de toucher cette étrangère.

— Un mec…, murmura la Slave en dressant son index sur ses lèvres.

Rachel sourit à nouveau, mais d'une manière gênée. Ivana était-elle allée trop loin ? Elles se turent et continuèrent de fumer côte à côte, alors que les autres ne s'intéressaient plus à elles. Ivana était prise d'une sourde langueur – elle avait tout à coup envie de se laisser aller, de s'endormir sur l'épaule de sa voisine. C'était la première fois qu'elle baissait la garde. Auparavant, tout en essayant d'être aimable, elle n'était qu'attention et méfiance.

— Tu vas bientôt devoir descendre, murmura Rachel.

Ivana sursauta, elle s'était endormie contre sa compagne. Elle regarda l'anabaptiste avec curiosité : en quelques minutes, Rachel avait fait fondre toutes ses défenses. Un tel charme était presque… dangereux.

— Vous dormez où, vous ? demanda-t-elle en se frottant les yeux.

— Plus au sud, au Diocèse.

— Vous avez fait un détour pour me déposer ?

— On est du genre serviable, t'as pas remarqué ?

Ce qui étonnait Ivana, c'était qu'elle n'avait vu aucun Émissaire frapper à la cabine du chauffeur ni lui adresser le moindre mot.

Les lumières du campement dissipèrent l'obscurité.

— On se voit demain, fit Rachel à voix basse.

— Merci pour le détour.

L'anabaptiste lui avait encore saisi la main.

— Je croyais que vous n'aviez pas le droit de toucher les saisonniers ?

— Il y a les règles et il y a l'instant. Selon le moment, le sentiment, la confiance, on peut déroger aux lois.

Ces mots la troublèrent. Mais plus encore ce visage innocent, désarmé – et désarmant. Transparaissait sur ces traits quelque chose de nu, de sincère, qui, derrière sa détermination, exprimait une profonde fragilité.

9

La chapelle Saint-Ambroise était située sur un promontoire, à moins d'un kilomètre au nord-est du domaine. Au bout d'un chemin de terre, l'édifice se dressait dans la nuit comme une tache noire sur un tissu sombre. Ou l'inverse. Vraiment du ton sur ton.

Ce coin lugubre lui rappelait des souvenirs. Après tant d'années, ses balades à vélo avec son frère étaient toujours au fond de lui, tels de minuscules tessons de verre sous la peau. Leurs retours précipités avant la nuit – l'heure des monstres –, la trouille au ventre. Ça pédalait sec alors, dans un mélange d'excitation et d'angoisse. Il ne savait pas encore que le vrai danger était à ses côtés. Son frangin schizophrène n'allait pas tarder à montrer son vrai visage…

— Ça va ?

Desnos semblait avoir remarqué que Niémans avait sombré quelque part à l'intérieur de lui-même.

— Ça va, répondit-il d'un ton neutre en sortant de la voiture.

Orientée vers l'est, d'une trentaine de mètres de long, la chapelle était construite en grès des Vosges, comme la plupart des églises du coin. Pas de clocher ni de vitraux. Cela aurait pu être une simple ferme sans les deux contreforts dans la partie supérieure (sûrement à la hauteur du transept) qui transformaient l'édifice en une croix trapue.

Niémans leva les yeux. Même dans la nuit, on pouvait constater l'état lamentable de la toiture. Rien d'étonnant à ce que tout se soit cassé la gueule.

Il fit le tour de l'édifice et remarqua qu'aucune sécurisation n'était visible. Pas de rubalise autour du bloc ni de scellés sur la porte. Il préféra se taire : il avait assez râlé pour l'instant. D'ailleurs, rien ne disait que ce site était une scène de crime. Pas encore, en tout cas.

L'intérieur ne comportait aucun mobilier liturgique, à l'exception d'un autel en pierre au fond du chœur. L'espace était surtout occupé par deux échafaudages imposants, ménageant une allée au centre. À gauche, l'armature, cernée par des bâches en plastique, s'élevait jusqu'à environ un mètre du plafond. À droite, au contraire, des structures soutenaient les restes de la toiture qui s'était effondrée, révélant le trou béant vers le ciel.

Niémans fit quelques pas. Il se sentait mieux. Cette petite église le touchait. Sa simplicité, son délabrement même, entraient en résonance avec sa conception du culte chrétien. À ses yeux, croire en Jésus signifiait avant tout être modeste et généreux. Pas si loin du credo des anabaptistes.

À l'évidence, on avait fait le ménage ici. Aucune trace de débris ni de structures cassées.

— Où sont les gravats ? demanda-t-il.

— Ils ont dû les mettre en lieu sûr.

— En lieu sûr ?

Desnos ne répondit pas. Niémans leva les yeux. Les fresques encore intactes (il avait lu qu'elles dataient du XVIIIe siècle), plutôt maladroites, représentaient un saint Christophe portant sur ses épaules asymétriques un petit Jésus pas mieux dessiné. Plus loin, un saint Sébastien était perclus de flèches, mais ni sa posture ni son visage n'exprimaient une réelle souffrance – ce martyr-là avait l'air de n'en avoir rien à foutre. Les autres motifs, à travers les rehausses d'aluminium, semblaient baigner dans un brouillard de craie.

— Ces peintures n'ont pas grande valeur, confirma la capitaine. Elles ont été faites à la va-vite, au moment de la reconstruction de la chapelle, en 1721, puis la Révolution française est passée par là. Tout culte y est devenu interdit. Pendant près d'un siècle, l'endroit a servi d'étable aux paysans du coin.

Niémans observa encore le trou de la voûte. Des mâts télescopiques maintenaient les bords de la cavité et une bâche plastique avait été tendue pour éviter que la pluie ne pénètre à l'intérieur. Niémans songea aux experts qu'on attendait toujours : il se demandait sur quoi ils fonderaient leur analyse de « l'accident ».

— La fresque disparue représentait une Nativité et un sermon aux oiseaux. Je vous montrerai les photos.

— Je les ai déjà vues.

Au fond, sur la coupole qui surplombait le chœur, un Christ présidait le Jugement dernier. Il était entouré de la Vierge, d'apôtres et de quelques martyrs. À sa droite, l'archange Michel, muni de sa balance, s'occupait de la pesée des âmes…

Il scruta les orifices muraux qui avaient dû jadis abriter des vitraux. Pour l'instant, des toiles de protection transparentes étaient fixées sur les châssis.

— On sait ce que représentaient les vitraux ?

— Non. L'église est restée à l'abandon.

Niémans se retourna. Desnos se tenait dans l'allée centrale, dans une position qu'elle semblait affectionner : pieds écartés, bien ancrés sur le sol, les deux poings serrés sur son ceinturon équipé.

— Je comprends pas très bien, reprit-il en revenant vers elle. Les Émissaires sont opposés aux représentations religieuses et ils célèbrent leurs messes dans des granges.

— Exactement.

— Dès lors, pourquoi ces rénovations ? Pourquoi prendre soin d'un site qui n'est même pas conforme à leur culte ?

— Je vous l'ai dit : plusieurs fois, cette église les a sauvés. Au début du siècle dernier, ils l'ont achetée et ils ont commencé des travaux sommaires. Ils ont décidé aujourd'hui de reprendre le chantier. Je crois qu'ils veulent en faire un musée.

— Quel genre de musée ?

— Un lieu qui raconterait leur histoire en Alsace, notamment les persécutions qu'ils ont subies. Les Émissaires pardonnent mais n'oublient jamais. Leur livre de chevet, après la Bible, est un catalogue de leurs martyrs, détaillant toutes leurs souffrances.

— Super pour s'endormir.

Stéphane Desnos s'avança, écrasant au passage des fragments de plâtre.

— Commandant… je peux vous demander comment vous comptez vous y prendre ? Je veux dire… pour poursuivre l'enquête ?

— J'ai pas l'impression qu'il y ait eu la moindre enquête pour le moment. Qui a autorisé la réouverture du site ?

— Le procureur.

S'il se souvenait bien, la personnalité de Schnitzler se résumait à « Courage, fuyons ! ». Sa conception de la magistrature consistait à éviter les emmerdes au maximum. Surtout quand les emmerdeurs portaient des chapeaux de paille et parlaient un allemand oublié de tous.

— Je suppose que les travaux vont bientôt reprendre ?

— Dès que nos experts auront mené leurs analyses.

Niémans frappa dans ses mains. Autant la jouer avec bonne humeur.

— Bon. Vous allez me trouver aussi vite que possible une escouade de gendarmes pour sécuriser tout ça. Je ne veux plus voir un clampin dans le coin.

— Pardon ?

— Vous m'avez très bien entendu. Personne ne fout plus les pieds ici avant qu'on ait établi si oui ou non c'est une scène de crime.

— Le procureur…

— Le procureur nous a accordé un nouveau délai de flagrance. On a huit jours pour interroger, réquisitionner, perquisitionner à notre guise, chez les Émissaires et ailleurs, sans demander son avis à qui que ce soit.

— Nous allons tout de même devoir prévenir Jakob.

— Prévenez qui vous voulez, mais l'urgence est de rameuter des gars de Colmar ou de Mulhouse. Par ailleurs, appelez le labo de Strasbourg pour qu'il nous envoie des TIC.

— Mais… rien ne dit qu'il y ait eu meurtre !

— Je ne veux pas jouer avec vous au vieux flic expérimenté, mais dans une enquête, mieux vaut poser la question avant de donner une réponse. On va arrêter de tourner autour du pot et tenter le coup à ma façon.

Les mains toujours serrées sur sa ceinture, Desnos fit un nouveau pas en avant.

— Et c'est quoi, votre façon ?

— Partir du principe qu'il y a eu meurtre. Mon expérience m'a toujours montré qu'en partant du pire on a peu de chances de se tromper. Alors, relevés scientifiques, relevés d'empreintes, moulages, échantillons, porte-à-porte, etc. Vous connaissez la musique. Enfin, j'espère…

Ses bonnes résolutions n'avaient pas tenu longtemps. Ni la douceur ni la bonne humeur ne lui allaient au teint. Oui, on allait procéder à sa manière. Bousculer les gens, offenser les mentalités, sonder les tuyaux et remuer la merde jusqu'à ce qu'il en sorte quelque chose. S'il ne trouvait rien, vraiment rien, alors seulement il repartirait vers de nouveaux horizons, toujours plus noirs.

— Dernière chose, fit-il en s'appuyant à une traverse, je ne veux pas voir un journaliste dans les parages.

— Les journalistes font ce qu'ils veulent.

— Peut-être chez vous, pas chez moi. Le premier qui se pointe ici, c'est mon pied au cul. Et s'il insiste, c'est la garde à vue.

— Vous êtes tellement…

— Quoi ? Années 80 ? 70 ?

Avant qu'elle puisse répondre, il passa au tutoiement :

— Tu verras, tu finiras par apprécier mon côté vintage.

Au même instant, la porte de la chapelle grinça. Niémans se tourna en un mouvement réflexe pour découvrir, dans l'ombre du porche, un nain de jardin.

10

Un Émissaire, bien sûr. Et pas si petit que ça.

Pantalon de grosse toile noire, chemise blanche immaculée, larges bretelles qu'on apercevait sous la veste taillée dans un tissu si raide qu'elle semblait pouvoir tenir debout toute seule. Si on ajoutait le chapeau, la panoplie était complète.

Un membre de la Communauté, un vrai, avec un petit quelque chose en plus. Une aura de calme et de charme, qui rayonnait au-dessus de lui comme une auréole.

— Bonjour, Jakob, fit Desnos avec le sourire.

Elle s'approcha de lui et désigna d'un geste Niémans (ses mouvements étaient d'un coup empreints de déférence).

— Je vous présente le commandant…

— Je sais qui est notre visiteur, la coupa l'homme avec un sourire mielleux. On nous a déjà prévenus.

Niémans s'abstint de demander qui alimentait Radio Cépages. Il serra la main du gars et eut l'impression de saisir un rabot à l'ancienne.

Jakob recula et opta d'emblée pour une position de recueillement, pieds joints, mains croisées sur la braguette, visage baissé. Il avait l'air de ruminer son sourire dans sa barbe. Rouge de peau et de poil, large d'épaules, il distillait aussi une impression de puissance. Une force d'impact soigneusement dissimulée derrière une mine goguenarde et des manières sentencieuses.

Quel âge pouvait-il avoir ? Difficile à dire. Il avait dû adopter cette allure à la trentaine et n'en avait plus changé. Il mourrait ainsi, avec le même âge, la même gueule, le même chapeau.

— Commandant, finit-il par lâcher, je crains que vous n'ayez fait le voyage pour rien.

Passé la surprise de l'accent (l'homme parlait français comme on bêche de la terre gelée), Niémans lança un coup d'œil à Stéphane : qu'est-ce qu'allait leur sortir cette caricature ?

Il extirpa de sa poche une liasse de pages imprimées qu'il déroula lentement.

— J'ai reçu ce matin le rapport des experts. Ils certifient que l'effondrement de la voûte a été accéléré par les émanations de la vigne. Une réaction chimique avec le stuc et le grès, je n'ai pas très bien compris. En tout cas, il n'y a eu ni malveillance ni négligence humaine.

Niémans saisit le document et lut quelques lignes. Un jargon technique pour initiés.

— De quels experts vous parlez ? demanda-t-il en relevant les yeux.

— Ceux de notre compagnie d'assurances. Nous avons dû faire au plus vite. Ils sont venus avant que les moellons soient déblayés et que nous remettions les échafaudages en place. Nous avons pensé qu'il serait plus efficace de confier cette tâche à…

Niémans fusilla Desnos du regard.

— Qu'est-ce que c'est que ce bordel ?

La capitaine ouvrait des yeux ronds. Visiblement, elle débarquait elle aussi.

— Calmez-vous, commandant, suggéra Jakob. Ces experts sont parmi les meilleurs. Ce sont eux qui ont validé nos techniques de consolidation et…

Niémans avança, l'air furieux. Fait notable : le religieux ne recula pas. Le flic, en une fraction de seconde, comprit que ces pacifistes se situaient au-delà de la peur. En matière de persécutions, de torture et de violence, ils avaient tout connu. Ils étaient pour ainsi dire immunisés.

— Écoutez-moi bien, asséna le flic en s'efforçant de maîtriser sa voix. Je suis venu de Paris pour mener une enquête criminelle et, quels que soient les résultats obtenus par vos spécialistes, nous allons mener à bien notre mission.

Jakob dodelina de la tête. Il n'arrivait pas à l'épaule de Niémans et le flic ne put s'empêcher de penser aux Hobbits, les petits bonshommes du *Seigneur des anneaux*.

— Je comprends vos scrupules professionnels, mais je me suis renseigné : ce diagnostic a valeur d'ordonnance légale et je pense que nous pouvons économiser beaucoup de temps et d'argent en…

— Vous avez du mal à piger. Il y a eu mort d'homme et je suis ici pour faire la lumière sur cette affaire. Croyez-moi, ce ne sont pas des assureurs qui boucleront le dossier à ma place !

— Très bien, concéda Jakob d'un ton résigné. Je vais devoir appeler de mon côté le procureur et…

— Ne vous gênez pas. Mais jusqu'à nouvel ordre, je ne veux plus voir un de vos gars dans cette chapelle.

L'anabaptiste, pour la première fois, fronça les sourcils – l'expression ne cadrait pas très bien avec son visage de ravi de la crèche.

— Vraiment ?

— Je ne parle jamais en l'air.

Jakob se tourna vers Stéphane Desnos :

— C'est très ennuyeux. Nous avions déjà tout mis en place pour reprendre le chantier. Nous comptions démarrer…

Niémans lui posa une main amicale sur l'épaule et se composa un sourire de diplomate.

— Oubliez vos projets, Jakob. Et remerciez le ciel que je ne foute pas tout votre domaine sous scellés.

Le teint de l'Émissaire commençait à virer au rouge betterave.

— Ne blasphémez pas, commandant, je vous en prie. Nous ferons tout notre possible pour aider la justice, mais je vous demanderai en échange de ne pas ralentir les vendanges. Nous n'avons que…

— On verra ça.

Niémans le contourna et se dirigea vers la porte, sans prendre la peine de le saluer ni même de lui jeter un regard. Il venait de se faire un ennemi dans « l'autre monde », mais il survivrait.

Marchant à grands pas vers la voiture, il lança à Stéphane qui le suivait au petit trot :

— Il faut que je voie le légiste.

— Le légiste ? Pourquoi ?

— Vous savez où il est au moins ?

— À Brason, je pense.

— On y va.

11

Niémans ne conservait qu'un vague souvenir de Brason. Toujours le vélo. La ville se confondait dans sa mémoire avec les autres agglomérations du coin. Un centre-ville piétonnier, le modèle alsacien, avec maisons roses et cheminées surmontées de nids de cigognes, puis une périphérie plus récente composée de pavillons blanc sale et d'immeubles déprimants.

— Vous avez eu tort d'être impoli.

Niémans ne prit pas la peine de répondre.

— Ils sont spéciaux, continua Desnos, mais loyaux. Vous pouvez tout obtenir d'eux à condition de respecter leurs règles.

— Et moi, lui dit-il en se penchant légèrement vers elle, je te dis que ces mecs ont quelque chose à cacher.

À chaque tutoiement, Stéphane tiquait, mais d'une manière ambiguë : elle paraissait à la fois choquée par ce signe de familiarité et… flattée.

— Quoi ? demanda-t-elle.

Niémans se prit à sourire – le mauvais sourire du flicard à qui on ne la fait pas.

— Fais-moi confiance, murmura-t-il.

— Je ne vois pas ce que vous voulez dire, rétorqua-t-elle en se cramponnant au vouvoiement.

— Les Émissaires, combien sont-ils au juste ?

— Difficile à dire. Quatre cents peut-être.

— Pourquoi n'a-t-on pas de certitudes ? Tu m'as expliqué tout à l'heure qu'ils jouaient le jeu de la légalité, avec fiches d'état civil, cartes Vitale et déclarations d'impôts...

— C'est vrai. Mais en réalité, ils peuvent raconter n'importe quoi. Par exemple, les femmes accouchent chez elles. Les naissances sont donc strictement contrôlées par eux.

Ces infos lui donnaient de plus en plus envie d'aller y jeter un œil. Mais Ivana était sur zone : elle était mieux placée pour obtenir des renseignements utiles.

— T'as entendu parler de tensions internes ?

— Non, mais je vous le répète, ils vivent en autarcie. Impossible de savoir ce qui se passe au-delà des clôtures. Mais franchement, leur vie a l'air paisible et ordonnée. Ce sont d'ailleurs leurs maîtres mots : « *Ordnung* et *Gelassenheit* ».

— Ce qui veut dire ?

— « Ordre et obéissance ». Ils forment un seul corps à eux tous. Ils s'habillent de la même façon, vivent de la même façon, respirent de la même façon. Difficile de se fâcher avec soi-même...

— Et ça, c'est quoi ? demanda Niémans.

Au bout de l'avenue principale, un étrange bâtiment venait d'apparaître.

— L'hôpital de Brason, répondit Desnos en se garant sur le parking. Il a fermé dans les années 80, mais il abrite encore un dispensaire. Zimmermann en est le responsable.

Sans doute une construction des années 30, avec façade en grès beige, colonnes carrées et toit-terrasse. Une fresque murale entourant le portail rappelait vaguement celles du Palais de la porte Dorée, à Paris.

Ils s'acheminèrent vers l'entrée. Leurs pas sur les graviers produisaient un bruit de maracas. Tout était éteint. Non pas comme dans un édifice désaffecté, plutôt comme dans un espace habité par le néant.

— Zimmermann est encore là ? demanda Niémans en montant les marches menant au portail. Il pratique une autre autopsie ou quoi ?

— Je crois qu'il vit dans ce bâtiment.

La porte de fer forgé était ouverte. Le hall, noyé dans la pénombre. Le sol, les murs et les colonnes étaient tapissés de minuscules briques de céramique couleur chair. Ce revêtement vous donnait l'impression de pénétrer dans un corps fissuré de toutes parts, prêt à s'effondrer.

Ils accédèrent à une cour intérieure cernée par une galerie ouverte. Encore des lignes symétriques, des colonnes, de la faïence… Un long bassin la creusait au centre sans qu'on puisse dire s'il avait jadis abrité de l'eau ou une pelouse. À présent, ce n'était plus qu'un fond de céramique bleue marbré par l'humidité et les intempéries.

— Vraiment bizarre comme endroit.

La phrase lui avait échappé et Desnos confirma d'un signe de tête. Ils longèrent la galerie de gauche dans une obscurité glaciale.

La gendarme stoppa devant une porte en fer et frappa. Un panneau indiquait « CENTRE MÉDICO-SOCIAL ESPACE SOLIDARITÉ BRASON ». Pas de réponse.

Elle allait insister, quand une voix retentit derrière eux :

— Vous arrivez à temps.

Un homme de grande taille, d'une cinquantaine d'années, se tenait contre une colonne, en embuscade. Il fumait le coude levé, comme s'il brandissait un porte-voix.

— J'allais partir, ajouta-t-il.

— Pour où ? demanda Niémans.

— Pour de bon.

12

— Ras le cul de ce dispensaire miteux, vingt ans qu'on me fait chier, et maintenant, on me demande des autopsies !

Le docteur Patrick Zimmermann les avait guidés jusqu'à une remise dans l'aile droite de l'hôpital où, visiblement, il faisait ses valises. En l'occurrence une grande cantine de l'armée, à l'intérieur de laquelle il fourrait ses effets personnels, livres, bibelots, instruments médicaux, assis sur une autre caisse posée à l'envers. Tout en s'activant, il ne cessait de râler et de gémir à propos de ce lieu qui tombait en ruine.

Le gars lui-même valait le coup d'œil : longiligne, il portait une blouse blanche fermée par une ceinture souple, comme une robe de chambre. Un visage maigre et tourmenté qui ressemblait à un splendide piège à femmes, à condition d'aimer les poètes maudits. Histoire de parachever le tableau, une longue mèche grise façon cape lui couvrait l'œil gauche, lui donnant l'air d'un pirate romantique.

Mais le pompon, c'était sa manière de fumer. Il tenait sa cigarette entre l'annulaire et le petit doigt, voilant son visage à chaque fois qu'il inhalait. Quand il ne prenait pas une taffe, il en profitait pour tousser brièvement. Le genre condamné, mais qui mourrait en beauté. Curieusement, cela lui donnait une position de force, ou du moins héroïque, à la manière d'un capitaine qui coule droit debout avec son navire.

— Vous allez exercer ailleurs ?

— Certainement pas ! Je prends ma retraite.

Et il repartit pour un tour sur ses vingt ans passés dans ce dispensaire pourri, à gagner une misère, sans la moindre reconnaissance de la part des habitants... Tout en fulminant, il continuait à disposer méticuleusement ses objets au fond de la malle.

— Place aux jeunes ! conclut-il d'une voix lugubre.

La salle où ils se trouvaient était aussi spéciale. Des civières entassées, des coffres qui débordaient d'instruments rouillés, des boîtes à pharmacie dont la croix rouge s'effaçait, des champs opératoires tachés.

Mais le plus étrange était, le long du mur de droite, une série de plantes tropicales chauffées par une batterie de vieilles lampes à pince et de réflecteurs en aluminium... C'était l'explication de la chaleur excessive de la pièce – ça changeait un peu des morgues glacées.

— Je n'ai pas très bien compris : vous êtes médecin légiste ou pédiatre ?

— Ni l'un ni l'autre. Je suis généraliste. Mais les habitants du coin m'amènent leurs gamins et j'ai un vieux diplôme de médecine légale qui traîne quelque part. J'ai accepté de m'occuper de Samuel pour rendre service.

Niémans comprenait mieux l'impression d'amateurisme du rapport. Tout ça était parfaitement saugrenu.

Une scène de crime déblayée, une autopsie pratiquée par un légiste du dimanche : il se demandait ce qu'il foutait dans ce tableau.

— J'ai lu avec attention votre compte rendu, reprit-il. (C'était faux : il l'avait juste survolé dans la voiture.) Vous n'êtes guère précis sur la cause de la mort.

— Comment ça ?

Zimmermann se leva d'un bond.

— Avec ce qu'il s'est pris sur la gueule, le corps était une vraie bouillie. Impossible d'être plus précis sur la cause effective du décès, mais on n'a que l'embarras du choix !

Niémans avait posé la question pour chauffer le médecin.

— Vous avez mentionné une pierre dans sa bouche.

— Exact.

— Vous en avez déduit qu'il s'agissait d'un fragment de moellon du plafond.

— Quoi d'autre ?

— J'ai vu les photos du corps nettoyé. Son visage ne portait que quelques ecchymoses. Comment expliquez-vous qu'il n'ait pas eu les os du crâne brisés ?

L'autre haussa les épaules. Déjà rassis, il rangeait des volumes de La Pléiade.

— Je suis médecin, bougonna-t-il, pas spécialiste en physique des masses. En dégringolant, les éboulis ont dû ménager une niche qui aura préservé le visage du décédé.

— Dans ce cas, pourquoi avait-il une pierre dans la bouche ?

Le médecin leva les yeux, l'air consterné. On pouvait clairement deviner ce qu'il pensait : « Encore un flic qui se prend pour un toubib. »

— Je sais pas, répondit-il avec mépris. Un éclat de pierre peut-être, projeté lors de la chute d'un gros moellon.

— Possible aussi mais alors, les gencives et les dents seraient abîmées. Or, selon votre rapport, la bouche est intacte.

— C'est vrai.

Le médecin se remit debout et alluma une cigarette.

— Quelle est votre idée ? finit-il par demander avec un intérêt feint.

— On a pu d'abord tuer Samuel, et ensuite lui placer la pierre dans la bouche avant de provoquer l'effondrement de la voûte pour faire croire à un accident.

Zimmermann cracha sa fumée puis toussa.

— Dans ce cas, pourquoi la pierre ? C'était révéler la nature meurtrière de l'acte, non ?

— Peut-être un message, un avertissement.

Le médecin ricana. La réponse de Niémans ne résolvait pas la contradiction. Pourquoi cacher un meurtre et le signer en même temps ?

— Cette pierre, où l'avez-vous mise ?

— Mais… je l'ai jetée ! répondit l'autre, sincèrement surpris.

Niémans envoya un regard à Desnos qui, stoïque dans sa parka, transpirait sur pied.

— Vous avez détruit un indice de cette importance ?

— Le corps était couvert de gravats. On l'a lavé et on a jeté les fragments de grès. Quand on en a trouvé un de plus avec mon assistant, on l'a balancé, c'est tout. La pierre n'avait rien de spécial.

— C'était aux techniciens de la police scientifique d'en décider.

— De quoi vous parlez ?

Le flic éluda la question et relança :

— Ce morceau de grès, il ne portait pas de peinture, un extrait de la fresque ?

— Non. On parle d'un caillou poussiéreux qui ne dépassait pas cinq centimètres de long…

Niémans ménagea une courte pause. Ce gars-là mentait, mais il n'avait pas la moindre idée de la raison du pourquoi.

— On m'a dit que les Émissaires ont finalement accepté l'autopsie parce que c'était vous qui la pratiquiez.

— Vraiment ?

Cette histoire commençait à lui taper sur les nerfs, et il ne s'en cachait pas. Près des plantes, il attrapa un vaporisateur et se mit en devoir de les humidifier, à coups de brefs nuages. Clope au bec, dans sa blouse ceinturée, il évoquait maintenant un aristocrate ruiné aux prises avec de vieilles manies.

— Vous les connaissez, non ? insista Niémans.

— Ils m'amènent parfois leurs gamins. Le dispensaire correspond à leurs critères.

— C'est-à-dire ?

— Il est gratuit. Une bonne poignée de main et on repart avec sa prescription.

— Pour quel genre de maladies consultent-ils ?

— Rien de spécial. Des bronchites, des angines… Normalement, ils se débrouillent seuls, avec leurs plantes ou je ne sais quoi, mais parfois, leurs remèdes artisanaux sont sans effet.

— Êtes-vous parfois allé au Diocèse ?

— Une fois ou deux, oui. Pour des enfants en très bas âge.

— Comment ça s'est passé ?

— Très bizarre. Ils m'ont reçu dans une grange immense, et vide. La mère n'a pas lâché son bébé, même durant l'examen.

— Vous vous êtes fait payer ces fois-là ?

— Non.

— Pourquoi ?

— Vraiment pas l'ambiance. C'est difficile à expliquer mais… quand vous pénétrez sur leur territoire, vous sentez que vos valeurs habituelles n'ont plus cours…

Stéphane Desnos acquiesça avec vigueur. Ils avaient tous les deux la mine condescendante de personnes qui ont vécu une Near Death Experience : « Vous ne pouvez pas comprendre. »

Niémans préféra ne pas insister. Cette chaleur de serre, ce personnage bidon, son rapport ni fait ni à faire… Il en eut soudain marre et prit congé comme le font les flics :

— Très bien. Je vous demanderai de rester à notre disposition.

— Où voulez-vous que j'aille ?

— Vous partez, non ?

— J'ai filé ma dém' mais je suis encore dans le coin pour un moment. Je suis comme la vigne, j'ai fini par prendre racine.

Niémans esquissa un sourire de politesse. Entre sa mèche de Cosaque et sa main qui lui cachait le visage, le toubib n'avait pas vraiment la tête d'un homme sur qui on peut compter.

Ils retrouvèrent l'air froid du dehors avec soulagement.

— Je n'avais pas remarqué ce détail de la pierre.

Niémans s'arrêta et considéra Stéphane Desnos. Dans l'obscurité, engoncée dans sa veste matelassée et harnachée comme un soldat en guerre, elle avait quelque peu perdu de son charme. Pas grave. Il reviendrait à l'occasion – ou pas. On n'en était plus là.

— Cette pierre, répéta-t-il, c'est le début de l'enquête. La vraie, celle des flics.

Elle voulut répliquer mais Niémans entrait déjà dans la Mégane. Encore une occasion manquée d'être aimable. Pas grave non plus.

Il aurait peut-être d'autres opportunités – ou pas.

13

Le flamenco, c'était vraiment trop pour elle. Ces accords râpeux, ces voix déchirées, ça lui donnait l'impression qu'on lui écorchait le cœur à coups d'ongles terreux. D'ailleurs, au bout de quelques secondes, les larmes lui montaient aux yeux et une mélancolie amère venait lui brûler l'estomac façon ulcère.

Pas mal de saisonniers étaient de bons vieux Gitans qui semblaient tout droit sortis des Saintes-Maries-de-la-Mer. Chaque soir, ils se la jouaient *Carmen* au coin du feu et ne semblaient pas du tout fatigués.

Ivana, elle, pouvait à peine bouger. Ses membres lui paraissaient atteints de catalepsie, son dos était bloqué, sa respiration si altérée que même fumer lui posait un problème. Et la douleur… La douleur était nulle part et partout à la fois. Elle perçait, dansait, se baladait dans son corps à son gré, s'attardant parfois ici ou là, puis se propulsant ailleurs, ne la laissant jamais en paix.

Elle quitta le groupe pour se traîner vers les grandes tables déjà desservies. La vision des saisonniers dans la pénombre était presque comique, en tout cas inattendue : ces hommes et ces femmes qui avaient passé la journée déguisés en amish se retrouvaient maintenant vêtus de joggings informes, de doudounes fripées, de bonnets ras les sourcils.

Ivana repéra Marcel, allongé sur un des bancs de bois qui encadraient les tables. Une luciole rose dansait au-dessus de son visage : il était en train de tirer sur un joint, les yeux au ciel.

— Tu paies ta taffe ?

Marcel releva la tête et lui tendit aussitôt le bédo. La première bouffée, la meilleure, lui colla la nuque sur un mur d'étoiles – ce fut du moins son sentiment. Cela faisait un bail qu'elle n'avait pas touché à la fumette, mais chaque fois qu'elle replongeait – la seule drogue qu'elle s'autorisait encore –, elle en éprouvait une délectation aiguë qui contenait toujours une forme d'avertissement.

— J'ai du mal à te cerner, dit Marcel en se redressant pour attraper le pétard.

— C'est-à-dire ?

Il s'installa près d'elle – deux collégiens assis à l'écart de la fête.

— T'as jamais vu un plant de vigne de ta vie, c'est évident. Et si tu veux faire croire à un saisonnier que t'es serveuse ou quoi, alors change de mains.

Elle baissa les yeux sur ses doigts, qui devenaient ici une vraie malédiction. Elle essaya de déglutir, mais le joint lui avait totalement asséché la bouche.

Se décider : bluff ou confession. Ou mieux encore, l'entre-deux. Un demi-mensonge, c'est aussi une demi-vérité.

— J'suis pas saisonnière. J'suis journaliste.

Il tira une nouvelle taffe. Les braises rougeâtres montaient comme de minuscules serpents incandescents autour de ses doigts.

— D'accord, dit-il, de la fumée plein la bouche, j'comprends tout.

— J'fais une enquête sur les Émissaires. Ma rédaction veut un papier d'fond sur la secte et le seul moment où on peut les infiltrer, c'est maintenant.

— T'arrives un peu tard.

Elle éclata de rire. Buée et fumée l'enlaçaient avec amour. Elle était déjà stone.

— Dans mon canard, on s'préoccupe pas trop du calendrier des vendanges. C'est déjà un coup d'chance que les Émissaires s'y prennent si tard.

— T'as raison. C'est quoi ton journal ?

Elle carra ses paumes jointes entre ses jambes serrées et hocha plusieurs fois la tête en souriant, feignant la perplexité. Mais c'était plutôt le ricanement d'une défoncée déjà à l'ouest.

— Ça, j'suis pas autorisée à te le dire.

Marcel gloussa à son tour. Elle songea au tableau qu'ils offraient tous les deux, à se tortiller et à se marrer sur leur banc. Des beaux spécimens d'humanité.

Au-delà du cercle de lumière que dessinaient les feux et les lampes à LED portables, des Émissaires à cheval les observaient.

— Ça a à voir avec la mort de Samuel ? relança Marcel d'une voix molle.

— Non. On a décidé l'enquête avant.

— Mais c'est un plus, non ?

Le timbre du saisonnier semblait se calcifier, comme si sa bouche n'était plus faite que d'os et de dents.

— Oui et non. Pour l'instant, tous les médias en ont parlé. Donc, c'est plutôt un moins. Mais si j'arrive à décrocher un scoop…

— T'auras rien du tout.

— Pourquoi tu dis ça ?

— Parce que je bosse ici depuis six ans et que si tu t'attends à quelque chose de bien glauque, meurtre maquillé en accident ou autre connerie de ce genre, tu vas être déçue.

À travers les limbes du cannabis, Ivana reprit tout à coup ses esprits :

— Tu veux dire qu'un acte criminel est impossible ?

— Les Émissaires sont non violents et c'est pas des paroles en l'air. Jamais l'un d'eux lèverait la main sur un autre.

— Et quelqu'un d'extérieur à la Communauté ?

Marcel s'esclaffa. Il avait des dents dans un tel état qu'on avait toujours peur qu'il en perde une ou deux à chaque éclat de rire.

— Tu veux dire un d'entre nous ?

Il désignait les ombres en train d'aller se coucher. Les Gitans avaient enfin arrêté leur raffut.

— Pourquoi pas ?

— J'connais la plupart de ces gars. Pas d'assassin en vue. Tu pourrais à la rigueur imaginer une baston sous alcool, une embrouille à propos d'une meuf, mais tuer Samuel ? Pour quoi faire ? Oublie, j'te dis.

— Une histoire de fric ? une dette ?

Le gloussement de Marcel se fit gargouillis :

— Y a pas d'argent ici. C'est comme le Club Med. D'ailleurs, y a pas de poches à leurs vestes.

Il rit à sa propre blague et posa la main sur l'avant-bras d'Ivana – pas un geste de drague, Marcel n'était pas en état : tordu comme une plante grimpante, il avait cette position spécifique du défoncé en train de quitter le monde de la conscience.

— Fais ton truc sur les Émissaires et oublie Samuel, marmonna-t-il. Un conseil que j'te donne. Dans quelques jours, la version officielle va tomber et ça sera une banale histoire d'échafaudage qui…

Il n'acheva pas sa phrase. Il venait de s'effondrer sur le flanc, assommé par le sommeil. Ivana secoua la tête. Elle-même ne parvenait pas à aller au bout de la moindre pensée…

Elle abandonna son compagnon ronflant et tituba en direction de sa tente. Et dire qu'elle avait le matin même le projet de visiter Saint-Ambroise en douce… Elle n'aurait même pas pu atteindre la clôture. Elle s'effondra en chemin sur un talus d'herbe et s'allongea sur le dos, les coudes en appui.

Observant encore les anabaptistes qui nettoyaient derrière les saisonniers partis se coucher, elle éprouva un pincement de jalousie pour leur rigueur, leur sérénité, leur ferveur.

En tant qu'orpheline, elle n'avait jamais connu une telle cohérence. Quand on n'a pas de parents, on rebondit au gré des disponibilités. Un coup c'est une famille nombreuse, une autre fois un foyer aux allures de centre pour délinquants, puis un couple de vieux cathos…

Sa personnalité s'était construite ainsi, de bric et de broc, et son éducation ressemblait à un manteau rapiécé qui laissait passer pas mal de courants d'air…

C'était son métier de flic qui lui avait offert la seule ligne droite qu'elle ait jamais suivie.

Cette idée lui fit penser à Niémans. Il était censé arriver aujourd'hui. Dans l'idéal, elle aurait dû lui passer un coup de fil. Elle avait enterré un téléphone dans un sous-bois à quelques centaines de mètres du Domaine.

Mais encore une fois, à l'idée de se carapater par une faille de la clôture, de traverser des champs en pleine nuit, elle se contenta de ricaner. De toute façon, elle n'avait rien de significatif à dire.

Mieux valait aller se coucher et reprendre des forces.

14

Hommes et femmes disposaient de plusieurs grandes tentes situées à bonne distance, des sortes de dortoirs militaires comptant deux rangées de paillasses, face à face. Afin de donner une illusion d'intimité, des paravents de toile avaient été dressés entre les lits.

La plupart des ouvrières dormaient déjà. Pas d'insomnies chez les vendangeurs. L'espace était nickel, et pour cause : il était interdit de laisser traîner la moindre frusque. Après la journée de travail, la douche était obligatoire dans des blocs sanitaires modulaires comme on en voit sur les chantiers. Là, des Émissaires venaient récupérer vos frusques de travail afin de les laver – on ne disait pas « désinfecter », mais c'était l'esprit. Le lendemain matin, de nouveaux vêtements vous étaient donnés, impeccables et repassés.

La nuit, chacun et chacune revenait à son état naturel, ronflant entre les plis de sweat-shirts informes. Elle finit par trouver son lit et s'écroula. Elle eut l'impression que ses os s'éparpillaient sur le matelas. Un bref instant, elle demeura sur le dos à observer les chauffages à infrarouge que les Émissaires avaient installés dans les allées. Mi-veilleuse d'alarme, mi-œil du diable…

Elle ferma les yeux et Rachel apparut. Son visage rond, ses sourcils à la fois très marqués et éthérés, mélange de fougue et de songe, ses iris clairs qui semblaient refléter votre image… Elle n'était pas proche de la nature, elle était la nature. Alors que les convictions écolos d'Ivana étaient crispées, amères, agressives, Rachel était la fille naturelle de ces valeurs. Une jeune femme en soi non violente, qui aurait poussé selon les règles de l'agriculture raisonnée… Ivana souriait à ces idées qui perdaient leur logique à mesure que le sommeil l'envahissait.

Puis tout se déglingua.

Elle perçoit d'abord des murmures qui ressemblent à des toiles d'araignée. Elle ouvre les yeux et découvre plusieurs Émissaires, chemise blanche, barbe rousse, chapeau blanc, penchés sur elle.

Les voix continuent, les lèvres ne bougent pas. Des mains s'approchent, lui frôlent la peau. Ivana essaie de bouger, ses membres sont immobiles – la fatigue s'est transformée en paralysie. Les doigts, les voix… Elle est maintenant sûre qu'il s'agit de prières, de psaumes inconnus…

Alors, le maître de cérémonie apparaît.

Un animal au museau brunâtre, comme sculpté dans de la glaise et hérissé de dents. Pas dans la bouche, les dents, mais autour. Des crocs qui crèvent la chair et pullulent autour des babines, à la manière d'une barbe d'ivoire…

D'un coup, elle comprend le mot que répètent les Émissaires :

— *Das Biest... das Biest... das Biest...*

Elle se réveilla en une convulsion, rebondissant sur sa paillasse à la manière de Regan, la petite fille possédée de *L'Exorciste*. Elle toussa d'abord puis crut qu'elle allait vomir. Son visage était voilé de sueur, une sueur rance et froide d'ancienne junkie. Putain, c'était à cause du joint. Trop vieille pour ces conneries…

Lentement, elle prit conscience du calme sous la tente : les ronflements, les soupirs, le frottement des couvertures… Mais tous les éléments de son rêve n'avaient pas disparu. Il restait les murmures.

Ivana se gratta la tête avec rage, comme pour balayer les dernières franges du rêve… Mais non. Les chuchotements persistaient. Pas dans la tente, à l'extérieur. Elle se leva à demi et tendit l'oreille. Les voix étaient atténuées par l'épaisseur du tissu. Tout ce qu'elle pouvait deviner, c'est que les deux hommes – car c'était des hommes – parlaient allemand. Ce langage ancien à peine compréhensible que les Émissaires affectionnaient.

Elle se concentra et attrapa quelques bribes :

— La bête est là…

— Pas encore…

— Tu sais très bien… son retour… annoncé…

Le vent emportait des mots entiers. Ivana ne comprenait rien. Mais elle tenait le principal : « *das Biest…* ». Comme dans son rêve.

Elle laissa passer plusieurs minutes puis se décida à sortir. Seul, le froid la saisit, et les sons de la nuit, comme compressés par ce froid, lui tintèrent aux tympans.

D'un pas prudent, elle contourna la tente et observa le flanc gauche (là où les chuchoteurs avaient échangé leurs secrets). Personne. Dans son souvenir, leurs voix étaient imprégnées d'angoisse…

Das Biest... De qui parlaient-ils ? D'un personnage de la Bible ? D'une vieille croyance ? Du meurtrier de Samuel ?

Soudain, elle se retourna, devinant une présence. Elle plissa les yeux dans les ténèbres pour essayer de discerner une ombre. Rien. Comme poussée par une force irrationnelle, elle mit un genou au sol et posa sa main à plat sur la terre.

La bête était là, dans les profondeurs.

Elle se releva, se frotta les épaules et secoua vigoureusement la tête.

À peine trois jours qu'elle était là et elle devenait déjà à moitié dingue.

Elle se faufilait le long de la tente quand une scène attira son regard. Des femmes en file indienne, vêtues exactement comme durant la journée – robe noire et coiffe blanche –, traversaient le campement. Elles portaient sur leurs bras repliés des piles de robes justement, de coiffes et de tabliers dûment lavés et repassés pour la journée du lendemain. Elles se dirigeaient vers les blocs sanitaires pour laisser les vêtements dans un grand panier couvert prévu à cette effet.

Ivana rentra à l'abri et les observa encore par l'entrebâillement des toiles. Ces dames de la nuit ne livraient pas seulement des costumes mais une conception du monde, la pureté du jour nouveau, la beauté du travail à venir.

Des êtres innocents, animés seulement par le Bien.

Innocents vraiment ?

Une petite voix chuchota dans son cerveau : « Que Dieu t'entende… »

15

Niémans n'avait pas dîné. Il en éprouvait une petite satisfaction intime. Chaque repas sauté, chaque victoire dans le domaine de la diète, le remplissait d'une fierté dérisoire. Avec l'âge, il avait grossi et vivait ce relâchement comme une humiliation. Il se rêvait en sadhu, se contentant d'un bol de riz par jour. Une âme stoïque face à la tentation de la bouffe. Malheureusement…

Son portable sonna : Desnos.

— On vous attend en bas.

Elle avait donc réuni son escouade. Niémans se leva de son lit sans prêter attention aux douze mètres carrés de sa chambre ni au papier peint jauni dont les motifs toile de Jouy peinaient à survivre.

À l'ouverture de l'OCCS, le préfet lui avait dit : « Veinard, vous allez voyager dans toute la France. » Mais les seules visites qu'il effectuait pour l'instant, c'était à la morgue du coin. Les raids gastronomiques se limitaient à des sandwichs dans la bagnole. Quant au charme des petites villes, il se résumait à des chambres d'hôtel pourries et à la découverte de cadavres dans les ravins.

Au fond, ça lui allait très bien : seuls le Mal et la mort l'intéressaient. Il laissait l'autre rive aux gens ordinaires, ceux qui profitent de la vie et veulent oublier la mort. Ceux qu'il protégeait, sans pouvoir, en vérité, les supporter dans la réalité.

Une poignée de gendarmes l'attendaient dans la salle du restaurant. Des gugusses engoncés dans leur doudoune bleu marine au milieu d'une pièce couleur parchemin, éclairée par de petits abat-jour jaune cire et décorée de mousquets du XVIIe siècle…

Stéphane lui présenta chaque cruchot mais impossible de mémoriser de tels patronymes. Ils portaient tous des noms de pianos à queue.

Deux d'entre eux étaient nettement, comme on dit, en surcharge pondérale. Deux autres semblaient finir leur stage de formation, ou le commencer. Un autre avait plutôt l'âge de passer le flambeau. Un seul finalement lui parut prêt à l'emploi : un grognard à moustache et mensurations standard, âgé d'une quarantaine d'années.

— Asseyez-vous, ordonna Niémans comme il aurait dit « repos ».

Les gars laissèrent tomber les parkas et regroupèrent une poignée de chaises autour de la plus grande des tables.

— Première priorité, commença le flic, l'équipe scientifique.

— Ils arrivent demain matin.

— Parfait. Qu'ils ratissent en profondeur la chapelle.

— Mais…

— Mais quoi ?

— Vous l'avez vue comme moi. Elle a été déblayée, visitée, piétinée. Je ne vois pas ce que…

— Desnos, j'te l'ai déjà dit, cesse de donner les réponses avant d'avoir posé les questions. Je veux des relevés d'empreintes, des échantillons, des moulages. Je veux de quoi remplir leur labo à Strasbourg ! Quelque chose tombera peut-être de ces analyses.

Stéphane nota dans son carnet. Les gendarmes se lancèrent des regards en coin, tête baissée.

— Deuxièmement, l'enquête de proximité.

— Proximité de quoi ? interrogea le moustachu.

— De la chapelle. On ne peut écarter l'hypothèse que cet « accident » soit en réalité un meurtre provoqué par un sabotage des échafaudages.

Les paires d'yeux ronds qui l'observaient ne lui disaient rien qui vaille. Le scepticisme faisait l'unanimité.

— De deux choses l'une, soit notre homme est un Émissaire, soit c'est un étranger, un saisonnier ou quelqu'un des environs. Dans tous les cas, il a bien dû se rendre à la chapelle d'une manière ou d'une autre : à pied, à vélo, en voiture, à moto… Je vous demande d'interroger les fermiers du coin, les gens qui habitent le long des routes, ceux qui empruntent cette départementale dans ce créneau horaire. Ils ont peut-être vu quelque chose.

— Nous avons déjà fait ce travail, commenta Stéphane d'un air pincé.

— Eh bien, recommencez. Votre dossier d'enquête est encore plus mince que ma feuille d'impôts.

Un silence plombé accueillit ces dernières paroles. Niémans ne ressentait plus de la gêne autour de lui, plutôt un début d'hostilité. Il n'en avait cure.

— Troisièmement, je voudrais qu'on se penche sérieusement sur les saisonniers. Leur profil, leur origine, leur casier.

— C'est de la stigmatisation.

— Non, c'est du bon sens. On me rabâche que les Émissaires sont non violents et qu'ils ne pourraient pas avoir le moindre mobile pour un meurtre. Soit. Qui reste-t-il ? Les plus proches du site sont les saisonniers, qui dorment dans un campement à moins de cinq cents mètres de là. Ça vaut le coup de creuser.

Le moustachu revint à la charge :

— On doit tous les interroger ?

— Absolument. Vérifier leur alibi et les jauger. Demandez aussi à la coopérative de nous fournir leur fiche d'embauche.

Les gendarmes se tortillaient sur leurs sièges, Desnos se raclait la gorge.

— Quoi ? demanda Niémans.

— Ça va être difficile, car une telle opération risque de retarder les vendanges.

— Merci d'aborder le sujet. Que ce soit clair une fois pour toutes, il y a eu mort d'homme et c'est pas un fait anodin. Je ne veux plus entendre parler de ces histoires de vendanges. Notre enquête est prioritaire.

Un des deux bibendums se risqua à prendre la parole. Curieusement, il n'avait pas le moindre accent des Vosges :

— Admettons qu'un saisonnier ait saboté la chapelle, mais dans quel but ? Pour tuer Samuel ? Et pour quelle raison ?

— Secouons le cocotier. On verra bien ce qui tombe.

Il écarta les doigts en repliant son pouce sur sa paume. Le chiffre 4 marquait le nouveau chapitre.

— Tant qu'on y est, cuisinez aussi les ouvriers du chantier. Personne n'en parle mais, après tout, ils étaient les mieux placés pour saborder les structures.

Desnos faillit rétorquer, Niémans le devinait, que ces hommes avaient aussi été entendus, mais elle se ravisa.

— La cinquième étape est plus délicate…

Il baissa la voix, comme pour les amener à son idée par la douceur :

— Il faut retourner au charbon et interroger les Émissaires.

— Je vous ai dit…

— Qu'ils ne signent pas de témoignages ? Eh bien, dites-leur qu'il s'agit d'une simple conversation.

— Ils ne parleront pas. Et d'ailleurs, ils n'ont rien à dire. On…

— Voyez les proches de Samuel. Je veux bien qu'ils aient tous le même profil, mais chacun doit tout de même avoir sa propre personnalité. Je veux mieux connaître celle de la victime.

— Du disparu, rectifia Desnos.

— Du disparu, admit Niémans.

En réalité, il partageait les doutes de Stéphane : ces types ne parleraient pas, et s'ils parlaient, ça serait pire. Mais un chef de camp doit y croire, pour lui et pour les autres.

Le préretraité leva la main.

— Je sais que vous êtes là pour approfondir l'enquête, dit-il, que c'est vot' boulot et tout, mais j'peux vous poser une question ?

— Je vous écoute.

— D'où sortez-vous cette conviction qu'il s'agit d'un meurtre ?

Niémans songea à la pierre dans la bouche. C'était mince mais son instinct lui soufflait que c'était le grain de sable qui enrayait toute la machine.

Il se tourna vers Desnos avec l'air de lui déléguer une mission d'importance.

— La capitaine vous expliquera. (Puis il reprit aussitôt :) Je veux aussi qu'on récupère les échafaudages qui se sont effondrés.

— Pourquoi ? demanda une voix.

— Parce que les experts vont nous les demander. Enfin, j'espère… S'il s'agit d'un sabotage, ces tubes métalliques sont l'arme du crime. Je veux aussi qu'on retrouve les décombres de la fresque.

— Mais ils ne sont pas cachés !

— Où sont-ils ?

— Ils les ont sans doute mis à l'abri. Ces peintures sont très importantes pour eux.

— Justement. Je veux savoir pourquoi une œuvre si médiocre a tant de valeur pour des chrétiens qui refusent toute représentation religieuse.

Niémans posa ses mains à plat sur la table – ils avaient leur compte.

— Voilà. N'oubliez pas non plus le travail de routine. Voir par exemple s'il y a eu dans la région des cas similaires.

Stéphane glissa son carnet dans sa poche de pantalon.

— Ça fait pas mal de boulot... Je vais répartir les tâches demain matin et...

— Non. Commencez tout de suite.

Sept paires de sourcils se levèrent en chœur. Il leur adressa un sourire qu'il espérait compatissant.

— Désolé les gars, mais sur ce coup, on doit essayer de rattraper le temps perdu.

— Vous insinuez qu'on a mal travaillé ? demanda Desnos, dont les joues s'allumaient comme des feux stop.

— Non, mais vous étiez persuadés qu'il n'y avait rien à trouver. C'est pour ça qu'on m'a appelé : pour tout reprendre de zéro.

En signe de solidarité, il les raccompagna jusqu'au seuil de l'hôtel. La rue noire de Brason, le vent de glace, les réverbères qui grelottaient dans leur coin... Tout ça lui confirmait ce qu'il avait toujours pensé : la province, dès que le jour tombe, produit une sorte de concentré d'effroi.

Les gendarmes retournèrent à leur fourgon, mais Niémans rappela Desnos.

— Je voudrais que tu fasses une recherche sur cette pierre dans la bouche de Samuel. Ça renvoie sans doute à une sorte de rite. Il faut qu'on sache s'il y a eu d'autres exemples, récemment ou au cours des siècles.

— Vous voulez que je m'y mette tout de suite ?

Niémans ne répondit pas : cela allait de soi.

— Commandant…, reprit-elle, le regard dur, vous nous avez expliqué comment reprendre l'enquête, je peux moi aussi vous donner un conseil ?

— *Be my guest.*

— Si vous pouviez oublier votre comportement de petit chef et ce mépris de Parisien pour la province, ça nous permettrait de nous motiver et d'aller plus vite, je pense.

— Je…

— Chaque fois que vous nous regardez ou que vous évoquez notre travail, vous donnez l'impression de toucher un bâton merdeux.

— Mais…

Elle avança d'un pas, les poings toujours sur son ceinturon.

— J'vais vous dire autre chose, commandant. J'ai beau être née à Guebwiller, n'être gendarme que depuis huit ans et manger de la tarte flambée deux fois par semaine, je suis pas plus conne qu'une autre, et si Samuel a réellement été assassiné, je vais me défoncer pour choper le meurtrier.

Niémans éclata de rire.

— Quand nous l'aurons trouvé, vous m'inviterez à en manger une.

— Une quoi ?

— Une tarte flambée.

— Arrosée avec le vin du Domaine, ajouta-t-elle en allongeant un sourire d'une oreille à l'autre.

16

De retour dans sa chambre, Niémans s'aperçut qu'il avait reçu un appel de Zimmermann. Son portable n'avait même pas sonné. Pour une raison inconnue, la connexion ne passait pas au rez-de-chaussée de l'hôtel.

Il rappela aussitôt le légiste – l'heure tardive du coup de fil lui laissait espérer une information d'importance.

— J'ai relu mes notes, commença le médecin. Samuel était sans doute mort avant l'éboulement.

— Qu'est-ce qui vous fait dire ça ?

— Tout bien considéré, le corps n'a pas assez saigné. Bien que les pierres aient largement endommagé la cage thoracique, je n'ai pas trouvé l'ombre d'une hémorragie interne.

— Et c'est maintenant que vous le dites ?

— Je suis désolé… Quand j'ai récupéré la dépouille, c'était une chair à pâté couverte de poussière. Les dégâts causés par les décombres étaient si importants qu'il ne m'est pas venu à l'idée que la mort ait pu avoir lieu avant ce carnage.

— Avez-vous une idée de la cause réelle de la mort ?

— Franchement ? Aucune.

Inutile d'enfoncer ce légiste du dimanche.

— Vous pouvez me rédiger un rapport là-dessus ?

— Ça reviendrait à me désavouer moi-même.

— Exactement.

Il y eut un bref silence : le médecin semblait peser le pour et le contre.

— Ok. Je vous fais ça.

— Au plus vite, s'il vous plaît.

Niémans raccrocha. Il ne tirait aucune satisfaction de cette première victoire. Les choses se dessinaient comme il l'avait prédit, mais ce n'était pas une bonne nouvelle. Un meurtre. Un rite. Et cette étrange contradiction : pour quelle raison un assassin cherchait-il à la fois à signer et à camoufler son crime ?

Il comprit soudain pourquoi il n'avait pas dîné et pourquoi son humeur touchait le fond de la mine. Elle n'avait pas appelé. Elle, Ivana, son adjointe, sa petite Slave… Rien n'avait été défini à propos des communications mais elle savait qu'il arrivait ce jour-là et il avait pensé…

Niémans attrapa le dossier qu'on lui avait concocté à Paris. Il n'avait pas sommeil. Quitte à rester les yeux ouverts, autant approfondir ces notes et se cultiver un peu.

En réalité, il connaissait déjà l'histoire des anabaptistes. Il avait eu sa période protestante – du moins sa tentation – et avait beaucoup lu sur l'âge de la Réforme. À l'ombre de ce mouvement, une autre conviction s'était forgée. Réformer l'Église, oui, en revenir aux principes de la Bible, bien sûr, mais il fallait avant tout se conformer à la pratique de la foi du temps du Christ, c'est-à-dire se faire baptiser à l'âge adulte, en pleine conscience de la signification de ce sacrement.

Les anabaptistes étaient nés. Aussitôt persécutés, torturés, massacrés, la plupart avaient pris la fuite. Les mennonites, les amish, les huttérites étaient partis vers l'Europe de l'Est et le Nouveau Monde. Les Émissaires, plus ou moins protégés par leur propre vin, étaient restés.

Durant cinq siècles, ils s'étaient tenus à l'écart du monde futile de ceux qui ne vivent pas selon la parole du Christ. Ils avaient opté pour une exclusion volontaire (en allemand : « *Meidung* »), fondée sur un désir de vivre en toute pureté, loin de l'État, de la politique, et même de l'Église corrompue par le pouvoir séculier.

Les siècles s'étaient succédé au Domaine et s'étaient ressemblés. Du vin, des persécutions, un mode de vie immuable… Toutefois, au XXe siècle, un personnage avait pris la tête de la Communauté, alors qu'elle n'avait jamais connu de chef durant quatre siècles.

Otto Lanz n'était pas vraiment un gouvernant, plutôt un réformateur qui accumulait les contradictions. D'abord, il ne provenait pas des lignées historiques des anabaptistes. C'était un intrus, un Mondain. Ensuite, il était peintre, ce qui était un non-sens pour cette communauté qui refusait toute représentation picturale et toute expression personnelle. Enfin, il était agressif.

Lanz ne prônait pas la guerre mais la fermeté. C'est lui qui avait établi les clôtures du Domaine et mis au point cette « police des terres » chargée de surveiller les frontières de leur monde. Lui aussi qui, en se plongeant dans les lois françaises, était parvenu à construire une véritable forteresse légale protégeant les Émissaires des assauts du monde extérieur.

Niémans aurait dû gratter un peu plus sur ce lascar mais, à l'idée de se lancer dans des recherches à cette heure-là, le cœur lui manquait. Il regarda sa montre : plus de minuit et Ivana n'avait toujours pas appelé. Devait-il s'inquiéter ? Après s'être fadé trois jours de vendanges, elle devait être épuisée, voilà tout.

Il décida qu'il était temps pour lui aussi de se coucher. Il prit une douche dans une cabine de la taille d'un sarcophage et opta pour une température brûlante.

Quelques minutes plus tard, allongé dans l'obscurité, il ressentait un vide intense. Son corps fumant encore, il avait l'impression d'être un cratère sans fond. Ses pensées se mirent à flotter, entre conscience et sommeil.

Dans ces limbes, un souvenir se précisa. À une époque lointaine, il avait essayé d'apprendre le japonais – allez savoir pourquoi. La culture de Niémans, pur autodidacte, avait toujours évolué par à-coups. Un jour, il se passionnait pour l'architecture moderne. Un autre, pour un compositeur du nom de Charles Koechlin. Un autre, pour le protestantisme… Ça n'allait jamais très loin, mais c'était mieux que rien.

Bref, il s'était inscrit aux Langues O. Il ne connaissait pas le Japon et n'était pas spécialement attiré par cette culture. C'étaient les caractères kanji qui le fascinaient. Il voyait dans cette écriture – pour être plus précis, il l'espérait – une autre vision du monde, une symbolique qui parviendrait, à condition qu'il la maîtrise, à lui donner une nouvelle image du réel (il avait la trentaine et il était déjà solidement ancré dans la violence de la rue).

Il avait arrêté au bout de quelques mois : difficile d'aller aux cours du soir quand on doit aussi surveiller un violeur multirécidiviste ou un assassin qui emportait les têtes de ses victimes pour se faire faire des fellations maison.

De cette période, il n'avait retenu qu'un kanji, celui de la rivière. Un trait vertical, puis un autre, plus court, représentant les rives. Entre les deux, un autre plus bref encore : l'eau. Le signe en lui-même était magnifique. Mais il y avait plus beau : ce même caractère exprimait aussi la famille – plus précisément la famille en train de dormir. Durant les premières années, les Japonais placent leur enfant entre eux dans le lit et ce caractère est là pour exprimer cette trinité. Le père et la mère sont les rives qui protègent le petit – la rivière…

Pourquoi se souvenait-il maintenant de ce kanji, seul dans le noir ? Parce que lui-même n'avait ni femme ni enfant. Il était un kanji incomplet. Un trait solitaire.

Voilà pourquoi Ivana Bogdanovic était si importante pour lui. Elle n'était ni sa rive (sa femme) ni sa rivière (son enfant), mais un peu des deux à la fois. Une présence qui l'empêchait d'être un précipice ouvert sur le vide et qui faisait de lui un être plus humain, plus chaleureux. Un homme qui pouvait veiller sur une jeune fille tragique mais aussi se réchauffer auprès d'elle lorsque son froid intérieur rimait avec permafrost.

Il allait s'endormir quand, dans un dernier sursaut, il attrapa son portable pour vérifier une nouvelle fois. Pas d'appel. Il visualisa son propre visage, à la fois cerné par l'obscurité et éclairé par le scintillement de l'écran – des milliards de cristaux liquides de déception et d'angoisse.

Alors seulement, vaincu, il s'endormit, s'interrogeant encore : mais pourquoi n'avait-elle pas appelé ?

17

Sur les genoux.

Sur les rotules.

Sur tout ce qu'on voudra.

Quand Ivana se réveilla, elle se sentait plus fatiguée encore qu'au coucher. À l'idée de repiquer aux vendanges, elle avait envie de gerber. Sans compter le cauchemar qui lui collait encore aux parois du crâne, avec sa trogne hérissée de dents et ses murmures. *Das Biest*...

Le lever chez les Émissaires respectait une stricte procédure. Il fallait d'abord faire son lit, puis prendre une douche (le savon, artisanal, sentait la terre, l'herbe coupée et aussi quelque chose d'âcre comme l'encens), puis enfiler ses nouveaux vêtements de la journée (eux aussi avaient une odeur végétale, mêlée à un relent de brûlé).

Ni une ni deux, elle se retrouva sous une grande tente éclairée à l'électricité, attablée avec tous les saisonniers devant un somptueux petit déjeuner. Il fallait leur reconnaître ça, la nourriture était divine. Surtout pour elle, qui se la jouait végane.

Solennelle comme une religieuse, elle s'attaqua aux petits pains d'orge et d'épeautre, tout en se servant du pudding au maïs. Seul problème, les anabaptistes proposaient aussi des tartes aux lardons, du jambon cru fumé, du beurre en veux-tu en voilà…

— Bien dormi ?

Sans attendre la réponse, Marcel s'assit près d'elle en bougonnant :

— J'ai une putain de barre dans la tête. C'est ce shit qu'on a fumé hier soir. Une vraie merde !

Il commença à se plaindre aussi de ses douleurs de dos, de ses courbatures, de sa digestion incertaine. Très vite, il embraya sur le salaire, pas si bon que ça, et sur la couverture sociale, vraiment insuffisante.

— On est pas des bêtes, nom de Dieu !

Ivana n'écoutait pas. Elle observait devant elle un verre de lait dont la blancheur contrastait avec les confitures bigarrées – couleurs pleines, denses, brillantes, dessinant une véritable palette d'artiste sur la table. Tout semblait provenir de la même source, de la même pureté.

C'était ce qui la touchait au Domaine : l'extrême cohérence de l'ensemble. Des raisins dorés aux vêtements noirs, des barbes rousses aux cols blancs, des gestes lents aux prières silencieuses, tout appartenait au même matériau, une sorte de cristal qui laissait filtrer, jusqu'à l'éblouissement, la lumière de Dieu…

Soudain, elle se décida et vida d'un trait le verre de lait. À la fraîcheur dans sa gorge succéda une richesse trop lourde pour son estomac, puis le goût amer du sacrilège : les végans n'ont droit à aucun produit d'origine animale. Elle n'était pas sûre de digérer un truc pareil, dans tous les sens du terme, mais cette blancheur dans sa gorge la décida à revoir le jour même Rachel.

La revoir et l'interroger.

18

Niémans n'avait dormi que quelques heures – d'un sommeil de merde, bien sûr, peuplé de cadavres qui suçaient des cailloux – et s'était réveillé hagard, le cerveau comme un parpaing.

À six heures du matin, il était descendu et avait trouvé l'hôtel désert. Il n'avait pas réussi à faire marcher la machine à café du restaurant. Il avait attrapé son manteau et s'était décidé pour un petit tour en ville. Il s'était alors pris Brason en pleine tête, façon boule de démolition en acier.

D'un coup, tout lui était revenu. Attention : pas les souvenirs auxquels il se serait attendu. Pas de chien terrifiant, pas de frère schizophrène, pas de tortures à base de crocs et de câbles de frein. Seulement des petits bouts de son enfance dont l'exhumation ne le rendait ni heureux ni malheureux.

Niémans n'avait jamais connu la légèreté des premiers âges, la joie pure du gamin qui vit dans l'instant. Une angoisse sourde, une inquiétude sans objet l'avaient toujours taraudé. À propos du présent, du futur, de la mort ou d'il ne savait quoi… En définitive, c'était le métier de flicard qui lui avait offert cadre et stabilité – un chemin. Certains, pour tenir debout, étaient accros à l'alcool, à la drogue, aux anxiolytiques. Lui, il était accro au crime.

Brason n'avait rien de particulier. Le bourg ressemblait à Guebwiller et à tous ses petits frères de la vallée. Des villes inertes, étroites comme un mauvais costume et gracieuses comme un monument aux morts. Il faisait encore nuit et on n'y voyait pas grand-chose mais il imaginait le bar-tabac, la mairie grisâtre, les supérettes aux rayons à moitié vides.

Une bonne surprise l'attendait pourtant devant son hôtel : Stéphane Desnos, en uniforme sans faux pli et avec un sourire qui valait tous les petits déjeuners du monde.

Allons, Niémans, la vie n'est pas si terrible...

— Café ? proposa-t-il, essoufflé par sa marche matinale.

— Ça ira, merci.

— T'as avancé ? demanda-t-il en se frottant les mains pour se réchauffer.

— Les TIC s'installent dans la chapelle et commencent les relevés.

— Super. Ils doivent d'abord tout passer au Bluestar. Le légiste m'a rappelé cette nuit. Samuel était mort avant l'éboulement.

— Quoi ? Il a changé d'avis ?

— C'est un clown. Maintenant, il est trop tard pour appeler un autre toubib ou exhumer le corps. En tout cas, je suis certain qu'avec le Bluestar, on va avoir des surprises. Bonnes, les surprises.

— C'est-à-dire mauvaises.

— Ne joue pas sur les mots, rétorqua Niémans en grelottant. Pour le café, t'es sûre ?

La salle du restaurant avait repris vie, ce qui était un grand mot. Les lampes étaient allumées et une petite serveuse s'affairait derrière le comptoir. L'odeur du café planait sous les têtes empaillées et, qu'on le veuille ou non, ce sillage était réconfortant.

Niémans s'appesantit quelques secondes sur la jeune femme qui manipulait sa buse à vapeur avec dextérité. Il l'avait déjà repérée la veille. Passé la cinquantaine, ses goûts et ses désirs étaient toujours ceux de ses vingt ans mais ils s'étaient aiguisés comme une pointe de saphir.

— Ho, Niémans, vous m'écoutez ?

— Quoi ? Oui, pardon.

Ils s'étaient installés au comptoir, les coudes plantés sur le zinc rutilant, position western.

— Tu disais ?

— Je vous parlais du porte-à-porte…

Les cafés arrivèrent. Leur parfum lui passa dans le sang et le réchauffa d'un coup.

— On a commencé à la première heure ce matin mais, compte tenu de la topographie des lieux, on ne peut rien espérer. Y a juste quelques fermes isolées autour du Domaine. De plus, elles sont éloignées de la route. Aucune chance qu'on ait vu quoi que ce soit sur la départementale.

— Personne n'était aux champs ?

— En pleine nuit ? Laissez tomber, Niémans.

— Les saisonniers ?

— On va demander l'autorisation.

— À qui ?

— Niémans, vous connaissez la loi comme moi : tout ce qu'on peut faire, c'est convoquer l'un après l'autre les ouvriers. Si on veut gagner du temps, on doit se rendre sur place. Et si on veut pénétrer dans le Domaine, il faut l'accord des Émissaires…

Niémans ne répondit pas. Il n'avait jamais respecté ce genre de précautions mais ici, on n'était pas à Paris et il savait que Schnitzler ne le soutiendrait pas.

— Avec les collègues, on a tout de même avancé, reprit Desnos. Par le site de l'Urssaf, on a réussi à avoir les noms des saisonniers. Même les Émissaires sont tenus de déclarer leurs employés. On est maintenant en train de vérifier leurs casiers judiciaires.

Bien joué, ma poule, faillit-il dire, mais il se retint in extremis. Il ne voulait pas être pris en flagrant délit de familiarité, et encore moins de discrimination.

— L'équipe de rénovation ?

— C'est au programme de ce matin.

Niémans devinait que Desnos avait bossé toute la nuit. Il en éprouva une satisfaction étrange, mêlée de remords. Elle portait une alliance et devait mener une existence pépère quelque part dans les environs, avec mari, gamins et Kangoo. En fait, il aimait saboter la vie familiale de ses collègues, comme un gosse qui écrase le château de sable du voisin de square, mais il s'en voulait toujours à l'arrivée de n'être qu'un tyran solitaire.

— Bon, fit-il en faisant claquer sa tasse sur le comptoir. On va aller interroger nous-mêmes le chef de chantier. Tu sais où il bosse ce matin ?

Elle feuilleta les pages de son petit bloc.

— Il dirige d'autres travaux à 100 kilomètres d'ici, à Saint-François-de-Paule, près de Lipsheim, dans le Bas-Rhin. C'est une église assez connue là-bas et…

Le détail du petit carnet, ses gestes appliqués le touchèrent.

Il lui frappa amicalement l'épaule et sourit.

— En route.

19

— Qu'est-ce que tu fous ? demanda Marcel.

Ivana franchissait un rang de vigne afin de se rapprocher des Émissaires qui vendangeaient plus loin.

— Les saisonniers doivent rester ici.

— Ah ? fit-elle avec innocence. Ok. Mais je préfère ce coin, on est à l'ombre.

— Y a même pas de soleil.

— Tu restes avec moi ou non ?

Sans répondre, le saisonnier se fraya un passage entre les feuilles. Ils se mirent au boulot d'un seul mouvement, avec leur hotte sur le dos et leur sécateur à la main.

Marcel était en verve. Il tenait à lui expliquer ce qu'est le gewurztraminer. Un cépage du Nord, du froid, qui résiste aux gelées d'hiver et dont la cueillette tardive donne un raisin très sucré, presque une liqueur. On le boit en apéritif, au dessert, aux repas de fin d'année... Mais on peut aussi lui faire sa fête avec de la bouffe asiatique.

— Un p'tit porc laqué avec le vin du Domaine, tu m'en diras des nouvelles !

Ivana n'écoutait pas. Elle méprisait le vin. Elle voyait dans cette passion toute la vanité du bourgeois crevant dans sa cave avec ses bouteilles au terme d'une existence mesquine.

En revanche, elle essayait de tendre l'oreille pour capter ce que se disaient les Émissaires, à deux rangées de là. C'était vite vu : ils ne desserraient pas les dents. Et quand ils parlaient, c'était en ancien allemand, impossible à piger.

Mais elle jouissait du spectacle : leur manière parcimonieuse de vendanger, leur regard concentré, leur visage paisible… Malgré le labeur, ils étaient impeccables. Les coiffes de prière, les chapeaux de paille étaient d'un blanc étincelant, alors que les costumes faisaient profil bas, dans des tons corbillard.

Tout autour, c'était la campagne alsacienne, frigorifiée, frémissante. La lumière, hésitante, semblait se tordre le cou pour émerger de la gangue des nuages. Ivana était surprise : urbaine à cent pour cent, elle appréciait pourtant ces tableaux immenses et calmes, où circulaient un goût de terre et un parfum de feuilles mortes… Pas mal du tout.

— Qu'est-ce que tu branles encore ?

Ivana sursauta : elle était en train de couper les sarments.

— Qu'est-ce qui te prend ? demanda Marcel en s'approchant et en évaluant les dégâts. Tu vas te faire tuer.

— C'est bon, ça va repousser.

Marcel la regarda – il semblait mesurer soudain son degré d'incompétence. Et son mépris de citadine. Il lui fit signe de passer au plant suivant alors qu'il essayait de dissimuler les ravages.

Elle reprit sa besogne, sans pouvoir s'empêcher d'observer encore les autres. Au-delà de leurs gestes, de leurs costumes, elle ressentait profondément leur distance. La barrière du sang. Exactement ce qu'elle éprouvait jadis au sein de ses familles d'accueil. On l'acceptait comme une sœur. Elle partageait nourriture et habitudes, mais il lui manquait l'essentiel. L'origine, la source. Ils étaient les ruisseaux, elle était le tout-à-l'égout.

— Ho, mais qu'est-ce que tu fous, putain ?

Distraite par sa propre amertume, Ivana venait de s'entailler la main dans le pli de peau entre le pouce et l'index. Elle ne s'en était même pas rendu compte.

Comme hypnotisée, elle regardait maintenant le sang couler sur les feuilles, sans pouvoir réagir ni bouger.

— Ça va ?

Rachel se tenait en face d'elle, de l'autre côté des pieds de vigne. Le temps qu'elle réponde, l'anabaptiste avait attrapé sa main, l'avait portée à sa bouche et suçait maintenant la blessure.

Ce contact, trop sensuel, faillit la faire tomber dans les pommes. Mais déjà, Rachel fouillait dans la poche de son tablier pour en sortir un mouchoir blanc dans lequel elle enveloppa la paume d'Ivana.

La fliquette n'avait toujours pas prononcé un mot. Elle aurait voulu dire quelque chose mais les syllabes demeuraient coincées au fond de sa gorge, avec un goût de fer. Rachel acheva son nœud en serrant entre ses dents deux pointes de tissu.

— C'est pas trop douloureux ? demanda-t-elle à travers les feuillages.

Ivana songea à un confessionnal dont le treillis de bois aurait été remplacé par les sarments.

— Ça va, bafouilla-t-elle. J'sais pas c'que j'ai aujourd'hui, j'fais qu'des conneries.

Rachel franchit la rangée en relevant sa robe dans un geste de french cancan.

— Je vais te montrer.

Elle se plaça sur le côté, lui saisit la main droite qui tenait toujours le sécateur et guida les lames à la base de la tige. D'un coup sec, elle coupa la rafle, saisit la grappe et la fit glisser dans la hotte d'osier. Ivana la regardait faire, fascinée par sa dextérité autant que par son calme. Sous ses gestes, circulait une cohérence profonde, comme une nappe phréatique repose sous la terre.

À quelques mètres de là, Marcel observait la manœuvre d'un œil méfiant. Il n'avait sans doute jamais vu d'aussi près une Émissaire. Et ça n'avait pas l'air de lui plaire.

Malgré elle, Ivana redressa la tête et ferma les yeux. Peut-être perdit-elle conscience, mais seulement quelques millisecondes. Quand elle les rouvrit, ce fut pour découvrir au loin des nuages chargés de pluie.

— T'as compris ? demanda Rachel.

Ivana s'écarta et contempla son visage. Elle dut se faire violence pour ne pas caresser ces joues roses, attirantes comme un fruit.

Surtout, elle voyait de tout près ses yeux. La veille, ils lui avaient paru trop clairs, presque inquisiteurs dans leur transparence. Mais ils étaient beaucoup plus denses que ça. Ses iris recélaient une gravité minérale, celle des tombes en marbre.

— On peut déjeuner ensemble ? demanda Ivana.

20

— Des vampires.

— Qu'est-ce que tu racontes ?

— Toutes mes recherches au sujet de la pierre dans la bouche m'ont ramenée à des histoires de vampires.

— Explique-toi.

Niémans avait pris le volant. Il avait décidé de la jouer galant homme et non plus supérieur bourru. Première attention du gentleman : jouer au chauffeur. Il roulait tranquille, déterminé à profiter des cent bornes de trajet pour achever le débriefing.

— Dans les années 2000, reprit-elle en feuilletant son iPad, des archéologues ont découvert en Irlande deux squelettes inhumés datant du VIIIe siècle après Jésus-Christ. Ils avaient une grosse pierre dans la gorge qui leur maintenait la bouche ouverte.

— Comment ils interprètent ça ?

— Ils pensent que c'était pour empêcher le mort de se réveiller et de revenir parmi les vivants. Ça semble lié aussi à la Peste noire. À l'époque, on croyait qu'elle était transmise par des vampires qui, une fois enterrés, se réveillaient et mâchaient leur linceul. C'est cet acte sacrilège qui propageait la mort noire…

Avec des indices de ce genre, on n'est pas rendus…

— C'est tout ? demanda-t-il d'une voix calme.

— Non. J'ai trouvé une autre occurrence… On a découvert en 2014 dans un cimetière médiéval un cadavre qui avait été aussi mutilé post mortem. Une brique bloquait ses mâchoires pour l'empêcher de mordre en cas de résurrection…

— T'as rien de plus sérieux ?

— C'est tout à fait sérieux. En tout cas ça l'était au IXe siècle. J'ai également déniché un exemple en Italie qui…

Niémans en avait assez entendu. Il enfonça sa tête entre ses épaules et tendit les bras de manière à les caler contre le volant. Au loin, la ligne d'horizon coupait le ciel atone comme un couteau.

— Ces vieilles histoires ne nous mèneront nulle part, grommela-t-il.

— Je ne suis pas d'accord.

— Tu penses que Samuel était un vampire ?

— Non, mais il vivait dans le passé, comme tous les Émissaires.

— Ils ont arrêté les compteurs au XVIe siècle, pas au Moyen Âge.

— Pour ce qui est de la création de la Communauté, oui. Mais ils suivent les enseignements de la Bible, notamment ceux de l'Ancien Testament, ce qui nous renvoie plutôt à l'Antiquité.

Desnos avait raison : les anabaptistes étaient atemporels. Ils coïncidaient avec une Antiquité de légende.

Chez eux, la notion d'époque se perdait dans un poudroiement de désert.

Cette pierre dans la bouche était peut-être une allusion à un rite très ancien, pratiqué du temps de Babylone…

— L'assassin pourrait être un Messager ? l'asticota-t-il.

— Je n'ai jamais dit ça. Mais son mobile est aussi à chercher du côté de leur histoire ou de leur foi.

— Je suis d'accord. Et on ne sait pas de quoi ils sont capables.

— Vous jetez en permanence un voile de soupçon sur ces gens et vous avez tort. La violence n'a pas sa place dans leur monde.

— J'ai lu pourtant qu'ils étaient pour la peine de mort.

— Ça n'a rien à voir.

— Vraiment ? La loi du talion, ça me paraît assez agressif comme principe.

— Les Émissaires suivent les Saintes Écritures. Ils défendent des châtiments qui se pratiquaient dans l'Antiquité. Même Jésus, dans l'Évangile selon Matthieu, dit : « Celui qui maudira son père ou sa mère sera puni de mort »… Et Paul écrit dans son épître aux Romains : « Le salaire du péché, c'est la mort. »

Stéphane Desnos se révélait de plus en plus érudite. Une bonne nouvelle, peut-être… Mais Niémans ne parvenait pas à la situer : était-elle pro-Émissaires ou simplement très au fait de leur culture ?

— Peut-être que Samuel a commis une faute mortelle, glissa-t-il.

— Arrêtez, Niémans.

— Fais-moi tout de même plaisir, dit-il sur un ton lourd de sous-entendus, vérifie s'il n'y a jamais eu de morts suspectes autour de la Communauté.

— J'ai déjà vérifié.

— Alors, élargis tes recherches. Du côté de leurs contacts commerciaux, de leurs partenaires en matière de distribution, ce genre de trucs…

— Je le ferai. Mais vous n'avez pas l'air de savoir ce qu'est la province. S'il y avait eu ici, dans les cinquante dernières années, un meurtre, ou même un accident rappelant une histoire pareille, tout le monde serait au courant.

— Y a un truc que je dois te dire, souffla Niémans.

— Quoi ?

— Tu fais du bon boulot.

Il lui lança un coup d'œil et il vit passer sur ses joues un voile rose. Une sorte de barbe à papa fugace. Ses yeux brillaient aussi comme si les vitres étaient ouvertes.

— On arrive, dit-elle pour couper court à son émotion.

21

Saint-François-de-Paule était beaucoup plus grande que Saint-Ambroise. Plus vaste et plus noire aussi. Elle se dressait au bord de la départementale comme un terril sur une plaine gorgée de potasse. Niémans se gara sur le parking et s'achemina vers le haut portail, Desnos sur ses pas.

À l'intérieur, même chanson. Les murs paraissaient en plomb et les voûtes en mal de ramonage. Les vitraux, avec leur faible lumière, ne parvenaient pas à éclairer un espace si sombre. Des cierges, des sculptures, des dorures luttaient aussi pour avoir droit de cité. Mais l'ensemble tenait de la masse froide et atone. Le genre étoile morte.

Le paradoxe était que ce tombeau géant était en pleine activité. Des fidèles priaient, des touristes déambulaient, un prêtre parlait dans son micro… Niémans aperçut, au fond, la lumière rouge du tabernacle et il frissonna. Encore un souvenir de môme. À l'époque, cette boîte où brillait une petite lampe lui taraudait l'esprit durant toute la messe. Que contenait-elle ?

— Par là.

Une zone à l'autre bout de l'église, à gauche, par-delà les colonnes, tranchait radicalement avec l'ambiance générale. Une flaque de lumière, compacte et circonscrite, éclairait des hautes bâches en plastique. En transparence, on distinguait des échafaudages qui montaient jusqu'au plafond.

Présentations. Pierre Muller était le patron du chantier – il était aussi le plus grand, le plus long, le plus raide de l'équipe. Une fois qu'il eut compris qu'on allait l'empêcher de bosser au moins pendant une demi-heure, il ôta son casque avec résignation et le balança sur un plateau de travail. Ensuite, il croisa les bras – ses mains glissées sous ses coudes dépassaient comme deux nageoires.

— J'ai déjà tout dit à vos collègues.

Niémans sortit le rapport de Jakob de sa poche de manteau.

— Vous avez lu ça ?

— Conneries.

— Qu'est-ce que vous voulez dire ?

— Un tissu de conneries. C'est clair, non ?

Muller avait de gros yeux exorbités. Avec des globes pareils, aucun détail sur un chantier ne devait lui échapper. L'ingénieur voyait la vie en grand angle.

Les cruchots avaient pris leurs renseignements sur l'homme et sa société. Une affaire familiale de rénovation de bâtiments historiques, spécialisée dans les églises. Très bonne réputation. L'entreprise ne prenait pas en charge les éléments décoratifs, fresques, tableaux, ornements…, mais s'occupait du gros œuvre.

— J'ai pas à être innocenté. Voilà vingt ans que je monte des échafaudages et que je rénove des églises. Je connais mon boulot, croyez-moi.

Autour de Muller, ses ouvriers s'affairaient et Niémans n'était pas dépaysé. Avec leurs combinaisons blanches et leurs masques anti-poussière, ils ressemblaient à s'y méprendre à des techniciens de la PTS. Muller portait lui aussi une grenouillère mais sur lui elle avait l'air de sécher sur un fil.

— Vous n'aviez pas prévu l'érosion liée aux vignes ?

Muller attrapa la liasse imprimée et la feuilleta comme pour se convaincre des absurdités qui s'y trouvaient.

— Me faites pas rire, dit-il finalement. Si ces émanations attaquaient d'une manière significative le grès, ça s'saurait. Et en admettant que le phénomène existe, on l'aurait remarqué en arrivant. Qu'est-ce que vous croyez ? Qu'on plante nos pylônes et qu'on installe nos plateformes sans faire le moindre test ?

Niémans avait anticipé ces réponses. Les experts de la compagnie d'assurances, pour une raison inconnue, avaient servi la soupe aux Émissaires – en déclarant nulle et non avenue l'enquête de la police.

— Quelle est votre hypothèse ?

— Un sabotage.

La réponse avait fusé.

— Pour faire ça, il faudrait être un professionnel du bâtiment ?

— Non. La voûte était fragile. Il suffisait de désolidariser un échafaudage et de filer quelques coups de marteau bien placés pour faire tout tomber. En revanche, il fallait connaître le boulot pour agir aussi vite.

— C'est-à-dire ?

— Samuel s'est pris les éboulis aux environs de vingt et une heures. On a fini l'boulot ce jour-là à dix-huit heures. Ça veut dire que le gars avait moins de trois heures pour bousiller la structure.

— Pourquoi pas une femme ?

— Quand on visse, on y va fort. Faut être plutôt balèze pour dévisser les colliers.

— Sur les lieux, vous avez repéré des signes de sabotage ?

— Non.

— Comment expliquez-vous ça ?

— Je l'explique pas. Mais y a eu sabotage.

Le technicien avait un air buté qui aurait découragé n'importe qui. Il avait baissé la tête sur sa poitrine, à la manière d'une autruche repliant son cou, et ne bougeait plus.

— Un de vos ouvriers, peut-être ?

— Attention à ce que vous dites.

— Je fais toujours attention à ce que je dis. Je suis payé pour ça. En l'occurrence, je vous pose une question.

Muller daigna sortir un bras de sous son aisselle pour esquisser un geste de lassitude.

— Croyez c'que vous voulez, je m'en fous. Je réponds de chacun de mes gars, et si ça vous suffit pas, vérifiez leur alibi. On était tous ici, à Saint-François-de-Paule, de dix-neuf à vingt-deux heures. Le chantier a du retard.

— Les Émissaires ?

L'échalas rit franchement.

— Les meurtres, c'est pas l'genre de la maison. J'ai jamais vu un gars du Domaine s'énerver ou avoir le moindre geste brutal. De toute façon, personne n'aurait osé s'en prendre à Samuel. Pour eux, il était comme un saint.

— Je croyais qu'il n'y avait pas de chef chez eux.

— Il n'y en a pas et Samuel ne dirigeait rien. Mais il était le représentant officiel du Seigneur. Ça ne lui donnait pas de pouvoir mais une importance… décisive.

Niémans changea de cap :

— À Saint-Ambroise, les Émissaires travaillent avec vous ?

— Ils pourraient. Ils possèdent une bonne connaissance du boulot. Mais avec eux, il y a trop de contraintes. Ils ne peuvent pas toucher certains matériaux, ils n'aiment pas l'électricité…

— Que pensez-vous d'eux ?

— Des bons gars. Dignes de confiance.

Un peu de provoc pour la route :

— Ça ne vous gêne pas le côté secte ?

— Ils ont trouvé leur voie. Tant mieux pour eux. On a toujours eu de bonnes relations.

— Et Samuel ?

Muller prit quelques secondes pour répondre. Ses yeux ronds fixaient un point quelque part, entre deux colonnes.

— Un emmerdeur.

— Dans quel sens ?

— Il surveillait les travaux. Un vrai maniaque. On a eu des engueulades, mais ça n'allait jamais loin.

C'est contraire à leurs préceptes. Finalement, un bon mec aussi.

— Quand il venait vous voir, c'était à quelle heure ?

— Souvent en fin d'après-midi. Avant qu'on débauche.

— Mais il n'est pas venu le jour de sa mort.

— Non. Sans doute à cause des vendanges. Ils sont débordés.

Muller regarda sa montre – il commençait à en avoir marre.

— Que pouvez-vous me dire sur les peintures de la voûte ?

— Rien. C'est pas moi qui m'occupe de ce genre de restauration.

— Qui est en charge de ce boulot ?

— Max Lehmann.

— Où je peux le trouver ?

Muller leva les yeux.

— Là-haut. Il travaille aussi ici.

Un vrai coup de chance.

— On peut lui demander de descendre ?

— Non. Il travaille sur une fresque de mosaïque. Il doit opérer pendant que l'enduit est frais.

Niémans observa la muraille de bâche plastique. Derrière, on devinait l'écheveau compliqué de poutrelles d'aluminium.

— Vous avez une nacelle, quelque chose ?

22

Il n'y avait pas de nacelle.

Mais, selon Muller, il était facile d'escalader les échafaudages. Niémans, casqué et assuré par un baudrier, s'exécuta – le chef de chantier lui ouvrait l'ascension. Après la mort de Samuel, pas question de prendre le moindre risque. Desnos joua le rôle du personnel au sol et resta à interroger les ouvriers de l'équipe.

Il grimpa sans difficulté, troublé seulement par le rideau de protection qui lui retombait régulièrement dessus et qui enveloppait chacun de ses gestes, lui donnant la sensation d'évoluer dans une mer étrange, mi-solide, mi-liquide.

Sans même s'en rendre compte, il gravit ainsi une bonne dizaine de mètres. Il éprouvait une certaine fierté à suivre le mouvement, et avec facilité encore.

Ce fut au moment où il atteignait l'avant-dernière passerelle qu'il glissa et se retrouva brusquement suspendu dans les airs.

— Faites attention, merde ! cria Muller, qui n'était pas étouffé par l'empathie.

L'ingénieur tira sur la longe comme un pêcheur ramène ses filets. Grosse prise ce jour-là : un flic coiffé en brosse, drapé d'un manteau noir qu'il ne quittait jamais, à la manière d'une soutane. Muller l'attrapa par le col et le remit d'aplomb sur la passerelle. Niémans n'avait même pas réalisé ce qui lui arrivait – toujours la bâche de PVC qui lui coupait tout champ de vision.

— Lehmann est sur la passerelle du dessus, dit Muller à court de souffle, en ouvrant son mousqueton et en se désolidarisant de son encombrant partenaire. Au fond, là-bas, il y a des marches. Vous faites gaffe en montant.

Niémans acquiesça, totalement désorienté.

— Et… pour redescendre ?

— Lehmann vous assurera. J'vous préviens, c'est un artiste. Il a le melon.

Le flic fit encore oui de la tête, pivota et s'engagea le long de la plateforme, courbé en deux pour éviter de se cogner aux planches qui formaient l'ultime coursive.

Au bout, en effet, quelques planches bricolées formaient un escalier. Agrippé au garde-fou, Niémans entreprit l'escalade, dépassant les toiles plastique qui n'allaient pas au-delà.

D'un coup, ce fut comme s'il perçait la stratosphère. Il découvrit un ciel composé de croisées d'ogives, de voûtes assombries. Les chapiteaux des colonnes ponctuaient cette cosmogonie grandiose et inquiétante – ils avaient l'air sculptés dans du basalte. Niémans eut une sorte de vision : un ciel de lave pétrifiée par le froid.

— Bienvenue dans mon royaume !

Il se retourna et aperçut, au-delà des tubes, des cordes et des planches, une silhouette blanche, mais rien de plus. Un projecteur dissimulé sous les toiles de protection créait un halo aveuglant.

Avec précaution, parmi les multiples produits et pinceaux posés par terre, Niémans s'approcha de son interlocuteur.

Encore un géant, toujours en combinaison, mais portant en plus une cagoule triforée munie d'une visière qui lui donnait l'air d'une longue sauterelle passée à la craie. Avec ça, des gants de feutre, des poignets serrés par les fronces de la combinaison, le genre hermétique et imperméable.

À cet instant, Niémans aurait bien aimé avoir un masque lui aussi – l'odeur de résine et de plâtre humide lui crispait les narines.

— Qu'est-ce que vous voulez ? demanda Lehmann en ôtant sa cagoule à la manière d'un joueur d'escrime.

Niémans fut surpris par son visage : des traits de mousquetaire rehaussés d'une moustache blonde et des yeux scintillants comme de précieuses gemmes. Vraiment une tête à jouer dans un film de cape et d'épée.

— Je suis venu vous parler des fresques de Saint-Ambroise.

— Eh bien ?

— Vous aviez commencé à travailler dessus ?

— Non. J'interviens après le gros œuvre. Le boulot de ceux d'en bas.

— Vous êtes l'orfèvre ?

Le restaurateur ne put retenir un sourire de fierté doré sur tranche par ses moustaches.

— Que pouvez-vous me dire sur ces peintures ?

— Pas grand-chose. Elles sont de qualité médiocre. Un boulot bâclé du XVIIIe siècle.

— Vous pensez pouvoir récupérer celles de la voûte écroulée ?

— Pour vous répondre, il faudrait que je puisse voir les gravats.

— Les Émissaires ne vous les ont pas montrés ?

— Pas encore. Excusez-moi.

Lehmann attrapa soudain quelques petites pièces de céramique dans un bol. Après avoir saisi un pinceau, il les chatouilla avec un enduit brillant puis les plaça sur la voûte qui lui faisait face.

— Une mosaïque ? s'étonna Niémans. Je ne pensais pas que Saint-François-de-Paule était si ancienne.

— Elle ne l'est pas. Cette église a été bâtie au XVIIe siècle. Mais on a décidé d'y importer une mosaïque datant du XVe siècle, qui croupissait dans une chapelle en Calabre, la région d'origine de saint François de Paule.

Il continuait à disposer méticuleusement ses fragments, reconstituant un motif que Niémans ne parvenait pas à discerner.

— Que pensez-vous de cette volonté des Émissaires de rénover coûte que coûte les voûtes de Saint-Ambroise ?

— Rien. Mais pour eux, c'est une mauvaise affaire. Mon devis est nettement plus élevé que la valeur de ces peintures merdiques.

La résine le prenait toujours à la gorge, mais la curiosité était la plus forte. Il s'avança pour distinguer l'image formée par les cubes de verre. C'était un agneau brunâtre, solitaire, dans un verger aux arbres réduits à quelques traits. Sans doute l'agneau pascal…

Niémans recula à nouveau et considéra le restaurateur penché au-dessus de son établi encombré de solvants, de pinceaux, d'éponges, de cotons-tiges… Lehmann ressemblait à un alchimiste œuvrant au fond d'une grotte secrète.

— Ou bien alors, reprit-il en se redressant et en contemplant son boulot avec satisfaction, ils croient à la rumeur.

— Quelle rumeur ?

Lehmann piqua encore quelques morceaux d'argile cuite et compléta son animal.

— On a souvent prétendu qu'il existe des fresques plus anciennes sous les peintures apparentes.

Niémans, qui sentait depuis le départ un truc pas clair à propos de cette voûte, embraya aussitôt :

— Une œuvre qui pourrait avoir une plus grande valeur ?

Lehmann était tout entier absorbé par son travail. Les pièces de céramique accrochaient la lumière d'une manière inégale. Cet effet d'optique donnait vie à l'agneau noir.

Niémans enchaîna :

— Vous n'avez pas radiographié les voûtes ?

— C'est la procédure normale, mais dans ce cas, ça n'a pas été possible.

— Pourquoi ?

L'artiste daigna enfin lâcher son puzzle pour soutenir le regard de Niémans.

— Parce que les Émissaires me l'ont strictement interdit.

— Ils ne voulaient pas que vous alliez voir sous les fresques ?

— Exactement. Et ils ont stipulé plusieurs fois que mon travail de restauration ne devait s'effectuer qu'en surface.

Le mousquetaire lui ouvrait un champ d'expectatives totalement nouveau. Une réalité qui n'avait plus rien à voir avec la foi des Émissaires ou un quelconque rituel secret. Quelque chose qui jouait dans une cour bien plus familière.

Un vol d'art qui avait mal tourné, tout simplement.

L'agneau était achevé. Encore humide, il semblait naître sous leurs yeux, tout droit sorti des eaux amniotiques du monde.

À cette seconde, Niémans comprit son erreur : cette forme sombre n'était pas un agneau mais un lion.

Sans aucun doute la Bête de l'Apocalypse.

— Combien de temps ?

— Combien de temps pour quoi ?

— Pour radiographier ce qui reste de fresques à Saint-Ambroise.

— Attention, je vous ai simplement parlé de rumeurs. Rien ni personne n'a jamais prouvé l'existence d'autre chose.

— Combien de temps ?

— On peut s'y mettre demain matin. Mais ça sera le tarif « rush ».

— Voyez ça avec mon comptable, c'est-à-dire la gendarmerie française. Il n'y aura pas de problème.

Il salua le restaurateur et recula, essayant toujours de ne pas trébucher contre les pots de peinture, les bocaux d'huile et les bols remplis de céramique.

Un pilleur d'église venu dérober un fragment de la voûte. Un intrus surpris par Samuel. Il y avait eu affrontement et sans doute mort d'homme.

Niémans trouva enfin les marches, qu'il descendit à l'envers, dos au vide, cramponné aux garde-corps.

Après la bagarre, le voleur avait fait s'écrouler toute la construction. Sans jeu de mots, il avait fait d'une pierre deux coups : il avait emporté un fragment de la voûte et maquillé son homicide.

Sur la passerelle inférieure, aucune trace de Muller. Il allait donc devoir redescendre sans longe ni baudrier. Pas grave. Son humeur avait tout d'un coup gagné quelques degrés et il se sentait invincible.

23

Dès que Niémans eut mis un pied au sol, Desnos se précipita.

— Les TIC ont trouvé du sang.

— Sur la zone de l'effondrement ?

— Justement, non. Les traces se trouvent à l'autre bout de la salle.

Le flic retint un cri de triomphe. En route, il expliqua son soupçon – une fresque sous la fresque – et sa théorie toute neuve – une bagarre entre un pillard et Samuel. Desnos ne manifesta aucun enthousiasme. Elle paraissait totalement dépassée.

Niémans retrouva Saint-Ambroise avec satisfaction. L'église avait, enfin, une bonne tête de scène de crime.

Projecteurs balançant leurs 3 000 watts inquisiteurs, techniciens déguisés en Télétubbies, ruban de non-franchissement tissant sa toile d'araignée, gendarmes précautionneux craignant toujours de mettre les pieds là où il ne fallait pas…

Le chef des techniciens en identification criminelle se présenta : Julien Petit, la trentaine, un visage aussi original que son nom, banalisé encore par la cagoule et la combinaison.

Petit appartenait au genre « exaltatus technicus ». Il avait sans doute biberonné toute son adolescence aux *Experts* et autres séries où la solution du crime se trouve dans une trace de jaune d'œuf découverte sous le frigo. Il ne comptait pas laisser passer cette occasion d'entrer, enfin, dans le cadre.

Il les précéda jusqu'à l'emplacement de sa découverte : on ne voyait rien. Il aurait fallu faire l'obscurité et vaporiser le Bluestar qui devient fluorescent au contact des particules d'oxyde de fer.

— Laisse tomber, dit Niémans. Fais-moi un débriefing.

Petit parut déçu. Il montra les photos des projections sanguines et se mit en tête d'expliquer l'affrontement qui avait eu lieu ici, avec force gestes et commentaires. D'après les quelques particules découvertes, le TIC reconstituait à peu près toute la scène. Après *Les Experts*, il enchaînait sur *Dexter*.

Attendri par la naïveté du scientifique, Niémans l'écouta patiemment. Il savait qu'à moins d'être planqué derrière un échafaudage, ou de voir des images vidéo, il n'y avait aucun moyen de deviner ce qui s'était réellement passé.

— Les traces de sang, le coupa-t-il, on peut en déduire un génotypage ?

L'homme en pyjama s'arrêta en plein mouvement.

— Je vous demande pardon ?

— Les traces de sang, y en a-t-il assez pour établir un ADN ?

Le technicien laissa tomber les bras, découragé par ces flics de terrain sans la moindre imagination.

— Difficile. Mais on va essayer, bien sûr. D'après mes suppositions…

— Selon toi, c'est le sang du meurtrier ou de Samuel ?

— Samuel, bien sûr.

— Pourquoi « bien sûr » ? Il aurait pu se défendre, non ?

Petit retira sa capuche d'un geste irrité et regarda Desnos avec consternation. Il répondit d'un ton calme, celui qu'on adopte quand on parle aux enfants :

— Dans la mesure où Samuel était un Émissaire, je le vois mal entrer dans la bagarre. La non-violence est…

— Quand on est attaqué, le corps réagit parfois plus vite que la tête.

Le portable de Desnos sonna. Elle s'écarta pour répondre.

Niémans poursuivit :

— C'est tout ?

— C'est déjà pas mal, il me semble.

— Des empreintes de pas ?

— Quoi ? Mais…

— Passe-moi le reste de la chapelle au Bluestar, jusqu'au plafond s'il le faut, mais trouve-moi des empreintes !

Il marchait vers la sortie quand Desnos le rattrapa.

— Cinq saisonniers ont un casier.

— Arrête-les.

— Quoi ?

— Fous-les-moi en garde à vue.

— Pendant les vendanges ?

La capitaine semblait épouvantée – les Émissaires avaient réussi à circonscrire un territoire sacré dans la tête de tous les habitants du coin.

— Dans le rôle des premiers suspects, je crois que ces mecs-là feront l'affaire, continua Niémans. Par ailleurs, vérifie s'il existe dans la région des pilleurs d'églises, des voleurs de sculptures…

— Heu… D'accord.

Il salua la compagnie et reprit la Mégane en solitaire. Il faisait confiance à Desnos pour organiser une descente en règle et se démerder avec les Messagers. Pendant ce temps-là, il allait approfondir l'histoire de la chapelle. S'il existait vraiment des peintures cachées, elles devaient avoir laissé une trace sur les siècles.

Durant le trajet du retour, il se livra à un rapide bilan de la situation. Il aurait dû être satisfait des progrès de l'enquête. Ce n'était pas le cas. En admettant qu'un vol d'art ait dérapé, qu'une bagarre ait mal tourné, pourquoi respecter ce mystérieux rite de la pierre ?

Au fond, il n'était pas étonné que la version « simple fait divers » coince. Quand sa route le menait dans les bras du diable, ce n'était jamais pour une petite baise rapide, mais pour le grand chelem.

Sous la fine couche des évidences, un abîme l'attendait.

Comme toujours.

24

Ce fut la fin d'un monde. Ou du moins son avant-goût.

Quand les cruchots pénétrèrent dans les vignes, vers seize heures, arme au poing, Ivana ne comprit pas. Qu'est-ce que foutait Niémans, nom de Dieu ? Ils s'étaient mis d'accord pour infiltrer la communauté et la jouer en douceur, pour s'insinuer dans ses rangs et recueillir discrètement des informations. Et voilà qu'il leur envoyait la cavalerie, violant la règle primordiale des Émissaires, imposant sur leurs terres de paix des FAMAS chargés à bloc.

Ironie du sort, le désastre resplendissait dans les dernières lueurs du jour. Ciel violacé, parcelles mordorées, silhouettes noir et blanc du côté des Purs. En face, un bataillon de gendarmes bleus comme des mouches à merde arpentant le vignoble et demandant aux saisonniers, comme c'est original, leurs papiers.

La manœuvre était dirigée par une jolie nana, un peu boulotte, en anorak et casquette estampillée de la fameuse grenade à huit flammes. Vu ses reliefs, elle devait plaire à Niémans. Mais pourquoi n'était-il pas là ? Tant qu'à faire des conneries, autant les assumer en personne.

Les cruchots embarquaient déjà plusieurs joueurs de flamenco. Ils n'avaient pas sorti les pinces mais c'était parce que les Roms obtempéraient sans broncher.

Voyant luire dans le crépuscule les « clairons », comme les gendarmes surnomment leurs fusils d'assaut, elle jeta encore un regard aux Émissaires, sur la droite. Ils avaient disparu.

Quittant sa travée, elle remonta les rangs de vigne pour voir ce qui se passait. Les anabaptistes étaient à genoux, dissimulés par les ceps. Tête baissée, paupières closes, ils priaient. Ils priaient pour que Dieu les protège contre la violence des Mondains – et accessoirement contre leur stupidité.

On en était au quatrième Rom arrêté. Elle connaissait Niémans. Il n'était pas du genre à ratisser large, histoire de prouver qu'il s'agitait. Non. Il avait dû glaner un indice qui accusait un saisonnier d'origine tzigane.

— C'est quoi ce délire, là ?

Ivana se tourna : Marcel, teint de Doliprane, chapeau de travers, venait de surgir à ses côtés. Courbé en deux, il semblait se cacher parmi les feuillages.

Elle comprit aussitôt.

— T'as un casier ?

— C'est pas ça.

— C'est quoi ?

Il hésita.

— J'suis pas français.

Elle en avait rencontré des centaines dans son genre – des deux côtés de la ligne : quand elle était squatteuse, quand elle était flic. Des gars à la marge, sans papiers ni le moindre projet, dont l'incertitude du lendemain nourrissait chaque jour.

— T'es quoi ? fit-elle en étouffant son ton (naturel) de flic inquisiteur.

— J'suis du Monténégro.

— J'suis croate.

Elle avait lâché ça sans réfléchir, tout en se demandant si les deux régions ne s'étaient pas foutu sur la gueule durant les années 90.

Le visage de Marcel s'éclaira.

— T'as pas d'papiers non plus ?

Elle ne répondit pas, observant de nouveau les gendarmes qui poussaient les Roms vers leur IVECO.

— T'es illégale ou quoi ?

Ivana eut un sourire.

— J'ai toujours eu des papiers en règle.

— T'es croate ou française ?

— Je t'ai dit que j'suis journaliste.

— Mais… croate ?

Les anabaptistes étaient entrés dans la danse. Visiblement, ils essayaient de négocier avec les bleus. Ils parlaient sans véhémence mais leurs regards trahissaient une panique complète face aux fusils des gendarmes. Leur terre était profanée.

— Calme-toi, finit-elle par souffler. T'es pas sur leur liste.

— Quelle liste ?

— Celle des suspects.

— Suspects de quoi ?

— Du meurtre de Samuel.

— C'est… c'est un meurtre ?

Ivana le considéra enfin. La gueule de Marcel, tout en creux, trahissait un certain soulagement.

— Regarde, fit-elle en l'attrapant par l'épaule et en le tournant vers les cruchots. Ils ont fini leurs courses. Ils rentrent déjà au bercail.

— Mais qu'est-ce que ça veut dire ?

— Ça veut dire que le vrai bordel commence. Le raisin devra attendre.

25

Chacun se remit au boulot. Mais le cœur n'y était plus, même les Émissaires montraient des signes de découragement. Rentrer au Diocèse pour prier ? Organiser une cellule de crise au fond d'une grange ? Attendre les ordres ? Mais de qui ?

Ivana vendangeait dans son coin. Elle se sentait doublement fautive. D'abord, comme membre à part entière du gang des agresseurs. Même déguisée en prie-Dieu, elle n'était rien d'autre qu'une flic, ne craignant pas d'humilier ni d'effrayer des chrétiens inoffensifs.

L'autre faute, c'était justement d'être infiltrée. En plus d'être une keuf, elle était une traîtresse. Une putain d'espionne dont la mission était fondée sur l'imposture et le mensonge.

À chaque grappe qu'elle balançait dans sa hotte, elle s'adressait une insulte à voix basse.

Bientôt, un mouvement devint perceptible. On quittait les travées, on se mettait en marche, les camions arrivaient. On arrêtait donc les frais. Du reste, la nuit était tombée et mieux valait plier les gaules avant de mourir de désespoir dans le froid.

— Ça va ?

Rachel l'avait rejointe. Instinctivement, Ivana endossa de nouveau sa peau de saisonnière un peu paumée.

— Mais qu'est-ce qui se passe ? demanda-t-elle d'un ton incrédule.

— Viens avec moi.

Rachel lui prit la main. Elles remontèrent les travées à contre-courant, s'éloignant de l'aire des camions. Elles contournèrent la parcelle puis empruntèrent la route principale, celle qui menait au campement des saisonniers. Au bout de trois ou quatre cents mètres, elles bifurquèrent sur la droite, dans un petit sentier qui produisait sous leurs pas le bruit d'un papier qu'on froisse. De part et d'autre, le paysage coulait dans les ténèbres comme un navire dans des flots sombres.

— Tu ne dois pas t'inquiéter pour ce qui s'est passé aujourd'hui, souffla Rachel d'une voix chantante.

— T'es sûre ?

Elles pénétrèrent dans un sous-bois. Ivana réalisa qu'elle tremblait aussi fort que les feuilles des arbres autour d'elle. Elle se prenait à son propre jeu, se muant en ouvrière timorée.

— On a l'habitude des persécutions.

Elle y allait un peu fort – il ne s'agissait que d'une descente de flics, rien de plus.

— C'est toute notre histoire, continua Rachel sans ralentir. Au XVIIe siècle, on nous brûlait, après nous avoir rempli la bouche de poudre à canon pour que notre visage explose. Ensuite, ça a été des harcèlements administratifs, économiques, religieux. Du point de vue des Mondains, on est des victimes faciles. On ne riposte pas, on se laisse toujours faire…

Au sortir des arbres, une clairière en creux les attendait, pas plus grande qu'un étang. Au fond de cette cuvette reposait un bâtiment de ferme, une grange peut-être, comme encastré au bas de la pente.

Elles dévalèrent un nouveau chemin. Rachel tenait toujours la main d'Ivana, à la traîne. La fliquette voyait sa nuque, sa coiffe de prière, son épaule. Elle percevait sa respiration d'oiseau, son odeur de luzerne coupée.

Elles s'approchèrent de l'édifice. Une construction sans âge en bois noir dont les nuances tiraient sur le rouge, comme si ces planches brûlées avaient aussi rouillé.

— Qu'est-ce qu'il y a là-dedans ?

— Des tracteurs, des machines.

Il y avait surtout des oiseaux.

Une nuée s'envola sous la croisée des poutres, sans qu'Ivana puisse reconnaître la moindre espèce. Des ailes cisaillaient en tous sens la nuit bleue qui filtrait à travers les lattes de bois.

— Assieds-toi, ordonna Rachel en désignant un banc clair.

Elle avait la voix impatiente d'une petite fille qui va montrer un secret à sa meilleure amie. Ivana obtempéra, de plus en plus perdue. Il lui fallut quelques secondes pour accommoder sa vision et repérer les engins agricoles dans un coin. Elle crut même discerner un harmonium.

Pour le reste, l'endroit était vide. Une puanteur de crottin stagnait, comme figée par l'air glacé. Le sol semblait être en cendre durcie.

Elle chercha du regard Rachel qui, dans un coin, activait une pompe à main pour remplir une bassine en zinc. S'agitant dans cette grange sans âge, elle était un pur échantillon de foi et de devoir, « *flawless* », comme disent les diamantaires. Alors qu'Ivana semblait déguisée dans un costume ridicule, Rachel se mouvait dans ses vêtements comme dans une seconde peau.

— Déchausse-toi, lui intima-t-elle en revenant avec sa bassine.

— Pardon ?

— Retire tes chaussures.

Ivana devina ce qui allait se passer et se crispa. Ce n'était pas le rite qui la gênait ou sa signification. C'était, plus prosaïquement, qu'elle avait macéré dans ses godasses toute la journée. Pas question d'imposer ça à Rachel.

Mais déjà, elle lui dénouait ses lacets. Cramponnée au banc, Ivana se tenait en arrière, comme sur une pente trop raide. L'anabaptiste lui ôta ses croquenots puis ses chaussettes, indifférente à la puanteur du cuir et à l'odeur surie de la laine humide.

Ivana n'eut pas le temps de dire un mot que Rachel lui plongeait le pied droit dans l'eau. Passé la morsure du froid, elle sentit les doigts de l'anabaptiste qui lui massaient doucement les orteils.

Sa perception se troubla. Il lui sembla que ses pieds se diluaient dans l'onde, devenant fluides et transparents. Puis ses jambes y passèrent et tout son corps se transforma en une vague liquide et mouvante, un courant, un murmure, qui ne connaissait plus la pesanteur de la Terre.

Un soupir lui échappa – quelque chose de sexuel qui sortit de sa gorge malgré elle –, puis elle baissa les yeux et vit la nuque pâle de Rachel penchée sur la bassine, et ses avant-bras (elle avait relevé ses manches), dont le gauche portait une curieuse tache de naissance – une sorte de lézard ondulé.

Elle ne respirait plus, en apnée, et en même temps elle continuait à se sentir partir, comme au temps de la dope. Elle eut honte de tels souvenirs mais c'était exactement ça. Le lâcher-prise, comme on dit aujourd'hui, de la défonce. Sa Sérénissime Majesté l'Héroïne.

Elle ferma les yeux et essaya de se concentrer sur la signification de ce rite. Pas moyen. Elle se souvenait – très vaguement – de ses heures de catéchisme et du Christ qui, avant la Cène, avait lavé les pieds des apôtres, mais c'était tout.

— « Le plus grand parmi vous sera votre serviteur : quiconque s'élèvera sera abaissé, et quiconque s'abaissera sera élevé… », chuchota Rachel. C'est dans l'Évangile de saint Matthieu.

— Je sais, mentit Ivana. Mais pourquoi t'abaisser devant moi ?

Rachel continuait à faire ruisseler l'eau entre ses doigts, passant l'extrémité de l'index et du majeur sur les petits os des pieds d'Ivana, enfonçant ses pouces entre ses tendons.

— Parce que tu es mon amie. Et aussi parce que je dois effacer ce trouble qui est en toi, cette blessure que les gendarmes ont réveillée…

Ivana se raidit à nouveau, croyant percevoir une allusion à son double jeu.

— T'es sûre que tu n'as rien à me dire ? reprit l'Émissaire.

C'était donc ça. Elle voulait lui tirer les vers du nez. Tout ce cirque n'était qu'une méthode vicieuse pour la faire parler.

Ivana se mordit la lèvre inférieure pour ne pas émettre un seul mot. Cela aurait été une bordée d'injures. L'autre lui massait toujours les pieds, comme pour faire sauter ses dernières résistances.

Elle crut qu'elle allait tout balancer – son métier de flic, son enquête, son imposture –, sans même passer par la case journaliste.

— J'ai eu un fils à treize ans, lâcha-t-elle.

Rachel sortit délicatement son pied gauche de la bassine. Elle l'enveloppa dans les pans de son tablier et l'essuya avec soin.

— J'ai eu mon premier enfant à quatorze ans, répondit-elle.

— Je l'ai jamais élevé. Je l'ai abandonné. Il a grandi dans des foyers, dans des familles d'accueil.

— À l'époque, tu te sentais capable de l'élever ?

— Non.

— Alors, il n'y a pas de regrets à avoir.

— Facile à dire. Toi, tu as ta communauté. Ta mère, tes sœurs, tes cousines, toutes peuvent t'aider à t'occuper de tes enfants.

— C'est bien ce que je te dis : tu ne dois rien regretter.

Plus l'anabaptiste faisait preuve de compréhension, plus Ivana était en colère. Elle avait envie de se lever et de lui balancer dans la tronche sa bassine et sa belle compassion.

— Dans l'Évangile selon saint Jean, reprit Rachel, il est écrit : « Si quelqu'un aime le monde, l'amour du Père n'est pas en lui. » Tu dois d'abord te dépouiller de tout sentiment et accueillir le Seigneur en toi. Ensuite, tout deviendra facile. Dans le monde des Mondains, vous vous aimez trop vous-mêmes, vous…

Ivana lui arracha les chaussettes des mains et se plia en deux pour les enfiler d'un seul geste.

Rachel parut ne pas remarquer le mouvement d'impatience.

— Nous nous interdisons de juger. Les Saintes Écritures…

— Tu commences à me faire chier avec ton Seigneur et tes sermons ! explosa Ivana après avoir lacé ses chaussures.

Elle se leva d'un bond et marcha vers la porte, qu'elle eut bien du mal à ouvrir, se retenant de hurler tant sa main coupée lui faisait un mal de chien.

Quand enfin elle parvint à se glisser dehors, le vent glacé lui fit l'effet d'un défibrillateur.

Elle se mit à courir dans la nuit. Il fallait qu'elle retrouve le chêne au pied duquel elle avait enterré son portable. Il fallait qu'elle téléphone à Niémans. Il fallait qu'elle redevienne flic, bordel de merde. Et non pas une épave gémissante qui se laisse chatouiller les orteils.

26

— C’est quoi, ça ?

Dans la cage de verre, une poignée de Roms lui lançaient des regards à la fois apeurés et haineux.

— Les saisonniers qui ont un casier, expliqua sobrement Desnos.

Putain de merde : les seuls vendangeurs à avoir une ardoise chez les flics ou les gendarmes étaient des Roms. On allait lui tomber dessus pour acte raciste ou mesures discriminatoires. Il n’avait vraiment pas besoin de ça.

Desnos, qui semblait jouir secrètement de la situation, susurra :

— Par ailleurs, le procureur a essayé plusieurs fois de vous contacter ici, au poste. Il prétend que vous ne répondez pas sur votre portable.

Niémans fit semblant de ne pas entendre. Il observait les Tziganes. Leurs pupilles brillaient dans la pénombre, lui rappelant une de ses vieilles convictions : les Roms étaient nyctalopes.

— Tu les as entendus ?

— Je pensais que vous voudriez le faire.

Elle se foutait maintenant ouvertement de lui.

Même si cette affaire se résumait à un pillage d'église, ces gars-là n'avaient pas le profil. Le flic ne pouvait les imaginer grimper sur les échafaudages afin d'essayer de débloquer un fragment – et d'ailleurs, quel fragment ? Qui savait ce qui se cachait sous les fresques ?

Desnos lui tendait maintenant la liste des « suspects ». Carlo Ursan, né en 1993, condamné pour proxénétisme, actuellement en libération conditionnelle. Tony Gherebenec, né en 1998, condamné pour vandalisme et violences volontaires, libéré en 2017. Cristian Teodosiu, condamné avec sursis pour filouterie et vol à l'étalage. Nicolae Langa, condamné pour vol aggravé, ayant purgé deux ans à la maison centrale d'Ensisheim. Zouhir Ifrim, condamné pour faux et usage de faux, vol avec effraction, actuellement en libération conditionnelle…

— Demande à tes gars de les auditionner, dit-il d'un ton sec. Checkez leur emploi du temps et voyez s'ils ont un alibi.

Il n'y croyait pas mais les taches fluorescentes du Bluestar revenaient lacérer son champ de vision. Elles semblaient tracer des liens avec les pupilles brillantes de ces voyous. Il y avait eu baston. Un mauvais coup était parti. On ne pouvait exclure que ces petits malfrats soient impliqués.

— Vérifie aussi que la pierre dans la bouche n'est pas un rite tzigane.

— Quoi ?

Il lui lança un regard oblique.

— Pourquoi pas ?

— Bien, commandant.

Niémans sentit vibrer son téléphone : d'un regard réflexe, il scruta l'écran. Schnitzler. Cette fois, c'était la bonne.

— Allô ?

Il remonta le couloir et traversa la salle d'accueil du poste de gendarmerie.

— Pierre ? fit la voix en retour. Qu'est-ce que c'est que ce bordel ?

Niémans n'eut pas le temps de répondre.

— Je ne reçois que des plaintes !

— De qui ?

— Joue pas au con. Je t'avais dit d'y aller mollo.

— C'est un meurtre, Philippe. Aucun doute. On a changé de registre.

D'un coup d'épaule, il poussa la porte principale et se retrouva dehors. La nuit était tombée sur le parking comme une coulée de goudron visqueuse.

— T'as des preuves ? demanda Schnitzler après un bref silence.

— Des fortes présomptions.

— Si tu rédigeais des rapports, on gagnerait du temps.

— Mon adjointe s'en occupe.

— Quelle adjointe ? Je croyais que t'étais seul !

— Je parle de la gendarmette. Les cruchots m'ont envoyé une capitaine.

Le procureur baissa d'un ton :

— C'est vrai, j'avais oublié. Bon. Qu'est-ce qui s'est passé, à ton avis ?

Niémans lui fit un résumé de ses hypothèses. Un vol d'art. Une bagarre. Un homicide involontaire. Il passa la pierre sous silence. Schnitzler avait besoin de propositions simples.

— Et la voûte ?

— Soit elle a pas tenu le coup, soit le voleur a volontairement provoqué l'effondrement pour masquer son crime.

— C'est vraiment la merde.

Schnitzler paraissait préoccupé. Son truc à lui, c'était le calme.

— T'as des suspects ?

— On est à la recherche de pilleurs d'églises. Par ailleurs, j'étudie de près les saisonniers. Ils sont dans la place et…

— Cette rafle de Roms, le coupa-t-il, à quoi ça rime ?

— Tout de suite les grands mots.

— T'as quelque chose contre eux ?

— Ils ont un casier.

— C'est tout ?

Niémans revit les chapardeurs dans leur aquarium. Il se creusait la cervelle pour trouver un argument sérieux. Tout ce qui sortait de lui, c'était de la buée qui accrochait le halo des luminaires.

— Les Messagers m'ont appelé, reprit Schnitzler.

— Ils téléphonent maintenant ?

— Un seul d'entre eux et c'est pas le plus commode.

— Qui ?

— Jakob. Il est ulcéré que vous ayez osé pénétrer dans leur domaine avec des armes à feu. Tu te rends compte de ce que ça signifie pour eux ?

— C'est une enquête criminelle, pas une partie de pêche.

Schnitzler souffla bruyamment.

— T'imagines ce que va dire la presse ?

— Pour l'instant, personne n'est au courant.

— T'as oublié la vie de province, mon vieux. Les familles de tes suspects ont déjà dû prévenir les associations qui les soutiennent, tes gendarmes doivent tous avoir des proches dans les rédactions du coin. Demain matin, on parlera de ton opération dans tout le Haut-Rhin !

Niémans commençait à geler sur pied. Il ne sentait plus ses doigts et le froid paralysait son visage. Cette conversation ne menait nulle part.

— Y a un autre problème, reprit le magistrat en baissant la voix.

— Je suis plus à ça près.

— Les vendanges.

— Quoi, les vendanges ?

— J'y connais rien mais je sais que la récolte est gérée au cordeau. Tout doit se passer selon un nombre défini de jours et dans des conditions climatiques précises.

— Et alors ?

— Et alors, s'ils foirent leur récolte à cause de toi, on en entendra parler durant les dix prochaines années.

— Philippe, tu m'as appelé pour éclaircir ce merdier. Il est trop tard pour reculer.

— Je sais, je sais, mais je te connais aussi. Joue-la *low profile*, bordel de Dieu ! De la discrétion ! De la souplesse !

Niémans commençait à en avoir marre de se faire passer un savon par un gars qui était resté toute sa vie le cul vissé sur sa chaise. Il allait répliquer quand il perçut du bruit derrière lui.

— Je te tiens au courant, conclut-il après s'être retourné.

Jakob lui faisait face, comme jailli d'un conte pour enfants, son chapeau de paille entre les mains.

Depuis combien de temps était-il dans son dos ?

27

Niémans s'installa avec l'Émissaire dans la salle de réunion du poste – une trentaine de mètres carrés, du lino au sol, des plafonniers blafards, des tables de classe disposées en U… De la neutralité bienveillante, façon administration française.

Assis du bout des fesses, galure sur les genoux, Jakob était bien sage. Le flic s'attendait à une gueulante en règle, mais le bonhomme la jouait pianissimo.

— Nous ne sommes pas satisfaits, dit-il d'une voix douce.

Niémans acquiesça, puis le laissa parler. Rien de neuf sous le chapeau : le scandale d'avoir placé en garde à vue uniquement des hommes d'origine rom, le sacrilège de s'être introduit dans le Domaine avec des armes à feu, le risque de retarder les vendanges…

C'était le même discours que Schnitzler, mais susurré du bout des lèvres. Niémans préférait encore les hurlements du proc.

— Je suis désolé, fit Niémans, nous aurions dû être plus discrets.

Jakob opina du chef, content de se l'entendre dire.
Mais Niémans n'en avait pas fini.

— Toutefois, poursuivit-il, je dois vous rappeler que vous ne pouvez pas vous soustraire à la compétence des juridictions pénales de notre pays. Votre Domaine, même s'il est différent par son esprit et par ses règles, appartient au territoire français. En l'espèce, vous ne bénéficiez d'aucune immunité diplomatique ni de quoi que ce soit de ce genre.

Il avait détaché chaque syllabe, utilisant exprès le jargon du Code civil.

— Mais enfin, s'offusqua l'anabaptiste (ses joues gagnaient quelques degrés sur l'échelle du pourpre), que reproche-t-on à ces ouvriers ?

Niémans hocha la tête, faisant mine de déplorer ce qu'il allait déclarer :

— Je ne peux rien vous dire. Mais je dois vous mettre en garde : Samuel a été assassiné.

— Quoi ?

La surprise était bien jouée. Le flic était certain que Jakob suivait la progression de l'enquête en direct. Il n'aurait su dire précisément par quel biais, mais les Émissaires avaient les moyens d'observer le monde du dehors…

— Où avez-vous pêché ça ?

— Encore une fois, répéta Niémans, je ne peux trahir le secret de l'enquête. Mais vous comprendrez que, dans ces conditions, nous nous devons de vérifier toutes les pistes possibles.

— Un de ces hommes aurait pu commettre un tel acte ?

Niémans n'avait pas envie de raconter sa vie à l'Émissaire, mais il fallait lui lâcher quelques infos pour l'amadouer.

— Nous pensons à un vol, résuma-t-il. Un pillage qui aurait mal tourné.

— Un vol ? répéta l'autre d'un ton ahuri. Mais de quoi ?

— De fragments de la voûte.

— Mais elle n'a absolument aucune valeur !

— Je n'en suis pas si sûr. Saviez-vous qu'il existe d'autres peintures sous les fresques apparentes ?

Pur bluff de sa part, mais face à un faux jeton de la trempe de Jakob, c'était de bonne guerre.

— Qui vous a dit ça ? Il y a toujours eu des rumeurs mais jamais la moindre preuve.

— Pourquoi avez-vous interdit à Max Lehmann de radiographier les voûtes ?

— Mais nous ne lui avons rien interdit du tout ! Ce n'était pas dans le cahier des charges, voilà tout.

— Vous n'aimeriez pas savoir ce qu'il y a en dessous ?

— Il n'y a rien. C'est absurde.

Niémans se pencha au-dessus de la table, plantant ses coudes en avant-poste.

— Alors, pourquoi avoir caché les gravats du plafond effondré ?

— Nous n'avons rien caché du tout !

— Où sont-ils ?

— Au Diocèse. Nous les avons remisés en attendant que les travaux de consolidation soient effectués.

— Je pourrais les voir ?

— Bien sûr. Aucun problème.

— Vous avez retrouvé toutes les pièces ?

— Mais… oui.

— Il n'en manquait aucune ? Rien n'a été volé ?

— Commissaire…

— Commandant.

— Commandant, je ne comprends rien à ce que vous racontez et, si je peux me permettre, votre enquête m'a l'air assez confuse. Votre point de départ même ne tient pas debout : il ne peut y avoir d'acte de violence au Domaine.

— Saint-Ambroise n'est pas sur votre territoire.

— Mais la chapelle nous appartient. Du reste, je ne parle pas de ça. Aucun membre de notre communauté ne peut avoir été victime d'une agression.

— Pourquoi ?

— Nous n'avons aucun contact avec le monde extérieur. Nous n'avons pas d'argent ni le moindre intérêt aux yeux de… vous autres. D'ailleurs, qu'est-ce qui vous fait croire que Samuel n'est pas mort dans l'effondrement ?

Le flic regardait le petit homme s'agiter sur sa chaise. Avec son costume noir, ses bretelles et son chapeau sur les genoux, il ressemblait à un santon. Il était aussi incongru ici qu'un moine avec tonsure, robe de bure et scapulaire dans un club techno.

Un petit électrochoc ne lui ferait pas de mal. En quelques mots, il évoqua la pierre dans la bouche. L'autre écarquilla encore les yeux. À l'évidence, il n'était pas au courant.

— Ça ne vous rappelle rien ? insista Niémans.

— Mais… non.

— Un rite lié à votre foi ?

— Certainement pas. Vous confondez religion et superstition.

Il avait prononcé le dernier mot d'un air dégoûté. Et même scandalisé. Mais Niémans ne voyait pas en quoi rompre le pain ou oindre le front d'un fidèle était plus légitime que de placer un caillou sur la langue d'un cadavre. Quelqu'un avait dit, il ne se souvenait plus qui : « Si vous êtes au théâtre et que tout le monde y croit, c'est que vous êtes à l'église. »

D'ailleurs, Jakob venait d'attaquer un nouveau discours sur la ligne de vie des Émissaires fondée sur la Bible et sur les règles instituées par les premiers anabaptistes. Encore de la langue de bois, mais du bois dont on fabrique les crucifix et les crèches.

Le flic avait roulé sa bosse. Des menteurs, des bluffeurs, des mythos, il en avait rencontré des centaines. Il savait, il sentait que Jakob mentait, mais pas moyen de deviner son mobile.

— Quand pensez-vous libérer nos saisonniers ? demanda l'homme de foi pour conclure.

— C'est l'enquête qui en décidera.

— J'ai bien précisé à monsieur le procureur que…

— Les vendanges ne devaient pas en pâtir. J'ai compris le message.

Jakob se leva et retrouva son sourire. Il semblait prêt à regagner sa place dans une vitrine de Noël.

— Le temps presse, fit-il sur un ton d'excuse.

Niémans le raccompagna jusqu'au seuil de la gendarmerie et le regarda partir comme une bonne blague. Peut-être y avait-il eu pillage à Saint-Ambroise. Peut-être l'enjeu de cette histoire était-il des peintures enfouies… Mais Jakob n'avait rien à voir avec ça.

En revanche, la mise en scène rituelle leur était adressée, à lui et aux autres Émissaires.

Son téléphone vibra dans sa poche, dans une synchronicité qui aurait plu à Carl Gustav Jung.

Le flic observa son écran : pas de nom.

Mais il reconnut aussitôt le numéro.

28

— À quoi ça rimait cette descente au Domaine ?

— Je n'avais pas le choix.

— Qu'est-ce que ça veut dire ? Qu'est-ce qui se passe ?

Ivana paraissait franchement hostile, mais Niémans était trop heureux d'entendre sa voix pour la remettre à sa place. Il l'imaginait, cachée quelque part dans un sous-bois, agrippée à son téléphone à carte. Cette image lui fit mal.

Se reprenant, il résuma l'état d'avancement de l'enquête.

— Et vous foutez en garde à vue les mecs qui ont des casseroles ? C'est votre seule idée ?

— Pour l'instant, je me concentre sur les malfrats du coin. Logique, non ?

— Je passe mes journées avec les saisonniers. Je peux vous dire qu'il n'y a pas parmi eux d'amateurs d'art ni qui que ce soit disposant d'un minimum de culture religieuse. S'il y a eu meurtre, il est lié aux rites et aux croyances des Émissaires.

Le flic sourit : il était d'accord avec elle. Mais la fresque avait joué un rôle dans tout ça – il le sentait au fond de ses tripes.

— J'ai vu votre alter ego cet après-midi, reprit Ivana.

— Qui ?

— La gendarmette aux gros lolos.

La remarque le blessa mais il n'aurait su dire pourquoi.

— Dis-moi plutôt ce que tu as trouvé.

Ivana lui balança, à coups de petites phrases sèches, ses impressions sur la Communauté. Plutôt décevant : elle n'avait rien découvert.

— C'est tout ? maugréa-t-il.

— Je me suis fait pote avec une fille. Mais il me faut du temps.

— Du temps, t'en as pas, justement.

— C'est une société secrète. Un passage en force est exclu. Votre descente était déjà une bourde. Mais il y a autre chose…

Elle se mit à lui déblatérer une histoire pas possible, à propos de messes basses dans la nuit :

— Il était question d'une bête. *Das Biest.*

— C'est-à-dire ?

— Aucune idée mais… j'ai senti sa présence. La présence de la bête…

Niémans se dit qu'il fallait vite récupérer Ivana – elle était en train de basculer du côté obscur de la farce.

— J'ai une mission pour toi, reprit-il, histoire de revenir à des choses sérieuses. Les Émissaires ont entreposé quelque part les décombres des cintres. Un dénommé Jakob m'a certifié que nous pourrons les voir mais je suis quasiment sûr qu'il va nous mener en bateau.

— Et alors ?

— Trouve-les. Ils sont dans le Domaine. J'ai l'intuition qu'une des clés de l'affaire tourne autour de ces éboulis.

— Si je les trouve, qu'est-ce que j'en fais ?

Toujours son petit ton persifleur, à la limite de la provocation. Lui parler lui faisait chaud au cœur et, en même temps, un vide se creusait au fond de son estomac.

— Au moins, on saura où ils sont et on pourra faire une perquise.

— Ça va devenir une habitude.

— Mets la main sur la fresque, Ivana. Le plus vite possible. Tu nous feras gagner un temps précieux.

Au moment où elle allait raccrocher, il lui lança :

— Ivana !

— Quoi ?

— Fais attention à toi. On sait vraiment pas où on fout les pieds.

Elle gloussa, mais son rire s'étrangla dans sa gorge.

— À qui le dites-vous !

29

— Ho, réveille-toi !

Marcel, comme à son habitude, fumait un bédo, allongé sur un banc près d'une des tables à manger. Il s'était endormi, pétard au bec. Pourtant, le flamenco passait toujours la nuit au rabot. Avec peut-être une touche supplémentaire de tragédie, eu égard aux frères enchristés.

Ivana le secoua par les épaules. Pas de réaction. Le joint continuait de se consumer entre ses dents, à la manière d'une veilleuse.

— Réveille-toi !

Elle parlait à voix basse tout en le tirant avec violence par la manche. Marcel puait l'alcool. Elle se demandait où il avait pu en piquer – paradoxalement, le vin et tout alcool étaient interdits chez les saisonniers.

— Marcel, putain !

Enfin, le gaillard ouvrit une lucarne.

— Tu veux une taffe ? fit-il en tendant son joint.

— J'ai besoin de ton aide.

— Va chier.

Ivana fouilla dans sa poche et fourra dans la main de Marcel cent euros – elle avait prévu un peu de cash, planqué dans ses chaussures.

Le contact des billets dans sa paume réveilla l'attention du saisonnier.

— C'est quoi, ton plan ? demanda-t-il en se redressant.

Ivana s'assit à ses côtés et résuma : une nuit pour retrouver les gravats de Saint-Ambroise et prendre des photos.

Marcel tirait à nouveau sur son joint, tête baissée, sans répondre, peut-être même sans écouter. Pourtant, il finit par dire :

— Qu'est-ce que t'en as à branler de ces trucs ?

— C'est mes oignons.

— T'es bien sûre que t'es journaliste ?

— Tu veux m'aider ou non ?

Il avait déjà empoché le fric mais sa tête retombait sur sa poitrine.

— Y a qu'une solution à ton problème, grommela l'envapé.

— Essaie de prononcer les consonnes quand tu parles.

— J'veux dire : y a peut-être un spot où ils ont foutu les gravats.

— Où ?

— Ça s'appelle « la Réserve ». C'est un ensemble de bâtiments en bois, où ils remisent tout un tas de trucs.

— C'est où ?

— À peu près à une borne, mais faut marcher vers l'intérieur du Domaine. Dans le Diocèse.

— Et alors ?

— Et alors, on a pas intérêt à s'faire choper.

— On y va.

Marcel s'affaissait déjà. Ivana l'attrapa par le col et le redressa de force.

— Cent de plus quand on aura trouvé les pierres.

Le défoncé abaissa sa visière – il devait être chauve car le soir il substituait aussitôt une casquette de base-ball à son chapeau de paille.

Il se mit en marche, chancelant sur ses jambes grêles. Elle frémit à l'idée de pénétrer dans le Diocèse avec un engin pareil.

Ils durent se dissimuler dans des bosquets pour tromper la surveillance des Émissaires, remonter jusqu'à la brèche dans l'enclos, avant de réapparaître sur le sentier principal.

— On peut marcher ici ?

— On est pas au goulag. Le pire qui puisse nous arriver, c'est d'nous faire virer. On survivra. Les vendanges sont presque finies.

Ivana ne répondit pas. Elle en avait déjà plein les pattes. Le sous-bois où elle avait planqué son téléphone à carte était à près d'un kilomètre et elle avait dû faire l'aller et retour au petit trot, traversant une sorte de pâturage, à la merci du vent et des corbeaux. Elle avait gardé le portable sur elle, afin de pouvoir rappeler Niémans après sa virée nocturne. Ça signifiait qu'elle allait devoir refaire le trajet avant le lever du soleil. Pas question de se trimbaler avec un téléphone dans sa poche pendant la journée de travail.

La nuit était claire, couleur glacier, et les étoiles perforaient le ciel comme des impacts d'automatique. Ça avait un côté factice qui lui rappelait le décor du Grand Rex, qui l'avait tant fascinée quand elle était petite fille, ou les crèches vivantes où elle se coltinait invariablement, avec son teint de pack de lait, le rôle de la Sainte Vierge.

Marcel avançait de sa démarche flottante et Ivana se demandait s'il ne s'était pas de nouveau endormi. Un somnambule comme partenaire, super. Elle était à cran. Sa fatigue aurait dû la ramollir mais elle se sentait au contraire tendue comme une culasse. Prête à péter les plombs à la moindre alerte.

Elle ne cessait de se retourner, redoutant une lueur de phares ou des bruits de pas. Sa seule consolation était qu'ils pourraient se jeter dans les buissons en cas de danger. Elle commençait à avoir le cul bien rodé en matière de ronces et d'orties.

— C'est encore loin ?

— Non, on est maintenant dans le Diocèse.

Elle n'avait remarqué aucun changement dans le décor, aucune clôture. Ce territoire dans le territoire avait surtout une valeur symbolique. Quelque part, elle le savait, les fermes des Émissaires se blottissaient au fond du froid. Pour le reste, la route était toujours aussi déserte.

Peu à peu, la marche aidant, elle se détendit, et ses pensées se précisèrent. Pas du tout à propos des révélations – maigres – de Niémans, ni autour de ses propres hypothèses, plutôt vagues.

Non. Elle songeait à la thérapie miracle de Rachel. Un petit bain de pieds et la voilà qui s'élevait, en état de grâce, quasiment connectée avec les anges.

— On arrive ou quoi ? demanda-t-elle, déconcertée par la tranquillité de leur promenade.

— C'est bon, c'est là-bas, souffla le dormeur éveillé.

30

La Réserve était un hameau constitué de granges dans le style des Émissaires. Des bâtisses en bois comme ils étaient capables d'en construire une, selon la légende, en une seule journée. Les intrus s'acheminèrent vers le porche de la plus grande, sans croiser la moindre sentinelle.

Marcel ouvrit la double porte en jetant par-dessus son épaule des regards prudents. Le fait d'avoir pénétré dans le Diocèse l'avait réveillé. À l'intérieur, l'espace ressemblait à l'étable où Rachel avait conduit Ivana la veille. La lune se frayait un chemin par quelques lucarnes et nappait le sol de sucre glace. Du foin éparpillé y brillait comme du mica. Au-dessus d'eux, des poutres croisaient le fer pour soutenir un plafond perdu dans l'obscurité. Le long des murs, des box s'alignaient mais aucune trace de chevaux. Seule l'odeur de crottin persistait encore.

— Là.

Marcel tendait son index vers la gauche : sur un tapis d'herbes coupées, des pierres étaient disposées à la manière d'un puzzle. Le Monténégrin avait vu juste : les fragments de la voûte avaient été soigneusement réassemblés ici. Tous portaient un numéro afin qu'on puisse les replacer sur site sans difficulté.

Ivana balaya l'espace d'un long regard – personne – et sortit la torche qu'elle avait emportée. Elle braqua son rayon sur la fresque.

— T'es folle ? Éteins ça.

— Éclaire, répondit-elle en lui fourrant la lampe dans les mains.

Elle attrapa son portable et cadra la fresque reconstituée.

— Parce que t'as un téléphone en plus ?

— Ta gueule.

Elle fit plusieurs photos, sans trop savoir pourquoi, retrouvant à peu près les motifs présents sur les clichés pris avant l'effondrement qu'elle avait pu voir dans le dossier. Une Vierge Marie à demi allongée, aux lignes naïves et maladroites. À sa gauche, deux barbus – sans doute des personnages de la Bible, mais Ivana n'était pas assez calée pour les identifier – donnant le bain à un bébé costaud comme un hercule de foire. Dans les coins de droite et de gauche volaient des saints ou des anges qu'elle ne reconnaissait pas non plus.

— Faut y aller, là, s'impatienta Marcel.

— J'ai presque fini.

Elle mitrailla en songeant à Niémans qui avait vu juste. Les Émissaires n'avaient pas seulement conservé les gravats, ils avaient aussitôt reconstruit la fresque comme si cette image mal foutue recélait un pouvoir secret, ou l'esprit d'une divinité…

En revanche, le scénario du vol ne tenait pas puisque la fresque était complète. Le plafond de la chapelle s'était simplement effondré et les Émissaires en avaient récupéré l'intégralité.

— Magne-toi, merde !

Les yeux rivés sur le seuil, Marcel semblait s'attendre à voir surgir une légion d'anabaptistes armés de fourches et de pioches.

Elle fit disparaître portable et lampe électrique dans ses poches, rendant la grange à son obscurité. Les deux intrus marchaient vers la porte quand l'un des battants s'ouvrit. Marcel attrapa Ivana par l'épaule et la tira au fond d'un box.

Des pas, des mots, des échos noirs. Machinalement, Ivana porta la main à sa ceinture. Ses doigts serrèrent le vide. Il était temps d'assumer son rôle d'infiltrée. Nue et désarmée face à l'ennemi.

Accroupie contre la paroi du box, elle s'avança pour essayer de voir quelque chose. Marcel, lui, était terré au fond, prêt à s'ensevelir sous la paille.

Ce qu'elle aperçut lui confirma sa conviction profonde : où qu'on se trouve sur la Terre, la violence est là, aux aguets, prête à surgir.

Trois Émissaires avançaient dans la grange, tenant des fusils-mitrailleurs et des armes de poing qui n'avaient rien à voir avec leur monde pacifique. Ivana n'était pas la reine de la balistique mais elle reconnut sans difficulté les pistolets-mitrailleurs UMP 9 mm et le Glock 17 équipé d'une visée laser.

On était loin de l'*Ordnung* et de la *Gelassenheit*. À moins qu'au contraire l'ordre et l'obéissance n'impliquent cette artillerie. Les trois hommes longeaient les murs à pas feutrés. Avaient-ils entendu quelque chose ? Ivana penchait plutôt pour une ronde de routine.

Avec leurs barbes, leurs chapeaux de paille et leurs costumes noirs, ils lui rappelaient les colons d'Israël, ces religieux à papillotes qui manient sans complexe des pistolets-mitrailleurs Uzi et des fusils d'assaut AK-47 sur fond de désert.

— Ivana ! murmura Marcel. Par ici !

La fliquette se retourna. Au fond du box, le saisonnier lui montrait une espèce de chatière géante, tout à fait convenable pour faire passer deux indésirables dans leur genre…

Ivana lança un dernier regard au vigile le plus proche – le rayon rouge de son Glock découpait l'obscurité en deux, à la manière d'un faisceau laser taillant un diamant noir. C'était stupéfiant et en même temps bizarrement rassurant : elle se sentait tout à coup en terrain de connaissance. Exit les pacifiques extatiques. Bienvenue chez les sectaires criminels, armés comme les Davidiens de Waco.

— Viens, j'te dis !

Marcel maintenait ouvert le battant. Ivana se décida : progressant à genoux, elle se glissa dans l'ouverture, sentant à travers son pantalon de survêtement l'humidité de la paille ou, pire encore, du crottin. Pas le moment de jouer les duchesses.

Elle roula à l'extérieur, percevant le souffle de Marcel sur ses traces. Elle se relevait quand la porte de la trappe se rabattit violemment.

Impossible que les Émissaires n'aient pas entendu un tel raffut.

Sans se concerter, Ivana et Marcel se mirent à courir droit devant eux. Dans les ténèbres, ils ne savaient pas où ils allaient, mais rien ne pouvait être pire que ce qu'ils fuyaient.

31

Ils décidèrent de se séparer. Scinder l'équipe ne pouvait qu'augmenter leurs chances de survie. Marcel ne lui laissa pas le choix de la direction : il se fondit dans les ténèbres, sur la gauche. Ivana partit à l'opposé, à travers champs, s'enfonçant bientôt dans des taillis pas spécialement accueillants. Elle plongea dans une muraille de plantes griffues, déchira ses vêtements à vouloir la franchir, puis courut jusqu'à se retrouver en terrain de connaissance : les vignes.

Elle s'arrêta quelques secondes pour reprendre son souffle. Elle brûlait d'avoir couru mais c'était juste un phénomène de surface. Sous sa peau, elle était si froide que ses os auraient pu se briser comme du givre. Autour d'elle, l'argile avait la couleur du fer et les sarments s'enroulaient sur eux-mêmes comme du barbelé militaire.

Elle n'avait pas la moindre idée d'où elle était, et son sens de l'orientation était à peu près égal à son goût pour la viande. Soudain, un détail lui coupa l'envie de réfléchir : des lumières sur la route. Les Émissaires balayaient les fourrés avec des torches au xénon – ces sentinelles n'avaient décidément aucun problème avec la technologie moderne.

Ivana tourna les talons et se mit à courir, courbée à demi entre les pieds de vigne. Entre deux respirations, elle essayait de rafistoler ses pensées pour saisir ne serait-ce qu'un brin de logique. Comment avait-elle basculé dans un tel merdier ? Comment était-elle passée d'une communauté paisible à un commando prêt à la flinguer parce qu'elle était venue fouiner dans une de leurs granges ?

Elle parvint au bout de la travée. Des buissons, quelques arbres, puis, au-delà, à nouveau des vignes. Elle ne reconnaissait rien, n'apercevait aucun signe, aucun repère qui aurait pu l'orienter. Elle se tourna encore et vit les faisceaux bleutés tournoyer dans l'air de cristal. Elle avait distancé ses poursuivants mais ils progressaient toujours dans sa direction.

Elle traversa le bosquet et repartit de plus belle. La terre sous ses pieds était dure comme de la glace. Au moins, elle ne laissait aucune empreinte… *Allez, ma vieille, t'as une chance…* Elle fut vite de nouveau à court de souffle. Et de forces. Ne restait qu'un foyer de braises au fond de ses poumons, qui attaquait ses autres organes – il lui semblait entendre, au fond de sa poitrine, ses propres tissus grésiller comme de fines feuilles d'encens.

Elle tomba à genoux. Seigneur. La scène lui rappelait les poursuites de sa jeunesse dans les cités, où elle crevait à petit feu à se défoncer comme on écope du sang dans un lavabo. Et il fallait courir encore quand la BAC déboulait, se planquer dans les caves quand on ne pouvait pas payer son dealer, retenir son souffle dans les parkings quand une bande de capuchons voulaient s'amuser un peu avec votre cul…

Soudain, un faisceau passa à cinquante mètres sur sa droite. La bonne nouvelle : ils sondaient les travées à l'aveugle – ils ne l'avaient pas vue. La mauvaise : ils se rapprochaient.

Alors, elle eut une idée de génie, ou du moins qui lui sembla telle. Il fallait qu'elle aille là où personne ne la chercherait : sur la route qu'elle avait quittée. Les Émissaires ne pouvaient imaginer qu'elle revienne sur ses pas.

Doucement, très doucement, elle se releva, évitant le moindre craquement, puis repartit à pas de souris en sens inverse, toujours pliée en deux, les oreilles fouettées par les feuillages craquants de givre de la vigne. Elle ne prenait ni le temps ni le risque de regarder derrière elle, mais elle était convaincue que ses poursuivants s'éloignaient dans la direction opposée.

Elle bondit sur la route et se mit à courir. Non pas vers la grange – tout de même –, mais dans l'autre sens, vers le campement des saisonniers. Elle songea à Marcel. Où était-il parti ? dans quelle direction ?

Bientôt, elle trouva son rythme, et son souffle. Pour une flic, elle n'était pas assez sportive, pas du tout, pour dire la vérité. Mais en s'éloignant de la Réserve, elle s'éloignait de sa propre peur et son corps recouvrait une forme de stabilité.

Sur le bitume, ses Nike claquaient, *tap-tap-tap*, un bruit à la fois sec et étouffé, comme le bec d'un oiseau nocturne. Tant qu'elle enchaînerait ainsi les pas, elle avait une chance de s'en tirer. Elle se sentait absolument seule dans l'indigo – il faisait froid, il faisait dur –, mais elle n'était plus au bout du rouleau, loin de là.

Elle en était là de ses réflexions victorieuses quand une grande lueur blanche jaillit dans son dos. Ce fut aussi violent qu'une balle entre les omoplates. Frappée par la surprise, la peur et le découragement, Ivana se mit à chanceler, toujours sur son élan, et courut encore comme si elle avait la moindre chance de semer la voiture dans son dos.

Sa gorge n'était plus qu'une brûlure. Elle respirait comme un poisson hors de l'eau, branchies palpitantes, le ventre à l'air, une agonie d'écailles d'argent…

Elle finit par stopper et se pencha, vaincue, les mains en appui sur les genoux. Elle allait vomir ses entrailles sur le gravier de la route – elle les voyait déjà, dans le halo des phares, ruisseler de sang et briller comme des mollusques sur le pont d'un navire.

— Qu'est-ce que tu fais là ?

Ivana releva la tête et vit une vitre passager ouverte, cernée par un châssis de carrosserie noire. Au fond de ce cadre clinquant, Rachel tenait le volant – entre ses petites mains, il ressemblait à une roue de chariot.

Ivana ne réussit pas à répondre. Il lui fallait encore de l'air, de l'oxygène, du froid pour la stabiliser. Elle prenait la mesure de l'énorme 4 × 4 que conduisait Rachel : un engin agricole, à mi-chemin entre le véhicule tout-terrain et la moissonneuse-batteuse.

— Tu montes ou quoi ?

Sans répondre, Ivana ouvrit la portière et se jeta à l'intérieur.

— Roule.

32

Ni l'une ni l'autre n'étaient à leur place.

Que foutait Rachel en pleine nuit, au volant de ce monstre au milieu des vignes ? Et elle, pourquoi courait-elle couverte de terre sur une route déserte ?

Les explications de Rachel furent brèves. Les vendanges, c'était un boulot qui ne s'arrêtait jamais. Dans la journée, il fallait récolter le raisin. Le soir, le presser. La nuit, le mettre en cuve. Chez les Émissaires, on assurait les trois-huit.

L'anabaptiste se justifiait par pure courtoisie : elle était chez elle et n'avait de comptes à rendre à personne.

Ivana, c'était une autre histoire.

— Et toi, attaqua l'Émissaire, que fais-tu ici, à une heure pareille ?

Les yeux fixés sur la route, Ivana se tordait les mains. Elle ne cessait de grelotter – visiblement, on n'utilisait pas le chauffage dans cette bagnole. Elle sentait ses vêtements trempés lui coller à la peau. En même temps, elle bouillonnait encore à l'intérieur – l'effort, la peur, l'adrénaline.

— J't'ai menti, avoua-t-elle. Je suis journaliste.

Rachel ne paraissait pas choquée. Elle avait une manière de conduire particulière : ses mains vissées au volant, elle était penchée vers le pare-brise, comme si la route lui chuchotait quelque chose…

— Je suis désolée, ajouta Ivana.

Rachel se taisait. Silence insupportable. Ivana avait l'impression que ses nerfs sautaient l'un après l'autre, comme des cordes de piano qu'on coupe à la tenaille.

Soudain, l'autre lui jeta un coup d'œil malicieux.

— Et on peut savoir ce que tu cherches ?

— Rien de spécial. Mon journal m'a payée pour réaliser cette enquête et j'ai eu l'idée, disons, de m'infiltrer.

Rachel ne demanda même pas de quel titre il s'agissait. Toujours le mépris pour les Mondains.

— Tu as trouvé quelque chose d'intéressant à raconter ?

La malice virait au sarcasme. Au fond, cette voix si douce, à la fois enfantine et vieille de plusieurs siècles, portait en elle une prétention démesurée. Celle du pardon universel. La condescendance du Bien à l'égard du Mal, des justes face aux égarés… Ivana l'avait connue au catéchisme, dans certaines familles d'accueil. Ça la rendait dingue.

La tentation était grande de lui balancer l'histoire de la fresque, des sentinelles armées. Mais Ivana sentit qu'il fallait continuer sur le même fil : la journaliste pas trop futée.

— Je ne fais pas une enquête d'investigation. Je cherche juste à m'imprégner de votre culture, de votre spiritualité.

— Tu parles. Tu veux découvrir notre secret.

— Parce qu'il y en a un ?

Rachel éclata de rire, comme un verre qui pète entre des doigts trop puissants.

— Je t'ai juste tendu un petit piège. Pas très charitable de ma part. Non, il n'y a pas de secret. Il n'y en a jamais eu. Mais depuis cinq siècles, vous êtes persuadés que nous cachons quelque chose. C'est étrange comme vous avez du mal à accepter notre simplicité.

À chaque fin de phrase, elle aurait pu murmurer « mais ce n'est pas grave ». Et, d'une voix plus basse encore : « Vous ne comprendrez jamais rien, mais nous ne vous en voulons pas. »

— Et cette nuit, reprit l'Émissaire, où tu es allée ?

Ivana ne répondit pas. Devant elle, la route bleutée évoquait les négatifs de jadis. Les troncs blancs offraient la même inversion, le blanc pour le noir, le noir pour le blanc…

Son instinct de flic l'avertit qu'elle devait dire, à cet instant précis, la vérité. Elle avait largement dépassé son quota d'imposture.

— Je cherchais la fresque.

— Quelle fresque ?

— Celle qui s'est effondrée et qui a tué Samuel.

Cette fois, Rachel marqua sa surprise.

— Et… tu l'as trouvée ?

La vérité, pas d'autre choix :

— Elle est dans la Réserve.

— Comment tu connais la Réserve ?

— On m'en a parlé. Des saisonniers.

— Qui ?

— Je ne sais pas. Je n'ai pas les noms.

— Pourquoi tu t'intéresses à ces gravats ?

— Parce que je trouve bizarre que vous les ayez sortis de la chapelle pour les planquer.

— On les a mis à l'abri, c'est tout.

Dans sa bouche, cette explication sonnait juste. Mais l'image des vigiles armés revint en force. On ne surveille pas à l'HK UMP des vestiges sans valeur.

Soudain, elle se souvint que son portable était toujours dans sa poche. Et même pas en mode avion. Elle se prit tout à coup une trouille livide à l'idée qu'il se mette à sonner.

Rachel ralentit. Ivana repéra enfin les longues tentes, les tables, les clôtures… Elle aurait pu l'embrasser. Elle était rentrée au bercail.

Elle se tourna et observa ce visage lisse qui, malgré l'heure, était aussi frais que la rosée du matin. Elle aurait aimé risquer encore une ou deux questions mais il ne fallait pas tirer sur la corde. *Lâche l'affaire*.

Elle ouvrit la portière et hésita encore :

— Tu vas me dénoncer ?

— C'est pas le genre de la maison. Essaie de te reposer. On se retrouve demain matin pour le boulot.

Ivana marcha vers le campement. Des Émissaires veillaient, mais ils ne semblaient ni armés ni agressifs. Sans poser de questions, ils la laissèrent passer (ils l'avaient vue descendre d'un 4 × 4 du Domaine). Elle vacillait légèrement, sentant la fatigue intensifier l'attraction terrestre.

Il y avait trois solutions.

Soit Rachel était l'innocente qu'elle prétendait être et, dans ce cas, elle n'était au courant de rien mais la dénoncerait. Le mensonge, même par omission, n'était pas non plus le genre de la maison.

Soit elle était au courant de tout – du secret de la fresque, de la milice armée et sans doute de choses bien pires encore… – et, dans ce cas, elle allait s'empresser de raconter sa petite histoire à la faction chargée de la sécurité du Domaine.

La troisième solution était… Non, tout bien réfléchi, il n'y avait pas d'autre option.

Sa couverture était grillée.

À cet instant, elle aurait dû prendre ses jambes à son cou et fuir le Domaine.

Mais sa paillasse lui sembla une bien meilleure idée.

II

LE SANG

33

Max Lehmann avait tenu parole.

À huit heures du matin, quand Niémans arriva à Saint-Ambroise, il était déjà là avec son équipe. En retour, le flic avait demandé à Desnos de préparer la « réquisition à expert » qui permettrait de le payer au plus vite.

L'homme à moustaches était en haut de l'échafaudage. Dès qu'il aperçut son commanditaire, il descendit le long des tubulures avec la grâce d'une araignée. Sa mine satisfaite valait tous les discours.

— Vous avez trouvé quelque chose ?

— Et comment ! fit l'autre en se dirigeant vers un poste de travail improvisé, constitué de quatre ordinateurs protégés par des bâches transparentes. En fait, on est là depuis hier soir. Pour de telles épaisseurs, la radio prend pas mal de temps et il faut développer.

Niémans avait les yeux rivés sur les écrans qui scintillaient d'images en noir et blanc. Aucun doute, Lehmann avait découvert des motifs cachés sous les fresques du XVIIIe siècle.

— Voilà, ajouta le restaurateur en carrant ses longues mains dans ses poches. Je dois dire que c'est un cas spectaculaire de « naissance sous X ».

Il avait l'air content de sa blague, mais Niémans ne releva pas, obnubilé par les images. Le plus frappant d'abord, c'était leur rendu général, lié à la technique radiographique. Tirant sur le bleu fantôme, les fresques exhumées semblaient gravées dans une roche pâle et friable.

Leur style n'avait rien à voir avec l'aspect grossier des peintures de surface. En réalité, d'un point de vue académique, les personnages n'étaient pas plus réussis, mais leurs déformations apparaissaient cette fois maîtrisées, propres à l'expressivité du Moyen Âge. Ils étaient des démonstrations, presque des émanations : ils traduisaient des états d'âme.

— Comme vous le voyez, on a pu mettre au jour, sur la voûte de gauche, quatre scènes disposées en croix, issues du Nouveau Testament ou de la tradition allégorique propre au Moyen Âge tardif. La première représente les quatre cavaliers de l'Apocalypse…

Des hommes chevauchaient des montures de brume, des espèces d'ondulations luminescentes. L'un d'eux portait une auréole en forme de flamme, le visage d'un autre n'était qu'une tête de mort, nue, cabossée… Ils semblaient jaillir de ténèbres tourmentées, brillants comme des lampes-tempêtes.

— La deuxième scène, à gauche de la structure en croix, c'est un saint Georges terrassant le dragon.

Le combat était impressionnant : sur son cheval, le saint patron semblait prêt à se disloquer dans un éclair noir. Au fond du halo charbonneux, il abattait son épée sur une forme convulsive qui agonisait à ses pieds.

— La troisième est une danse macabre… Image classique au XVe siècle, où toute la France a été décimée à la fois par la guerre de Cent Ans et par la Peste noire.

Une femme en train de filer de la laine maniait le rouet, alors qu'un transi (un cadavre en pleine putréfaction), debout derrière elle, tenait la quenouille, signifiant ainsi qu'au bout de chaque ouvrage la mort vous attendait.

Le message était effrayant mais son traitement était pire encore. La tisseuse et le cadavre avaient les mêmes yeux blanchis d'extraterrestres.

— La dernière séquence est une lamentation sur le Christ mort. On y retrouve les mêmes visages hantés, cette même lumière irradiante…

Niémans s'y connaissait assez pour identifier, autour du Christ supplicié, la Vierge de Pitié, l'apôtre Jean, Joseph d'Arimathie, Nicodème… Ils avaient tous des têtes de mineurs hagards sortant d'un coup de grisou.

Les thèmes étaient disparates mais ces fresques avaient été peintes par la même main. À travers ces motifs, s'exprimaient un style, une angoisse, une âme hallucinée.

Voilà ce que cachaient les peintures anecdotiques de Saint-Ambroise, du moins les arcs qui avaient tenu bon : la foi comme hantise, torture, repentir.

— Avec les fragments de l'autre voûte, demanda Niémans, vous pourriez procéder de la même façon ?

— Les radiographier, vous voulez dire ?

— Oui.

— Il faudrait d'abord les reconstituer et…

— Vous pourriez ou non ?

— Sans problème.

Niémans n'avait pas de nouvelles d'Ivana mais son adjointe allait trouver la fresque effondrée, il en était certain.

— Qu'en pensez-vous ? demanda-t-il en revenant aux images qui brillaient sur les écrans.

— C'est extraordinaire, souffla Lehmann du ton du cosmonaute bouleversé qui, seul dans son vaisseau, découvre l'astre terrestre. On a rarement la chance de…

— Je vous parle du style de ces fresques. Pouvez-vous les dater ?

Lehmann croisa les bras et saisit son menton dans un geste de réflexion un peu théâtral.

— Je suis partagé. Les scènes représentées, et aussi le style général, renvoient au XVe siècle, mais certains faits ne collent pas.

— Par exemple ?

— En six siècles, la chapelle a été plusieurs fois reconstruite ou rénovée, ce qui signifie que ces voûtes n'ont pas été épargnées. Je doute que les restaurateurs de l'époque aient pu reconstituer ces œuvres à chaque fois.

Niémans se souvenait de la salle du musée du Prado à Madrid consacrée aux *Pinturas negras* de Francisco Goya. Ce que personne ne disait, c'est que ces peintures étaient des faux. Du moins, elles n'étaient pas de la main de Goya. Les originaux, l'artiste les avait peints à même les murs de sa maison, impossible de les transférer sur une toile… C'était le même problème pour ces fresques : comment les désolidariser d'un plafond pour les replacer sur un autre ?

— Elles auraient pu être recopiées ?

— Bien sûr. Mais dans ce cas, on observerait des différences de facture. Or cet ensemble est très cohérent. Trop, même.

— Expliquez-vous.

— On voit bien que ces séquences ont été peintes par un seul et même homme, et pour ainsi dire d'un seul jet. Elles sont donc restées intactes depuis leur réalisation. Il y a là un vrai mystère.

Le flic contemplait toujours ces scènes comme souillées de suie, éclairées seulement par des yeux trop grands flottant dans ce grand noir comme des feux follets. Son idée d'origine revint en force : ces images dissimulaient un secret, un message.

— Il y a aussi le problème des sujets traités, reprit Lehmann. Ils ne sont pas rares au XVe siècle mais ils ne sont jamais représentés ensemble, surtout dans une chapelle. Les quatre cavaliers de l'Apocalypse et la déploration du Christ sont issus du Nouveau Testament. Saint Georges terrassant le dragon s'inspire de *La Légende dorée* de Jacques de Voragine. Quant à la danse macabre, c'est presque un motif païen. Un *memento mori* qui a valeur d'avertissement.

— Qu'est-ce que vous en déduisez ?

— Rien, sinon que cet apparent désordre est unique. À moins qu'il ne faille y lire une secrète cohérence, je ne sais pas.

Niémans avait déjà décidé de soumettre cet ensemble à un théologien, qui pourrait peut-être y discerner un sous-texte, une signification subliminale.

— Enfin, il y a la facture, poursuivait le restaurateur. On y retrouve les traits caractéristiques de l'art du bas Moyen Âge mais…

— Mais ?

— On y discerne aussi une touche moderne, l'expression d'une personnalité… hors du commun. Je ne connais aucune œuvre de cette époque qui porte cette patte-là. Si invraisemblable que cela puisse paraître, cet artiste n'a sans doute peint que ces voûtes alsaciennes…

Ce dernier fait n'étonnait pas Niémans. Les exemples d'artistes qui ont utilisé un langage atemporel abondent dans l'histoire de l'art. Le Greco a été, au XVIe siècle, d'une modernité stupéfiante et, aujourd'hui encore, un seul coup d'œil suffit à identifier ses toiles, qui n'appartiennent finalement à aucune période.

— Pour les dater précisément, il faudrait maintenant procéder à une analyse chimique.

— Qu'attendez-vous ?

— L'autorisation des propriétaires de la chapelle.

— Je vous la donne, moi. Vous êtes requis en tant qu'expert, ne l'oubliez pas.

— Mais ça implique de gratter des fragments de la surface !

— Aucun problème.

— Mais c'est impossible sans…

— Je leur expliquerai. Ne vous en faites pas.

Lehmann grogna :

— Ça va entraîner encore des frais.

— Arrêtez avec ça. Combien de temps il vous faudra ?

— Disons vingt-quatre heures.

— Commencez tout de suite. Dès que vous avez une info, vous m'appelez.

Niémans tourna les talons et se dirigea vers l'équipe des TIC, alors même que Desnos avançait vers lui de son pas énergique.

— Ils ont trouvé quelque chose.

— Quoi ?

— Une empreinte de pas.

34

Ils longèrent les échafaudages et rejoignirent la zone près du portail où les TIC procédaient aux derniers relevés. C'était Julien Petit en personne, l'excité du Bluestar, qui avait fait la trouvaille.

Se rappelant la leçon de la veille, le jeune homme la joua avec morgue :

— Nous avons une empreinte complète et l'embryon d'une autre.

Niémans saisit l'iPad sur lequel des tracés fluorescents dessinaient clairement le motif d'une semelle. À l'évidence, on avait marché dans la sauce et la solution luminescente dessinait, par défaut, les sillons de ce passage.

Il considéra la tente igloo sous laquelle le révélateur chimique avait été pulvérisé. Pas question de se glisser là-dessous à quatre pattes pour aller vérifier.

— Quel est ton avis ? demanda-t-il en tendant la tablette à Desnos.

— Ça pourrait être l'empreinte de n'importe qui.

— Dans une flaque de sang ?

— Du sang nettoyé, précisa Petit. On a retrouvé des traces de détergent un peu partout sur le sol.

— Donc, reprit Desnos, n'importe quel quidam a pu venir ici.

Niémans était satisfait de pouvoir leur offrir une petite démonstration façon Sherlock Holmes.

— Justement non. Après la découverte du corps, seuls les Émissaires et les gendarmes ont pénétré dans la chapelle.

— Et alors ?

Il pointa sur l'écran les liserés très nets des semelles que le produit avait mis en évidence.

— Il s'agit de chaussures de sport. Or les Émissaires portent toujours les mêmes galoches. Pratiquement identiques à celles des gendarmes d'ailleurs. Ces empreintes appartiennent donc à l'intrus de ce soir-là.

— On doit vérifier parmi nos suspects en garde à vue ?

Il les avait presque oubliés, ceux-là.

— Oui, mais fonce aussi au Domaine et retourne les vestiaires de tous les saisonniers.

— Pourquoi les saisonniers ?

— Parce qu'ils étaient déjà sur place au moment des faits. Et qu'ils sont les seuls à porter le soir des pompes différentes.

Desnos acquiesça en silence : il fallait maintenant se remuer le képi.

Niémans allait partir quand il revint sur ses pas et demanda à Petit :

— À ton avis, ce sang a coulé avant ou après l'effondrement ?

— Avant, sans aucun doute. La coagulation s'est produite avant l'afflux de poussière.

Le scénario le plus simple se confirmait donc : un intrus avait été surpris par Samuel. Il y avait eu bagarre puis la voûte était tombée, soit par sabotage, soit parce que le voleur avait déjà descellé les moellons pour en emporter un fragment…

Niémans rêvait d'une grande enquête ésotérique, de secrets mystiques et d'enjeux immémoriaux, il se contenterait d'un vol, d'une baston et d'une basket, pardon, une sneaker, en guise de preuve directe. La montagne accouchait d'une crotte de souris.

Pourtant, non. Il restait la pierre dans la bouche, la fresque que les Émissaires protégeaient… Il ne devait pas se précipiter. Le scénario du pillage d'art et de l'homicide involontaire n'était peut-être qu'un nouvel écran de fumée, comme l'hypothèse du simple accident de chantier.

Il frappa dans ses mains et cria à l'intention de Desnos :

— Allez, on retourne au Domaine. Une belle descente en bonne et due forme.

— Mais…

— Mais quoi ?

— Rien.

Niémans éclata de rire.

— Le métier commence à rentrer.

35

Marcel avait disparu.

Après deux heures de sommeil en guise de recharge de batteries, Ivana avait devancé l'appel et pris une douche dans les modules installés près du campement : six cabines de douche préfabriquées en PVC qui semblaient prêtes à s'envoler au moindre coup de vent.

Elle avait alors attendu le petit déjeuner, non pas pour bouffer, mais pour retrouver son partenaire et se livrer à un débriefing à voix basse. Mais Marcel n'avait pas reparu.

Elle s'était risquée sous la tente des hommes – personne. Elle avait interrogé d'autres saisonniers : on n'avait pas vu le lascar depuis la veille. Elle n'avait pas osé insister – les anabaptistes traînaient toujours parmi les vendangeurs. Le détail inquiétant était qu'aucun costume du jour n'était en rade sur le seuil de toile, tout se passait comme si les Émissaires avaient prévu que Marcel manquerait à l'appel.

Elle s'était résolue à monter dans le camion, tassée dans un coin, assaillie de pensées contradictoires.

S'était-il fait choper par les vigiles ? Était-il tombé dans un trou et s'était-il pété la jambe ? Ou au contraire leur avait-il échappé et, pris de panique, avait-il bouclé son sac pour se tirer en douce ?

Quand elle était fatiguée de ressasser ces questions sans réponse, elle passait à son propre cas, pas mal non plus dans le genre précaire. Avait-elle été repérée ? identifiée ? Rachel avait-elle parlé ? Que risquait-elle au juste ? Toutes ces interrogations lui faisaient mal à la tête, une volée de piafs lui picorant la cervelle.

À ce chaos s'ajoutait l'angoisse du portable dans sa poche. Elle n'avait trouvé ni le moment ni le lieu pour appeler Niémans et elle redoutait maintenant qu'on la fouille. Au fond, aucune raison. Elle l'avait réglé en mode avion et avait encore un peu de batterie.

Contacter Niémans. Tout lui raconter : la fresque reconstituée, les vigiles armés, la disparition de son complice. Mais elle ne voulait pas se trahir. Même s'il n'y avait plus qu'une infime chance pour que sa couverture soit intacte, elle voulait encore y croire. Il lui restait deux jours pour sonder, fouiller, creuser – et elle comptait bien exploiter au maximum ce sursis.

À présent, elle collectait les grappes comme si de rien n'était, alors que le soleil diffusait une lumière trop blanche. Le ciel, d'un bleu éclatant, paraissait gelé. Il scintillait d'une pureté cristalline qui blessait les yeux.

Là-dessous, saisonniers et Émissaires s'escrimaient en chœur. Le froid semblait durcir encore le paysage et chaque couleur devenait plus puissante, atteignant une densité de vitrail. Un fil de cuivre se formait autour des épaules, des feuilles, et des éclats d'or scintillaient à travers les mèches et les barbes.

Courbée sur les sarments, Ivana transpirait dans ses collants noirs et sa robe de nonne. Son col la grattait, son sécateur lui sciait les doigts – et maintenant, elle songeait à Rachel. Pas revue non plus. L'avait-elle trahie ? Était-elle en train de tout balancer à Jakob et à sa bande ? Il était midi et elle se sentait totalement seule.

C'est alors qu'il se passa le contraire de tout ce qu'elle aurait pu imaginer.

À l'horizon, les fourgons des cruchots réapparurent. Les toits des camions scintillaient au-dessus des vignes comme des miroirs. La gorge sèche, Ivana redouta un remake de la veille : rafle, calibres, uniformes. Niémans semblait ne plus avoir qu'une seule méthode, rameuter chaque matin la cavalerie et arrêter tout ce qui bougeait.

Elle les vit sortir de leur IVECO comme des paquets de linge sale et remarqua tout de suite un détail capital : ils n'étaient pas armés. Pas l'ombre d'un FAMAS ni d'un calibre à la ceinture. Sans doute ne voulaient-ils pas froisser les Émissaires… La prochaine fois, ils viendraient avec des fleurs. Mais que foutaient-ils, nom de Dieu ?

Les réponses fusaient de partout autour d'elle. Des murmures aussi bruissants que les feuilles des ceps. Les gendarmes réquisitionnaient les pièces d'identité. Ils allaient pratiquer des tests ADN sur chaque saisonnier. Une reconstitution allait être organisée dans la chapelle… Des bruits de chiottes, rien de plus.

Pourtant, un truc sérieux était en route, elle le sentait. Malgré leur absence d'armes, l'air résolu des cruchots démontrait qu'ils tenaient un indice. Ils cherchaient quelqu'un ou quelque chose clairement identifié.

Elle se hissa sur la pointe des pieds. Pas de Niémans. Elle se tourna et vit les Émissaires dans leur position habituelle, bras ballants, bouche bée. Ils n'allaient pas tarder à prier… Cette fois, un soupçon de colère passait dans leurs yeux, mais des siècles d'ordre et d'obéissance leur avaient appris à la fermer.

Nouvelle rumeur : les gendarmes avaient ouvert les casiers des saisonniers et photographié toutes les paires de chaussures dénichées. Ça avait l'air d'une blague, mais d'instinct, Ivana sut que c'était la vérité. Les résidus de sang avaient parlé. L'hypothèse, pas très palpitante, d'une bagarre qui avait mal tourné s'était confirmée et des traces de pas avaient été décelées.

Ivana se sentait mal. Sa nervosité n'effaçait pas la fatigue et la proximité des bleus lui procurait une sensation ambiguë. Elle avait envie de tout lâcher et de rejoindre les uniformes, d'attraper son badge et de passer de l'autre côté des grappes.

Niémans, à plus de cent mètres, apparut, comme au théâtre, entre deux rideaux de feuillage. Il avait l'air de gueuler – pour ne pas changer. Il s'agitait, braillait, effectuait des grands gestes, moissonnant du vent à coups d'avant-bras. Ivana se pencha en avant, essayant d'attraper des syllabes. *No way*. Les rafales les repoussaient systématiquement au loin.

Elle le regarda encore, par en dessous, éprouvant un élan de tendresse qui la prit à la gorge. Niémans dépassait d'une tête ses hommes et de deux les plants de vigne. Avec ses lunettes d'instituteur et sa coupe de légionnaire, il évoquait un instructeur militaire un peu fêlé…

Ivana se mit à trembler. Des larmes coulaient sur ses joues – peut-être la fatigue, le froid, ou l'angoisse concernant Marcel… Elle prenait conscience maintenant que les saisonniers lançaient des regards de tous côtés. On cherchait quelqu'un. On avait un nom. Même les Émissaires avaient l'air intrigués…

Cette fébrilité la gagnait aussi. Elle observait la scène comme sous hypnose. Grappes cuivrées, vendangeurs en noir et blanc, gendarmes en bleu, et que le meilleur gagne…

Un souvenir la traversa. Elle ressentait dans son sang cette sourde excitation de la mer, quand elle parvenait en bus, avec sa colonie de vacances, aux abords des plages de Charente-Maritime.

C'était un fourmillement, une impatience vague, et pourtant électrique.

Dans quelques secondes, elle en était certaine, un événement majeur allait se produire…

36

Paul Paride, quarante-deux ans, embauché le 2 novembre 2019.

Confondu par ses Nike Shox R4.

Niémans, en route pour le Domaine, avait passé quelques coups de fil et identifié la chaussure. Les sillons de l'empreinte ne laissaient aucun doute : il s'agissait d'un modèle des années 2000 qui revenait en force sur la planète footwear (dixit « l'agent de vente » à qui il avait parlé).

Les gendarmes avaient forcé les casiers des saisonniers. Niémans aurait pu réclamer les clés mais il préférait tout casser. Vaine satisfaction du flic standard, détruire avec la bénédiction de la République, sans demander son avis à qui que ce soit.

Unique concession aux anabaptistes, on avait abandonné les armes dans les fourgons. Seul Niémans avait gardé son Glock à la ceinture. Tout de même.

Puis on avait foncé jusqu'aux vignobles. Il suffisait de surprendre Paride et de l'embarquer en toute discrétion. Le flic avait donné ses consignes : un gendarme par allée, avançant au pas et vérifiant l'identité de chaque saisonnier. Pas d'éclats de voix, pas de brutalité. Un simple contrôle de routine…

Mais le mal était fait : si Paul Paride n'avait pas encore compris qu'il était la cible de l'opération, c'est qu'il était sourd et aveugle, ou qu'il s'était fait la malle depuis longtemps.

Contrairement à ce que Niémans aurait cru, les Émissaires n'étaient pas rigoureux sur le recensement de leurs troupes. Libre à chacun de se tirer du jour au lendemain, ou de donner n'importe quel nom à l'embauche.

Ainsi, Desnos avait vérifié : pas de Paul Paride dans l'état civil de la région. Les seuls répertoriés étaient morts et enterrés, l'un du côté du Vigan, dans le Gard, l'autre à Angers, en Maine-et-Loire. Cela prouvait au moins que le client n'était pas clair avec…

Tout alla si vite que personne ne put réagir.

Dans une des travées sur sa droite (Niémans se tenait dans l'allée qui bordait les plants), un saisonnier venait de bondir, bousculant le gendarme qui lui demandait son identité, et sprintait maintenant au ras des sarments, enjambant les hottes qui avaient roulé sur le sol…

Le cruchot lui emboîta le pas mais trébucha. Quand il se releva, ce fut pour se cogner dans une saisonnière. Pendant ce temps, l'homme prit à l'oblique et rejoignit une parcelle vendangée par des Émissaires. Inutile de compter sur eux pour bloquer le suspect ou agir d'une quelconque façon.

Sans réfléchir, Niémans se lança à sa poursuite, dégainant d'un seul geste. Paride avait déjà atteint le milieu de la nouvelle parcelle et n'était plus qu'à quelques centaines de mètres de la prochaine. Au fond, se détachait un sous-bois dans lequel il pourrait disparaître.

Le flic songea à tirer en l'air mais il imaginait déjà d'ici les conséquences : on avait encore violé l'espace sacré du Domaine, enfreint les règles, bafoué la foi des Émissaires…

Il entendait les gendarmes derrière lui, qui allaient le relayer dans sa course.

Sans savoir pourquoi, il ralentit et hurla :

— Vous mêlez pas de ça !

Les hommes s'arrêtèrent. Dans leurs yeux, l'ébahissement : « Complètement barré, le Parisien. » Il repartit de plus belle, apercevant sur sa gauche d'autres gars qui arrivaient à la rescousse, mais ils semblaient prisonniers à la fois des saisonniers, des travées, des feuillages…

Le fugitif s'enfonça dans le nouveau vignoble. Niémans s'engagea à son tour dans la parcelle mais son rythme ne suivait pas. Sa poitrine cramait. Sa gorge, on n'en parlait même pas. Quant à ses jambes, il redoutait que ses muscles flanchent pour de bon et le lâchent en plein sprint.

— Poussez-vous ! parvint-il à hurler. Mais poussez-vous, bon Dieu !

Le visage placide ou stupide, les Émissaires reculaient, ne voulant clairement pas s'impliquer et jouissant peut-être en secret des déboires du flic essoufflé…

Il essaya d'accélérer mais il avait atteint un seuil. Au-delà, c'était la crise cardiaque. Ou du moins la chute. Comme dans un cauchemar, plus il courait, plus il s'éloignait du fuyard.

Mais un miracle survint.

L'homme tomba, et durement encore. Une Émissaire, un peu plus futée que les autres, l'avait taclé et fauché en plein élan.

Mieux encore, elle l'avait plaqué et lui avait saisi le bras gauche, le retournant et appuyant maintenant de tout son poids sur son dos. Un waki gatame en règle, une immobilisation au sol assez connue chez les amateurs de judo.

Il ne connaissait qu'une vendangeuse capable d'une telle prouesse.

— Niémans, souffla-t-elle, cet enfoiré ne doit plus avoir aucun contact avec les Émissaires. Sinon, je suis morte.

37

Paul Paride s'appelait en vérité Alain Ibert. Quarante-deux ans au compteur, pas de revenus ni de domicile fixe. Violent, voleur, aux abois, un chien errant du monde moderne.

Dès son retour au poste, Desnos avait lancé une recherche fichier d'après ses empreintes digitales. L'homme avait déjà fait de la taule – et pas qu'un peu. Plusieurs fois condamné pour vols à la tire, voies de fait, vols avec effraction, il comptabilisait au moins six années de trou.

— Pourquoi Paride ? demanda Niémans

— À cause de *Paride ed Elena.*

— C'est quoi ?

— Un opéra de Christoph Willibald Gluck.

Allons bon. Un pilleur d'église, repris de justice et mélomane. Ça partait bien cette audition…

Niémans s'accorda quelques secondes pour observer l'animal : cheveux teints à la gothique coiffés la raie au milieu, qui s'ouvraient sur une tête d'endive. Des traits anxieux, des yeux comme des perles bleutées, liquides, des joues grêlées, un nez imposant et busqué. Pas vraiment un physique de magazine. Plutôt le genre à tenir une station-service dans un film d'épouvante.

Assis, les avant-bras vrillés à la table, elle-même vissée au sol, il gardait les yeux fixes, avec l'expression hébétée d'un alcoolique, ou celle, extatique, d'un révélé.

— J'vous ai entendus tout à l'heure, commença-t-il.

Niémans avait tout juste eu le temps d'échanger quelques mots avec Ivana pour lui expliquer les nouvelles orientations de l'enquête. Elle lui avait raconté en retour une histoire inattendue, dont les temps forts étaient la fresque reconstituée au fond d'une grange de la Réserve, des vigiles qui montaient la garde HK UMP 9 mm au poing, une course-poursuite à travers le Diocèse…

Paride, le nez dans la glaise, n'en avait pas perdu une miette.

— J'ai rien à voir avec cette histoire de fresque.

— Tu ne savais pas qu'il y avait des peintures plus anciennes sous les motifs apparents ?

— Non. Et si j'l'avais su, j'en aurais rien eu à foutre.

Niémans croisa les doigts sur la table. Il n'avait aucun dossier, aucun café. Pas l'ombre d'une caméra ni d'un miroir sans tain comme on en voit dans les films. Seulement son portable pour enregistrer l'interrogatoire.

— Très bien, Paul. Ou tu préfères que je t'appelle Alain ?

— Mon nom, c'est Peter.

— Tiens donc.

— C'est celui que je portais quand j'étais Émissaire.

Ça c'était un scoop. Paul Paride, alias Alain Ibert, avait donc vécu au sein de la Communauté.

— Peter, reprit Niémans, conciliant, tu sais ce qui va te tomber sur la gueule. Alors le mieux, c'est de tout me dire. Ta bonne volonté sera prise en compte.

— C'est pas moi qu'ai tué Samuel.

— Et c'est pas toi non plus qui as foutu la voûte par terre ?

L'autre haussa les sourcils, sincèrement étonné.

— Comment j'aurais fait ça ? J'te l'ai dit, j'en ai rien à foutre de tes peintures.

— Peter, je t'écoute. Raconte-moi tout.

Le suspect avait l'accent alsacien. Ce bon vieux roulis de patates qui avait bercé l'enfance de Niémans. Il parlait d'une voix monocorde, sans la moindre expressivité, le genre d'élocution ronronnante qui pouvait vite vous endormir.

Mais sa bio méritait le détour.

Né en 1976 dans le Haut-Rhin. Pas plus de précisions. Pas grave. Les gendarmes possédaient déjà son pedigree. L'originalité, c'était que ce gamin de l'Aide sociale à l'enfance (ses parents s'étaient tirés on ne sait où) avait été adopté par les Émissaires à l'âge de quinze ans. À l'occasion de vendanges, il avait été remarqué puis accueilli par la Communauté.

Niémans n'avait jamais entendu parler d'un cas similaire depuis le début de l'enquête.

Les choses s'étaient gâtées quand, en 1997, Peter avait voulu épouser une Émissaire dénommée Myriam. Le Diocèse lui avait opposé une fin de non-recevoir.

— Parce que tu n'appartenais pas à la Communauté ?

— Parce que je n'étais pas assez malade.

— Qu'est-ce que tu veux dire ?

Peter se pencha pour souligner sa révélation :

— Ces mecs-là couchent ensemble depuis des siècles, vous pigez ? Ils ont tout un tas de maladies. Moi, j'étais trop sain pour eux.

Ce problème taraudait Niémans depuis le début. Le Domaine formait ce qu'on appelle un isolat, un lieu où les relations consanguines finissent par produire des affections chroniques. Le sang des Émissaires devait être essoré, et leurs unions multiplier les « accidents » génétiques. Qui les soignait ? Où étaient les malades ?

Dans la tête de ces fanatiques, ces pathologies avaient peut-être fini par devenir les signes visibles de leur « authenticité », comme ces familles aristocratiques fières de leur isolement qui meurent de leur refus de « se fondre dans la masse », c'est-à-dire d'aller chercher ailleurs ce qui leur manque cruellement : de nouveaux gènes.

Un détail lui revint en mémoire : les Émissaires s'opposaient à toute transfusion sanguine provenant du monde des Mondains. À aucun prix, ils ne voulaient se mélanger à « eux ».

— Que s'est-il passé ensuite ?

— Ils m'ont chassé. Myriam en a épousé un autre.

— Et toi ?

— J'ai merdé. J'ai zoné. J'ai pas réussi à me fixer ailleurs…

Il se tenait bien droit sur sa chaise, la tête haute et le regard méprisant. Il avait retrouvé la morgue lugubre des malfrats, des paumés, des perdants.

— Pourquoi as-tu décidé de revenir cette année ?

— Parce que Myriam est morte il y a quelques mois.

— De quoi ?

— Je sais pas. Les Émissaires cachent toujours leurs maladies.

Une vengeance. À la dérive depuis vingt ans, l'homme avait voulu régler ses comptes avec les Émissaires maintenant qu'ils ne détenaient plus sa bien-aimée en otage. Tout ça sonnait juste.

— Pour te faire embaucher, comment t'as fait ?

— Je me suis juste présenté en tant que saisonnier.

— Personne ne t'a reconnu ?

— Les gars qui s'occupent de l'embauche n'étaient même pas nés à mon époque.

— Et les anciens ?

— Les saisonniers ne les intéressent pas.

— Ton plan, c'était quoi ?

— Parler à Samuel.

— Pourquoi lui ?

— C'est lui qui a épousé Myriam à ma place.

— Tu voulais le tuer ?

Cette fois, l'apache sursauta.

— Mais pas du tout !

— Alors quoi ?

Il enfonça sa tête dans ses épaules. Avec les ailes noires de sa coupe et son nez busqué, il évoquait un gros oiseau sur sa branche, le genre charognard.

— On s'est engueulés.

— À quel sujet ?

— Je voulais réintégrer la Communauté. Il a refusé. Il a prétendu qu'on ne pouvait revenir sur la décision du Seigneur… (Il répéta sur le mode couinant :) Du Seigneur…

— Continue.

— Y t'faut un dessin ou quoi ? Le ton est monté. On s'est battus.

— Samuel s'est battu ?

— Quand tu te prends un pain dans la gueule, tu ripostes, c'est mécanique.

Enfin une parole sensée. Mais cette histoire était encore moins intéressante que le scénario du pillage d'art.

— Finalement, acheva Niémans (il en avait déjà marre), un mauvais coup est parti, Samuel est mort et…

— Non ! Quand j'me suis tiré, Samuel était vivant ! Il était même conscient ! J'le jure devant Dieu !

Ses errances lui avaient fait perdre les bonnes manières : on ne jure pas chez les Émissaires.

— Et c'est pas toi qui as fait tomber les arcs ?

— Y me serait jamais v'nu une idée pareille !

En réalité, ce crétin des ceps n'avait pas les compétences pour saboter les échafaudages.

— Comment expliques-tu alors qu'ils se soient effondrés ?

Paride haussa une épaule, à la Sarkozy. Puis planta ses yeux dans le lino du sol.

— Ce sont eux qui ont saboté les échafaudages.

— Eux qui ?

— Les Émissaires.

Paul Paride avait plus d'imagination qu'il n'aurait cru. Le flic croisa les bras sur la table. Ces petits twists dans les interrogatoires étaient son plaisir.

— Pourquoi l'auraient-ils tué ?

— Aucune idée. Mais derrière leur harmonie apparente, y a souvent des conflits chez eux. Ils l'ont tué et ils ont maquillé le meurtre en accident.

Niémans ne croyait pas une seconde que les anabaptistes aient éliminé Samuel. En revanche, il venait d'avoir une autre idée, plausible, quoique compliquée.

Ni Paride ni les Émissaires n'avaient tué Samuel. Mais quand les anabaptistes avaient découvert le corps, leur premier réflexe avait été de faire tomber les voussoirs pour faire croire à un accident. Ils ne voulaient pas d'une enquête sur leur territoire – ni, surtout, qu'on puisse penser que la violence humaine avait frappé chez eux.

— Quand tu t'es enfui, reprit Niémans, dans quel état était Samuel ?

— Mal en point, mais toujours debout.

— Tu supposes qu'on l'a tué ensuite ?

— Y a pas d'autre explication.

— Et si tu lui avais donné un coup fatal ? qui aurait provoqué une hémorragie cérébrale, par exemple ?

Peter regarda le flic avec intensité. Ses yeux bleu chimique collaient un malaise.

— Impossible. On a échangé que quelques pains. On était loin de Kinshasa 79.

Niémans savait qu'on pouvait mourir d'une chiquenaude si elle touchait un point vital mais il devait en convenir : l'altercation avait dû être faiblarde.

— Quand t'as appris la mort de Samuel, pourquoi tu t'es pas tiré ?

— Pour pas éveiller les soupçons.

— Bien joué, Peter.

— J'ai cru que la combine des anabaptistes allait marcher.

— Et aujourd'hui, pourquoi tu t'es enfui ?

— Avec mon casier ? J'ai tout de suite pigé que j'allais me retrouver au trou pour des années.

Trop tôt pour accorder cent pour cent de crédit à l'histoire de Paul Paride, mais le fond était bon. Il avait le sang, la chaussure, le suspect, mais toujours pas l'assassin.

Bon. On enregistrerait la déposition du gugusse plus tard et on verrait pour les détails – il ne devait pas griller une seconde de plus avec cet excommunié en perdition.

— Et ce qu'on a retrouvé dans sa bouche ? lança-t-il tout de même.

— Je vois pas de quoi vous parlez.

— Il y avait une pierre dans la bouche de Samuel.

— Et alors ? C'est normal avec ce qu'il s'est pris sur la tronche, non ?

— On l'a sans aucun doute placée avant la chute des moellons.

Peter ne répondit pas. Il était out. Totalement en dehors du coup – Niémans en avait la conviction.

Son portable se mit à vibrer. Toujours la synchronicité… À moins que l'enquête ne commence à vraiment s'emballer.

Un SMS de Desnos : « VENEZ. URGENT. »

38

Record de vitesse.

Avant d'interroger Paride, Niémans avait chargé Desnos de récupérer Max Lehmann et son matériel, puis de filer à la Réserve afin de radiographier la fresque reconstituée, en compagnie d'une escouade de gendarmes et d'une équipe de TIC. La capitaine avait fait le plein dans un IVECO et rejoint la grange, traversant joyeusement les territoires interdits du Domaine.

Cette visite était leur troisième intrusion en quarante-huit heures et elle était plus grave que les précédentes : ils pénétraient cette fois dans le Diocèse, le cœur du réacteur. Mais ils n'avaient plus besoin de l'autorisation de qui que ce soit. Ces terres étaient désormais l'objet d'une enquête serrée où le délai de flagrance donnait tous les droits aux investigateurs. Les anabaptistes pouvaient toujours se plaindre auprès de Schnitzler.

En moins d'une heure, Lehmann avait réussi à radiographier les débris de la fresque. Niémans était impatient de découvrir l'autre partie du diptyque caché.

Il avait demandé à Desnos de venir le chercher car il voulait d'abord l'affranchir sur le cas Paride et sur son hypothèse d'un autre assassin.

Il était dix-sept heures et le soleil se couchait déjà.

— Ça tient pas debout, remarqua la gendarme au terme du débriefing.

— Comme la voûte de la chapelle, tu veux dire ?

Elle ne releva pas la vanne. Elle conduisait les seins contre le volant, droite et sérieuse.

— Si on admet l'existence d'un autre homme dans cette histoire, pourquoi ça ne serait pas lui qui aurait provoqué l'effondrement des moellons ?

— Parce qu'il n'avait aucun intérêt à cacher sa victime. Ce cadavre était son message.

— Ok. Mais si les Émissaires tenaient tant à camoufler cet homicide en accident, pourquoi lui avoir laissé la pierre dans la bouche ?

— C'est tout simple : parce qu'ils ne l'ont pas vue.

Le silence se referma dans l'habitacle au moment où le soleil disparaissait pour de bon. La longue nuit d'automne commençait, et ici, en Alsace, elle avait déjà une cruauté hivernale.

Devant la Réserve, aux côtés des gendarmes qui avaient escorté Lehmann et son équipe, des Émissaires étaient venus en délégation. Des spécimens présentables, sans fusil automatique ni arme de poing.

Niémans n'avait pas livré ce détail à Desnos : il aurait été obligé de dévoiler ses sources. Malgré tout, son information sur les gravats devait bien sortir de quelque part. D'ailleurs, en coupant le moteur, l'adjudante demanda :

— Comment vous avez su que la fresque était planquée ici ?

— Sources personnelles.

— C'est-à-dire ?

— Laisse tomber.

Niémans ne perdait rien pour attendre, il le savait. Ils marchèrent vers la grange. Col relevé, le flic avait chaud, avait froid, il ne savait plus trop.

Sur le seuil, il se retourna vers son adjointe.

— Desnos, il y a une chose qui me rendrait service.

— Je vous écoute.

— Retourne au poste et rédige le PV d'audition de Paride. Je t'envoie l'enregistrement.

— Quoi ? Mais je pensais que…

— Je sais ce que tu pensais, mais on n'a pas besoin de rester ici tous les deux. Schnitzler va nous demander des comptes, c'est-à-dire des textes. Le PV de Paride lui donnera satisfaction pour quelques heures. On avance au coup par coup, désolé.

Desnos repartit d'un pas rageur vers la Mégane. Dès que Niémans eut franchi le seuil de la grange, Lehmann vint à sa rencontre, blouse blanche et regard émerveillé.

— C'est hallucinant.

— Montrez-moi.

— Proprement hallucinant.

Niémans ne prit même pas la peine de scruter les lieux en détail : un vaste espace, apparemment vide, bordé de box noirs puant la merde. Une merde sèche et comme digérée par le temps et le froid.

La fresque était là, éclairée par les projecteurs des TIC. Niémans songea au monolithe de *2001 : l'Odys-*

sée de l'espace, sauf qu'ici la masse minérale gisait en morceaux. Les techniciens s'affairaient autour des gravats avec une machine compliquée qui évoquait les instruments d'un géomètre.

— Par ici, dit Lehmann.

Le restaurateur avait déjà installé ses ordinateurs sur des tréteaux. Comme la dernière fois, les écrans diffusaient des images en noir et blanc flottant dans un halo bleuté.

— C'est la même main qui a peint les deux voûtes, annonça Lehmann. Un seul artiste a exécuté tout le plafond de l'église. Un peu comme, toutes proportions gardées, la chapelle Sixtine de Michel-Ange.

Ce qu'ils avaient sous les yeux n'avait rien à voir avec les puissants colosses du maître toscan. C'était une nouvelle fois, mais comme décuplée, la violence de la première fresque. Des corps enchevêtrés, des visages hurlants, des paysages irradiés : les scènes bibliques devenaient ici de purs cauchemars.

Les gencives étaient noires, les cheveux s'envolaient par poignées, les yeux avaient fondu. L'ensemble rappelait les photos d'épouvante des brûlés d'Hiroshima.

— L'artiste a accentué ici les caractéristiques de son style. Et cette multitude… On n'est pas loin des visions infernales d'un Brueghel l'Ancien et de son *Triomphe de la mort*. Les visages grimaçants, le souci du détail… En ce sens, on se rapproche plutôt du XVe ou du XVIe siècle.

— Quelles sont les scènes représentées ?

— Je ne suis pas sûr… Elles sont encore une fois disposées en croix. Celle du haut ne pose pas de problème, il s'agit d'Adam et Ève…

Un couple décharné se tenait au pied de l'arbre de la connaissance, silhouettes faméliques, noircies par le feu du soleil. Pour l'artiste, le Paradis terrestre n'avait pas l'air folichon.

— À gauche, c'est la tour de Babel, la chute de l'ambition humaine, la dispersion des hommes qui ne parlent plus la même langue…

Le peintre avait agglutiné des pierres et des silhouettes qui se dressaient en une sorte de pyramide hybride, mi-minérale, mi-humaine, exprimant le chaos de la communauté…

— En revanche, je ne vois pas avec certitude ce qu'illustrent les deux épisodes suivants… Le vieillard implorant le jeune homme pourrait être Isaac bénissant Jacob, ou Job perdant un de ses enfants, ou même Abraham s'apprêtant à sacrifier son fils – on distingue mal…

Niémans se demandait si le choix des sujets traités était si important. Pour l'instant, il demeurait hypnotisé par l'expression des personnages, leur regard extatique, leurs os près de crever la chair…

Lehmann tendit la main vers le dernier écran, les doigts mi-ouverts, comme s'il tenait une pomme invisible.

— Au bas de la croix, cette femme endormie pourrait représenter plusieurs figures de l'Ancien Testament. Je dois faire des recherches.

Le flic aurait plutôt dit qu'elle agonisait : son corps trapu, ses bras courts semblaient baigner dans une mare de sang noir ou la vaste empreinte d'une brûlure sur le sol. « Les irradiés de Saint-Ambroise », un bon titre d'article pour les journaux locaux.

Lehmann fit claquer sa langue pour conclure :

— C'est extraordinaire. Cette chapelle va devenir notre Sixtine !

Niémans en doutait fortement : jamais les Émissaires n'autoriseraient qu'on révèle l'existence de ces fresques, et encore moins qu'on touche aux peintures de la surface. Ces scènes étaient condamnées à demeurer ensevelies sous le plâtre – et à n'être contemplées que par quelques initiés, à la seule lumière des rayons X.

— Je vous demanderai pour l'instant de garder le silence, dit Niémans. Ces images appartiennent au secret de l'enquête.

— Ah oui… Oui, bien sûr.

Lehmann se voyait sans doute déjà dans les magazines, racontant comment il avait exhumé ces trésors. Dans le cadre d'une enquête criminelle !

Niémans, lui, s'interrogeait : comment les Émissaires étaient-ils au courant ? Avaient-ils eu, eux aussi, l'idée d'avoir recours à la radiographie ? Des textes anciens mentionnaient-ils ces peintures ?

Pour gagner du temps, il prit les écrans en photo avec son iPhone.

— Vous pensez que les Émissaires auraient pu saboter eux-mêmes les échafaudages de Saint-Ambroise ? demanda-t-il, alors que le nouveau scénario lui revenait en tête. En étaient-ils techniquement capables ?

— Pourquoi vous me posez cette question ?

— Répondez, s'il vous plaît.

— Bien sûr. Ils sont réputés pour pouvoir construire une grange en une seule journée. Alors, une poignée de tubulaires… Vous pensez à quoi ? Une arnaque à l'assurance ?

— La capitaine Stéphane Desnos va vous contacter, éluda-t-il. Remettez-lui les radiographies.

— Vous me tiendrez au courant ?

— Bien sûr, dit Niémans avec un sourire qui proclamait le contraire.

— J'insiste, parce que cette découverte est réellement… fantastique. Pour l'histoire de l'art, c'est…

— Vous avez avancé sur la datation des premières peintures ?

— C'est en cours. Mais les analyses dépendent de réactions chimiques. Il faut être patient.

— Combien de temps ?

— Quelques heures encore.

— Téléphonez-moi dès que vous aurez du nouveau. Cherchez aussi à identifier les personnages des deux dernières scènes.

Le restaurateur glissa ses longues mains dans les poches de sa blouse blanche comme un lanceur de couteaux rengaine ses lames.

— Et les Émissaires ? Je vais avoir besoin de leur autorisation pour travailler ici et…

— Pour l'instant, vous êtes mon expert et vous pouvez considérer tout le Domaine comme une scène de crime. Ça vous va comme ça ?

Lehmann déglutit sous ses moustaches et on en resta là.

Marchant vers sa voiture, Niémans attrapa son portable. Il était temps de soumettre ces cauchemars à un spécialiste de l'iconographie biblique.

39

— Je me suis renseignée pour toi.

— Je ne t'ai rien demandé.

— Ton ami est parti ce matin.

— Quel ami ?

— Marcel Petrovic. Il a demandé son compte et il s'en est allé très tôt. Je peux obtenir sa fiche de paie si tu veux, mais on aime pas trop toucher à…

— C'est impossible.

— Qu'est-ce qui est impossible ?

Rachel avait répété le mot sur un ton agressif, coupant comme un cutter.

À bord d'un des camions des Émissaires, elles rentraient des vendanges. Une journée très spéciale, durant laquelle un saisonnier avait été arrêté sous les yeux médusés de tous les autres. Une journée qui s'était achevée plus tard que d'habitude, alors que la nuit avait solidement pris possession de la terre.

— Il serait jamais parti sans me dire au revoir.

— Il était très tôt. Tu devais dormir.

Ivana hésitait entre deux possibilités : soit on avait raconté cette fable à Rachel et elle y croyait, soit elle était complice du mensonge et était envoyée par la Communauté pour l'endormir, elle.

Sur la plateforme, Ivana observait les autres Messagers. Ces gars-là n'avaient pas fait l'école du rire, mais ce soir-là, ils battaient leur propre record de morosité. Sans doute traumatisés par les derniers événements. Après la mort de Samuel et la descente de la veille, ça commençait à faire beaucoup.

Pendant que Rachel continuait à déblatérer à voix basse, Ivana entreprit de se rouler une cigarette, histoire de s'occuper les mains. Curieusement, avec le bruit du vent et du moteur, à quoi s'ajoutait l'isolement intime de chaque Émissaire, elles étaient comme seules à bord. Et Ivana notait ce privilège : malgré son escapade, malgré tout, Rachel l'avait tout de même invitée à monter dans l'un des fourgons des Émissaires. Mais c'était peut-être pour mieux la piéger.

— Cette nuit, Marcel était avec toi ? demanda la Messagère.

— Oui.

— Pourquoi ?

— Je l'ai payé pour qu'il m'aide à trouver les fragments.

Consternée, Rachel secoua la tête.

— Qu'est-ce que tu cherchais ? En quoi ces gravats sont-ils si importants ?

Ivana alluma sa cigarette.

— C'est moi qui te pose la question. Je pense que cette fresque est capitale pour vous.

— Capitale ? Mais on a décidé de rénover cette chapelle, c'est tout. De quoi tu nous soupçonnes au juste ?

Ivana ne répondit pas, savourant la jouissance âpre du tabac. Ses yeux s'accommodaient à l'obscurité. Elle repérait les milliers de travées dans les ténèbres, les sous-bois, les coteaux… Autant de barreaux pour une prison trop vaste. Allait-elle s'en sortir ?

— Je crois que tu t'inventes des histoires pour écrire un article intéressant, reprit Rachel. Tu n'as pas compris la situation. Nous venons de perdre un des nôtres. Alors, tes histoires de fresques…

Ivana aperçut dans la pénombre des silhouettes qui traversaient lentement une clairière, comme indifférentes aux lents rouleaux du soir et à la morsure glacée qui allait avec.

— Qu'est-ce qu'ils font ?

Les Émissaires s'affairaient, portant des brassées de sarments, poussant des brouettes pleines de feuilles, et plus curieusement de vêtements. Malgré le froid, ils avaient ôté leur veste et arboraient un gilet de costume noir, laissant leurs manches de chemise blanches se détacher dans l'ombre.

Rachel esquissa un sourire.

— Demain soir, les vendanges seront finies, déclara-t-elle avec une nouvelle vigueur dans la voix. Toute la nuit, jusqu'au matin, on brûlera les débris de la récolte, les sarments inutiles, les grappes pourries, et tout ce qui a servi aux vendanges, nos vêtements, nos chaussures, nos outils…

— Pour quoi faire ? demanda Ivana, qui sentait le froid s'imprégner dans sa chair.

— Dans l'Évangile de Jean, Jésus-Christ dit : « Si quelqu'un ne demeure point en moi, il est jeté dehors comme le sarment, il se sèche ; puis on l'amasse et on le met au feu, et il brûle. » Le Christ, c'est notre récolte, tu comprends ? Tout ce qui n'est plus utile est brûlé. Le lendemain, les vignobles sont couverts de cendres. Alors seulement nous pouvons remercier Dieu pour ces vendanges et prier pour celles de l'année prochaine. C'est ce qu'on appelle « le Jour des cendres ».

Ivana n'avait plus la moindre énergie pour juger ce genre de fantaisies. Déjà, certains Messagers installaient les bûchers dans les clairières, un genou au sol ou plongés dans leurs brouettes. Plus on les regardait et plus l'ombre autour d'eux semblait se densifier. À ce petit jeu, ils paraissaient s'amoindrir jusqu'à se dissoudre dans les ténèbres. Bientôt, Ivana ne vit plus que leurs manches de chemise blanches comme des cierges au fond d'un chœur.

— Cette année est particulière, insista Rachel. J'espère que le feu effacera tout. Les drames qui sont survenus, les scories qui ont pollué notre monde, les parasites qui se sont glissés parmi nous en inventant des histoires pour nous arracher des secrets qui n'existent pas…

Ivana lui lança un regard.

— Tu veux dire… comme moi ?

— Oui. Exactement comme toi.

40

Les bureaux de la paroisse se trouvaient au 6, rue de la Fecht, au pied de l'église Notre-Dame de Brason. L'édifice, pour une ville de cette taille, était imposant. En grès rose, comme la plupart des monuments du coin, il était typique du style néoclassique avec colonnes, frontons et portiques inspirés de l'Antiquité gréco-romaine.

Niémans sortit de sa voiture et marcha vers l'église. Il se sentait étrangement réconforté. Il retrouvait là son Dieu, celui qu'on lui avait imposé durant son enfance et qui conservait à ses yeux des vertus rassurantes. Comme pour renforcer cette sensation, les cloches se mirent à sonner.

Un sentiment spirituel lui parut d'un coup s'épancher au-dessus des toits, le long des murs, sous les seuils. Le monde réintégrait soudain une cohérence, une logique universelle. Celle de son enfance, peuplée d'images, de sculptures, de religieux vêtus d'or et de pourpre…

Au fond, la vocation humble et austère des Émissaires lui foutait les jetons : ce Dieu invisible, sans visage ni limite, était écrasant et la rigueur de ces chrétiens avait quelque chose d'inhumain. La foi qu'on lui avait vendue jadis n'avait rien à voir avec cette intransigeance fanatique. C'était celle des bons vieux bourgeois, qui le dimanche rachètent leurs péchés de la semaine en communiant les yeux fermés et en glissant un billet à la quête…

Le long du flanc droit de l'église, il trouva un immeuble massif en brique qui devait dater du XIXe siècle. Un panneau de cuivre indiquait : « Paroisse catholique Notre-Dame de Brason ». Il sonna et attendit.

Une recherche sur Internet lui avait appris qu'un des meilleurs spécialistes d'Alsace en iconographie chrétienne n'était autre que le père Kosynski, curé de la paroisse. Un petit coup de bol, ça n'a jamais fait de mal.

Enfin, on vint lui ouvrir. Un homme sans poids ni saveur, sans doute un bénévole, le salua. Pas de foi sans dévouement, pas de bataille sans grognards. Niémans demanda à voir le père sans s'expliquer ni même montrer son badge. Aucun problème. La disponibilité était au menu.

Ils traversèrent un secrétariat où quelques petites mains planchaient sur de gros registres. Bois mordorés, odeur de moisi, parquet grinçant : il fallait vraiment vouloir se marier ou baptiser son enfant pour oser troubler une telle hibernation.

Kosynski arriva, en tenue d'apparat. Aube blanche, chasuble verte, étole émeraude. Il paraissait prêt à célébrer l'eucharistie, mais en force. Sa démarche était lourde, sa face écrasée comme celle d'un boxeur, et son cou épais menaçait de faire craquer son col romain. La cinquantaine passée, le prêtre offrait un curieux mélange de solennité et de puissance sportive.

— Je sors des vêpres, expliqua-t-il en souriant, et mes enfants de chœur m'ont laissé en plan. Un match de basket. Je ne pouvais pas lutter…

En quelques phrases, le bouledogue taciturne s'était mué en adorable sharpeï. Sa voix, sa bonhomie, tout chez lui faisait fondre.

— Qu'est-ce que je peux faire pour vous ? demanda-t-il avec un sourire aux mille plis.

41

Kosynski l'emmena dans une sacristie glacée au mobilier rustique. Des lignes austères, du bois à peine ciré, des murs nus et cette éternelle odeur d'encens qui flottait comme une arrière-pensée, légèrement amère.

Assis derrière une table vide, sous une ampoule nue, Niémans observait le prêtre en train d'ôter ses vêtements sacerdotaux. Vraiment une bonne tête. Et une carrure de demi de mêlée. Surtout, sa sincérité rayonnait. La chaleur des yeux, la bienveillance du sourire n'avaient rien à voir avec cette exécrable sollicitude de commande que les curés vous servent en général en guise de compassion.

De son côté, au contraire, le flic avait décidé de lui mentir – pas question de lui exposer les faits réels.

— Pour le moment, nous enquêtons sur un vol, annonça-t-il.

— Un vol ? À Saint-Ambroise ? Il n'y a rien à voler.

Le prêtre rangeait sa chasuble dans une sorte d'armoire normande.

— Il y a les fresques.

— Quelles fresques ? Celles du plafond ? Elles ne valent pas un clou. C'est sans doute un type du coin qui les a peintes en…

— Je vous parle des fresques cachées. Celles qui sont sous le plâtre et l'enduit.

Le prêtre haussa les sourcils sans répondre. Il plia son étole puis ôta son aube, révélant un tee-shirt noir frappé du logo des Red Hot Chili Peppers. Il plaça soigneusement l'aube dans l'armoire et en ferma doucement la porte. Sa masse musculaire semblait tout entière retenue au bout de ses doigts pour exécuter ces manœuvres délicates.

Enfin, il vint s'asseoir à l'autre bout de la table. Niémans eut l'impression qu'ils étaient installés pour un banquet copieux, mais qu'on avait oublié d'apporter la nourriture.

— Je suis désolé de vous décevoir, mais il n'y a pas de fresques cachées.

— Pourquoi en êtes-vous si sûr ?

— Parce que si elles existaient, nous en aurions été les premiers avertis.

— Par qui ?

— Les Émissaires et leurs équipes techniques. Notre archevêché participe au financement de la restauration de la chapelle.

Niémans sortit son portable et chercha les radiographies.

— Regardez.

Kosynski se pencha et saisit le téléphone.

— Seigneur, murmura-t-il en faisant défiler les images. C'est impossible.

Observant les photos à l'envers, Niémans constata qu'il n'avait pas du tout lui-même apprivoisé ces gueules noircies, ces yeux béants, ces bouches écartelées...

— Vous avez passé les plafonds aux rayons X ?

— Celui qui est encore intact et les fragments de l'autre.

Une lueur d'incompréhension troubla son regard.

— Mais... je croyais qu'il était effondré...

— Les Émissaires l'ont reconstitué. Ils ont l'air de tenir à l'intégrité de l'image. À mon avis, ils vénèrent les motifs qui sont sous la couche apparente.

— Vénèrent ? Qu'est-ce que vous voulez dire ?

— Je ne sais pas encore. Ces représentations semblent avoir une importance primordiale pour eux. Primordiale et secrète. Voilà pourquoi vous n'êtes pas au courant. Voilà pourquoi ils ont toujours interdit aux restaurateurs de les radiographier.

Le prêtre paraissait sceptique. Ses yeux revenaient toujours, comme malgré lui, aux images qui brillaient au creux de sa paume.

— Observez attentivement ces peintures, insista Niémans, et dites-moi ce qu'elles évoquent pour vous. Je m'adresse maintenant au spécialiste de l'iconographie chrétienne.

— C'était dans ma jeunesse.

— Je suis sûr que votre mémoire est intacte.

Kosynski approcha le téléphone de son visage et contempla longuement les photos. La lumière de l'appareil plaquait sur ses traits un masque blanc, ébloui, indéchiffrable.

— Ce sont des scènes de la Bible, pour la plupart… Principalement de l'Ancien Testament. C'est curieux, parce que leur ensemble est assez inhabituel et…

— Je sais tout ça. Regardez les deux dernières images. De quels passages s'agit-il à votre avis ?

Le prêtre swipa les images sur l'écran tactile.

— Je dirais… Isaac bénissant son fils Jacob.

Lehmann avait déjà cité cette scène de la Genèse.

— Et l'autre ? La femme qui dort ?

Le prêtre paraissait réfléchir. Ses yeux se remplissaient de larmes mais ce n'était pas l'émotion, plutôt ces milliards de cristaux qui lui agressaient les iris.

— Peut-être la mort de Rachel, je ne suis pas sûr.

— Que raconte cet épisode ?

— Pas grand-chose. Rachel était une des femmes de Jacob. D'abord stérile, elle enfanta finalement deux fils, mais mourut après la naissance du second, Benjamin.

— C'est tout ?

— À peu près, oui. Elle est morte sur le chemin d'Ephraath, l'autre nom de Bethléem. Son tombeau, qui symbolise l'exil de Babylone, est devenu un lieu saint.

— Sur le style de ces images, qu'est-ce que vous pouvez me dire ?

— C'est assez… impressionnant. De nombreux détails rappellent la manière des derniers siècles du Moyen Âge et en même temps…

— En même temps ?

— Le traitement est terriblement moderne, et d'une cohérence très sombre.

— Cela vous évoque-t-il d'autres œuvres ? le trait d'un peintre ? d'une école de la région ?

— Franchement, non. C'est étonnant. Vous les avez montrées aux Émissaires ?

— Pas la peine. À mon avis, ça fait longtemps qu'ils en connaissent l'existence. Et qu'ils l'ont soigneusement cachée.

— Pourquoi ?

Sans répondre, Niémans lui ôta le portable des mains et se leva.

— Donnez-moi votre e-mail pour que je puisse vous envoyer ces images.

Kosynski obtempéra, pendant que le flic répétait :

— Réfléchissez encore. Ces motifs ont une signification particulière.

Kosynski se leva à son tour – il arrivait à peine à l'épaule de Niémans. Pourtant, le flic sentait qu'il aurait pu le soulever et lui faire traverser la pièce en vol plané.

— C'est si important ?

— Ça l'est pour les Émissaires et je veux savoir pourquoi.

— Vous êtes certain qu'ils sont au courant de toute cette histoire ?

— Aucun doute. La prochaine fois que vous vous lancerez sur un chantier, choisissez des partenaires plus fiables.

L'homme acquiesça distraitement. Il semblait désorienté par ce dialogue – ou simplement par les images qu'il venait de voir. Des images qui s'instillaient sous votre crâne et oblitéraient votre cervelle au chalumeau.

— *With the birds I'll share this lonely viewin'*, murmura Niémans à l'oreille du prêtre.

Cette citation des Red Hot Chili Peppers parut achever Kosynski. Niémans lui balança son sourire spécial prédateur et s'en alla.

Dehors, le froid était encore monté en puissance, comme si de hautes vagues noires et glacées étaient venues lécher les flancs écarlates de l'église.

Kosynski ne lui avait pas dit le quart du dixième de ce qu'il savait. Pas grave. Niémans avait déjà une autre idée.

Il était temps d'appeler du renfort.

42

Une fois dans la Mégane, Niémans prit le temps de savourer l'air familier de l'habitacle. Il y avait là-dedans le barda habituel. La radio et ses fils torsadés, la paperasse, les carnets de PV… mais aussi des nouveautés : l'ordinateur relié aux caméras capables de lire les plaques d'immatriculation, le radar qui évaluait la vitesse d'un véhicule…

Surtout, l'odeur était là : la bonne vieille puanteur de bouffe rance, d'ennui routinier, toutes les profondeurs des rouages humains compressées sous le toit de l'ordre et de la loi. Toute sa vie, en réalité.

Il attrapa son téléphone portable et composa le numéro de l'abbaye des Bruyères, située près d'Épinal, en Lorraine. Il en avait marre. Marre d'effleurer l'écorce de l'énigme. Marre de tourner autour de ce monolithe de silence et de ténèbres. Marre d'être exclu d'un secret qui circulait à voix basse, à coups de feulements et d'ombres portées.

Il dut attendre vingt bonnes sonneries avant qu'on lui réponde, ce qui était une moyenne raisonnable pour un lieu où chaque coup de fil était considéré comme une agression troublant le recueillement d'une poignée de moines reclus.

— Allô ?

La voix avait claqué comme un pétard.

— Je voudrais parler à Éric Aperghis.

— Il n'y a personne de ce nom ici.

Il était toujours étonné qu'on s'exprime encore correctement dans ces monastères où les habitants étaient des pierres parmi d'autres.

— Chez vous, il se fait appeler Antoine, soupira Niémans.

— Personne de ce nom n'appartient à notre congrégation.

— Il n'est pas moine, s'irrita Niémans, mais il fait une retraite à l'abbaye chaque hiver. C'est un oblat.

Bref silence. Son interlocuteur voyait très bien de qui Niémans parlait, mais justement, il protégeait son hôte.

— Mon frère, insista le flic, je sais qu'Éric est entre vos murs. Je suis de la police criminelle et je vous conseille vivement de me le passer.

Le silence, toujours, s'agglomérant comme les sables et les graviers d'alluvions immémoriales.

— C'est impossible, murmura enfin l'autre. À son arrivée, le mois dernier, il a fait vœu de silence.

Niémans étouffa un rugissement, mais c'était peut-être un éclat de rire. Ils commençaient tous vraiment à le gonfler.

— Donnez-moi votre adresse mail.

— Mais…

— Filez-la-moi, bon sang !

L'homme énuméra lettres et chiffres, alors que Niémans le mettait sur haut-parleur pour noter les coordonnées. Il aurait pu lui demander de les envoyer par SMS mais il ne voulait pas prendre le risque de raccrocher sans les avoir obtenues.

— Vous allez recevoir l'adresse du poste de gendarmerie de Brason, dans le Haut-Rhin, reprit-il. Transmettez-la à Éric et dites-lui de ramener ses fesses tout de suite. Précisez-lui que c'est de la part de Niémans. N-I-É-M-A-N-S, vous avez capté ?

— Mais…

— Y a pas de mais. S'il n'est pas là demain, je viendrai moi-même le chercher et croyez-moi, ça fera désordre dans votre ermitage.

Il raccrocha sans attendre de réponse.

43

Tout en démarrant, il appela Desnos. Elle était devenue pour lui une sorte de boisson énergisante. Une goulée à prendre de temps en temps, pour se remettre en piste.

— T'as fini le PV d'audition ? demanda-t-il, après avoir glissé quelques mots aimables.

— Ne me prenez pas pour une conne.

La gendarme avait l'air remontée.

— Tu l'as fini ou non ?

— Bien sûr, mais vous ne gagnerez rien à me placardiser.

— Tu l'as envoyé à Schnitzler ?

Elle souffla dans le combiné :

— Écoutez-moi, Niémans. Que vous soyez un macho borné, ça vous regarde. Que vous vous preniez pour le meilleur des flics de France et que vous méprisiez tous ceux qui portent un uniforme, c'est aussi vos oignons. Mais en la jouant perso, vous ralentissez l'enquête et vous pataugez sur place.

Niémans sentit qu'il devait prêter l'oreille au coup de semonce. Si elle montait ainsi au créneau, c'était qu'elle possédait un atout dans sa manche.

— Heureusement que je ne me cantonne pas à vos missions bidon, reprit-elle sans même lui laisser le temps de répliquer. Je me suis dit qu'on avait oublié d'interroger un type sans doute intéressant.

— Qui ?

— Ibrahim Mollec. L'assistant de Patrick Zimmermann. Le jeune médecin qui a trouvé la pierre dans la bouche durant l'autopsie.

Ce détail lui revint : le légiste serait peut-être passé à côté sans son assistant.

— Tu l'as appelé ?

— Je vous envoie ses coordonnées. Il est interne au Centre médico-chirurgical obstétrique (CMCO) de Schiltigheim.

— Tu lui as parlé ou non ?

— Oui, et ce qu'il a à dire est très intéressant.

— Fais-moi un résumé.

— Pas question. Cela aura plus de poids si c'est lui qui vous raconte. Vous discuterez d'homme à homme.

Elle avait appuyé sur ces derniers mots avec ironie. À l'évidence, Stéphane avait mis le doigt sur quelque chose.

Il raccrocha et composa le numéro du type. Niémans était toujours stationné sur la place déserte, au pied de l'église rouge. Malgré la chaleur de l'habitacle, il se sentait cerné par la désolation la plus noire. En apnée dans un océan de solitude.

Le toubib était de garde, il le cueillit entre deux accouchements. Après Zimmermann, qui était pédiatre, un assistant qui donnait dans l'obstétrique… La médecine légale en Alsace était d'une souplesse inédite.

— J'ai déjà tout dit à votre collègue.

— Alors, va falloir te répéter.

— D'où vous me tutoyez ?

La voix était jeune et grave, mais portait en elle tous les signes d'un stress chronique. Ou bien d'une bonne vieille haine à l'égard des schmitts.

— De toute façon, ajouta-t-il, je vous dirai rien par téléphone. Qui m'assure que vous êtes flic ?

Niémans sourit : ce coup de fil pourri était le petit cadeau de Desnos. Elle savait que Mollec l'enverrait au bain et elle s'en réjouissait d'avance. Mais ce n'était pas le premier animal rétif qu'il affrontait.

— Les flics ont toujours deux manières de procéder, expliqua-t-il patiemment. La formule rapide, la formule lente. Ça peut durer cinq minutes au téléphone ou je peux t'envoyer chercher par des gendarmes. Tu passeras au moins la nuit au poste. C'est toi qui vois…

Silence, ponctué de bruits secs et de longs échos. L'interne ouvrait des portes, descendait des escaliers, traversait un hall. Enfin, le mugissement du vent puis le claquement d'un briquet l'avertirent qu'on était en place. Tant qu'à perdre du temps avec un keuf, autant s'en griller une.

— Qu'est-ce que vous voulez savoir ?

— Je t'appelle au sujet de la pierre dans…

— C'était pas une pierre.

— Comment ça ?

— Quand je l'ai sortie de la gorge de Samuel, on aurait dit un éclat de grès ou quelque chose de ce genre. En réalité, la poussière l'avait blanchie et lui avait donné un aspect minéral.

— C'était quoi finalement ?

— Du charbon, je pense. Ou du charbon de bois. Ça en avait la légèreté.

Non seulement un tel matériau n'avait rien à foutre parmi les débris, mais Zimmermann n'avait même pas pris la peine de décrire cette pièce. On touchait vraiment le fond.

— Pourquoi Zimmermann n'a pas mentionné ce détail ?

— Parce qu'il s'en fout. Il part à la retraite et il n'est pas vraiment légiste.

— Que peux-tu me dire d'autre sur cette autopsie ?

— Rien. À part cette pierre, le corps n'était qu'une bouillie de chair et d'os écrasés par plusieurs tonnes de gravats.

— Merci, Ibrahim.

Niémans soupesa la nouvelle information – il pouvait presque sentir le morceau de carbone dans sa main. Le rite pratiqué par le tueur prenait encore une autre signification : il était prémédité de longue date. Pas l'ombre de charbon, de schiste ou d'un quelconque combustible fossile à Saint-Ambroise. L'assassin avait apporté cet élément pour sa mise en scène.

À moins que les Émissaires n'aient procédé à ce rituel avant d'ensevelir le corps sous les décombres ? Non. Plus Niémans avançait, plus il penchait pour un scénario à trois vitesses.

La bagarre entre Paul Paride et Samuel.

L'assassinat de l'anabaptiste par un inconnu.

Le sabotage des échafaudages par les Émissaires.

Du charbon de bois.

Il ne savait pas du tout quoi faire de ce nouvel élément mais il percevait confusément un lien entre cet indice et les visages carbonisés des fresques cachées de Saint-Ambroise.

Qui avait brûlé au juste quelques siècles plus tôt ?

44

Après s'être faufilée sous les barbelés, Ivana s'acheminait vers le sous-bois, histoire – enfin – de planquer son portable. Rien à dire sur la soirée : douchée, changée, elle s'était rendue au repas, où elle avait mangé comme quatre. À la fois pour lutter contre la fatigue et pour étouffer une obscure colère.

La petite leçon de Rachel lui restait en travers de la gorge. Elle avait dû supporter les grands airs de la jeune femme et se faire passer pour ce qu'elle détestait le plus : une journaliste. Le pire, c'est qu'elle se trouvait désormais dans une impasse. Plus un mot de Rachel et aucune chance d'approcher d'autres Émissaires d'ici la fin des vendanges. La gamine avait sans doute prévenu les seniors – Jakob et consorts –, qui maintenant l'avaient à l'œil. Un miracle qu'elle ait pu se carapater ce soir.

Au cours du dîner, elle n'avait parlé à personne. Elle songeait à Marcel. « Un seul être vous manque et tout est dépeuplé », disait Lamartine, ou Chateaubriand, ou qui on voudra. Elle prenait conscience qu'il n'avait pas été un simple compagnon de galère. Elle avait reconnu en lui un frère d'infortune, un marginal en quête de repères qui, comme elle, ne connaissait qu'une direction, la fuite en avant.

Rachel mentait. Marcel parti comme ça, le lendemain de leur course-poursuite, sans lui dire un mot ? Plus sûrement, il n'était jamais rentré de leur virée nocturne. Les Émissaires l'avaient-ils chopé puis enfermé quelque part ? Ivana ne croyait pas vraiment à cette version – ils disposaient d'un sérieux service d'ordre mais ils demeuraient avant tout des vendangeurs pacifistes. Difficile de les imaginer dans le rôle de tortionnaires ou de kidnappeurs.

Surtout, il n'y avait aucun mobile au rapt de Marcel. Qu'aurait-il pu voir de compromettant qu'elle n'aurait pas vu, elle ? Ils n'avaient découvert qu'une fresque reconstituée au fond d'une grange, qui ne présentait aucun intérêt majeur…

Elle parvenait à la ligne sombre des arbres. Sous ses pas, l'herbe givrée craquait comme la croûte d'une crème brûlée. Le paysage, légèrement blanchi, avait changé. Les troncs, les ramures, les buissons, tout semblait avoir été frappé par un coup de foudre glacé.

Enjambant les ronciers, s'écorchant aux branches, elle ne voyait pas le bout du périple. Elle commençait à désespérer quand, enfin, son chêne apparut. Noir comme une colonne de marbre, rongé par endroits par le lichen, il lui fit l'effet d'un repère essentiel, qui remettait d'aplomb toute la nuit.

Elle avança encore et s'étala dans un craquement de brindilles. « Merde ! » jura-t-elle en crachant un nuage de buée. Péniblement, elle se releva et chercha du regard l'obstacle sur lequel elle avait buté.

Alors, elle le vit.

Comme posé sur les racines moussues, un corps gisait. Flottant sur les brumes de la nuit, son visage se détachait, distordu par une effroyable expression de souffrance.

Tremblante, Ivana fouilla dans ses poches à la recherche de son portable, alluma la torche de l'appareil et l'orienta vers la dépouille.

Marcel… Elle s'approcha, haletante, chercha son pouls dans un réflexe dérisoire, avant d'éclairer le visage. Sa bouche béante n'était qu'une plaie bordée de givre. Les dents n'avaient jamais été le point fort du saisonnier mais, à l'évidence, on lui avait arraché celles qui restaient, et pas de la manière la plus tendre.

La fliquette respirait de plus en plus difficilement. Le froid, le choc, le chagrin lui tiraient des larmes. Qui lui avait fait ça ? Et pourquoi ?

En poursuivant son examen, elle découvrit que chaque phalange intermédiaire avait été coupée net. Quant à ses membres – bras, jambes –, ils présentaient des angles impossibles, et tous ses os étaient brisés.

Mais le pire, elle mit du temps à le réaliser, c'était la plaie principale : on l'avait éviscéré et, comme si ça ne suffisait pas, on l'avait étranglé avec son propre intestin grêle, cordon grisâtre et durci par le froid comme une liane autour de son cou.

Ivana tomba à genoux. Un terril noir et humide se refermait sur elle. Elle s'enfonçait, asphyxiée, dans une nuit qui semblait n'avoir plus de fin.

Puis, lentement, émergea une autre évidence.

Le cadavre n'était pas arrivé là par hasard. Ce corps martyrisé était un message – qui lui était destiné. Ceux qui avaient fait ça savaient qu'elle était de mèche avec

Marcel. Ils savaient qu'elle n'était pas une saisonnière. Ils savaient qu'elle avait visité la veille la Réserve. Et, *last but not least*, ils savaient qu'elle planquait un téléphone au pied de ce chêne.

Elle se laissa aller en arrière et s'assit sur les feuilles mortes et la glaise froide, les yeux vides, la tête idem, hagarde face à ce pauvre être dont on avait volé tout futur et toute dignité. Elle resta ainsi, sans compter les minutes, sentant l'humidité transpercer ses vêtements et la gagner lentement, sans même craindre qu'on la surprenne ou qu'on l'attaque à son tour.

Enfin, elle se réveilla de sa léthargie et attrapa son téléphone, qu'elle avait laissé tomber par terre. Malgré ses doigts engourdis, elle réussit à éteindre la torche puis à désactiver le mode avion.

Par miracle, un signal apparut.

Il lui restait une barre de batterie.

Un coup de pouce, un clic : Niémans…

— Allô ?

La voix rauque, familière, espérée. En quelques mots, des hachures de souffle, elle lui décrivit la situation.

— Calme-toi.

En sanglotant, elle expliqua que tout était de sa faute, qu'elle avait embarqué Marcel malgré lui, que…

— Calme-toi, répéta-t-il.

Mais elle rabâchait encore son histoire – elle trouvait son souffle, son rythme –, la grange, le puzzle de pierres, les Émissaires…

— Ça suffit ! cria Niémans. Où tu es maintenant ?

Ivana donna sa position. Hors du Domaine, les gendarmes pouvaient intervenir en toute discrétion, sans forcer une fois encore les portes du Diocèse.

— J'arrive avec du monde. Tu ne bouges pas.

— Non.

— Comment ça, non ?

— J'y retourne.

— Pas question. On arrête là les conneries.

— Tant qu'ils ne m'ont pas démasquée officiellement, je continue.

— Tu viens de me dire que t'étais complètement grillée et que ce cadavre signait ton arrêt de mort.

— J'en sais rien. Je sais pas qui a tué Marcel. Je sais pas ce qu'ils savent au juste. Je sais même pas s'il s'agit des Émissaires ou d'autres fanatiques…

Il y eut un bref silence. Niémans mesurait sans doute ses chances de la faire changer d'avis : elles étaient nulles.

— Ok, capitula-t-il. Mais tu gardes ton portable. Je t'appelle quand je suis sur zone.

Elle n'osa pas refuser. Tout ça devenait bien trop risqué pour persister à la jouer en solitaire, elle devait rester connectée avec Niémans.

D'ailleurs, elle n'aurait pas pu argumenter. À peine pouvait-elle parler ou respirer. La panique comprimait tout son être. Elle se sentait écrasée par la peur – son cœur, un caillot noirâtre, pas plus gros qu'un noyau de pêche.

— Dans combien de temps ?

— Trente minutes max.

— Comment allez-vous expliquer cette découverte ?

Niémans eut un éclat de rire, féroce et désespéré. Le genre trompe-la-mort.

— Qui va me poser la question ?

45

— Dis-leur d'éteindre leurs phares et leurs gyros.

Niémans tenait à la jouer vraiment en douce, pour ne pas compromettre davantage Ivana et prendre par surprise les Émissaires. Il y avait eu trop de tergiversations autour du premier cadavre. Il voulait traiter le nouveau façon missile, en confrontant les Messagers aux faits avérés.

Mais d'abord, reconnaissance des lieux…

Avec Desnos, ils ouvraient la voie en Mégane. De la main gauche, la gendarme, tout en conduisant, attrapa la radio et transmit l'ordre. D'un coup, dans le rétro extérieur, fourgons et bagnoles se fondirent comme autant de submersibles dans les ténèbres. On passait en mode furtif.

Desnos éteignit ses phares à son tour. Une fois ses yeux accoutumés à l'obscurité, Niémans vit autour de lui les travées symétriques des vignes remonter à la surface de la nuit. Elles paraissaient osciller dans l'obscurité, près de se détacher pour de bon au-dessus des brumes.

La découverte d'Ivana, c'était l'irruption de la pure et divine violence aux abords du Diocèse. Celle qu'il attendait, au fond, dans un mélange d'anxiété et d'impatience. Sur ce Domaine avait toujours plané une sorte d'odeur de fer et de décomposition, comme des excréments de métal…

— On arrive, commandant, dit Desnos, alors qu'ils dépassaient les tentes des saisonniers, au-delà des clôtures.

Engoncée dans sa tenue commando, la gendarme semblait à bout de souffle. Petites lampées d'air à travers son col d'anorak fermé, poitrine comprimée par le gilet pare-balles.

Niémans l'avait briefée comme on passe à confesse – à voix basse, en faisant peser chaque syllabe. « On ne dit rien aux autres », avait-il conclu.

Ils se garèrent le long de la route, après avoir dépassé le sous-bois décrit par Ivana. À cet endroit, ni les Émissaires ni même les saisonniers, depuis leur campement, ne pouvaient les apercevoir.

Le flic jeta un coup d'œil au rétro extérieur : des gars sautaient de l'IVECO en cherchant leur équilibre. Des gardiens de l'ordre qui se cramponnaient à leur FAMAS comme on s'accroche à une échelle d'incendie. Il y avait aussi les TIC, les mecs de Lyon qui ne réussissaient plus à repartir et qui semblaient, dans leur tenue blanche, encore en pyjama.

Niémans et Desnos sortirent à leur tour. Finis les vignobles, désormais plaines et sous-bois se partageaient le terrain. Le vent d'hiver était là et personne n'était à la fête. Les herbes ondulaient comme au fond de la mer, les buissons étaient pris de spasmes, les arbres tremblaient sur leurs racines…

— Là-bas, indiqua Niémans.

Desnos lui lança un regard oblique : d'où sortait-il ses infos ? Qui l'avait averti ? Le flic ouvrit la marche pour éviter les questions. Ils traversèrent les pâturages courbés en deux, fendant la bise, à moins que ça ne soit l'inverse. Au bout du grand carré d'émeraude, le sous-bois se découpait. Plutôt une futaie, s'il en jugeait par la taille des arbres.

Tout en marchant, il ruminait une évidence. On n'avait pas torturé Marcel pour lui faire cracher ce qu'il savait, mais plutôt pour s'assurer qu'il ne savait rien. On lui avait coupé les doigts pour obtenir la certitude qu'il n'avait pas compris. Et Ivana ? Pourquoi s'était-on contenté de la terrifier sans la passer elle aussi à la question ? Savaient-ils qu'elle était flic ?

À l'orée de la forêt, tout le monde s'arrêta. Par réflexe, comme on prend une grande bouffée d'air avant de plonger, Niémans leva les yeux vers la lune, une simple pastille de nacre sur de la soie noire, puis il regarda Desnos : elle tenait son FAMAS comme on le lui avait appris, l'index droit tendu le long de l'armature du fusil. Elle ne l'avait sans doute jamais utilisé, à l'exception des entraînements ou des tests d'évaluation.

Niémans dégaina et fit monter une balle dans le canon, montrant ainsi l'exemple. Le déclic des culasses lui répondit. Il en éprouva un frisson. Pas encore mort, le commandant…

— On allume les torches une fois à couvert.

Il s'enfonça le premier entre les arbres. Pas facile. Des trucs inextricables lui retenaient les pieds, lui griffaient les épaules, lui cinglaient le visage. Il imaginait Ivana seule dans cette forêt hostile. En état de choc, face au cadavre… Une héroïne des temps modernes.

La végétation était si serrée qu'elle faisait corps contre le vent et, d'une certaine manière, les abritait. Mais sa torche ne parvenait pas à percer les taillis. Niémans progressait à l'aveugle, de plus en plus lentement. Derrière lui, les autres en file indienne galéraient aussi. Une vraie équipée africaine, avec soldats et porteurs, au cœur de la jungle…

Enfin, la clairière. Le chêne, avec son motif de lichen sur le tronc et les racines apparentes dont Ivana lui avait parlé.

Tout était là, l'arbre, le dessin, les ramifications.

Tout, sauf le principal : le cadavre.

46

— Impossible.

— Je te dis que je suis au pied du chêne. Pas l'ombre d'un corps.

La voix d'Ivana, à bout de souffle. Elle s'était sans doute planquée quelque part pour répondre au téléphone.

— Vous me croyez au moins ?

— À ton avis ? Le message t'était adressé, à toi et à toi seule. Le corps est retourné au néant.

— Vous allez le chercher ?

— Bien sûr, mais je ne suis pas optimiste. Je viens te prendre. La fête est finie.

— Pas question.

— Ne fais pas l'idiote. J'ai pas envie de te retrouver avec tes dents dans la poche et ton intestin en écharpe.

— S'ils avaient voulu m'éliminer, ça serait déjà fait. J'ai encore une carte à jouer.

— Il est trop tard et tu le sais : ils ont placé la dépouille à cet endroit parce qu'ils savent qui tu es et ce que tu fais. Ils savent tout.

Un bref silence, mais plus de larmes. Niémans pouvait presque entendre les rouages de son cerveau mouliner à la vitesse d'un processeur.

— Vous allez interroger les Émissaires ?

— Sur quoi ? À l'aube, si on n'a rien, on rentre au poste et on attend de voir. T'as une arme ?

— Non.

— Où t'es, là ?

— Je suis sortie de la tente pour répondre.

Niémans soupira.

— Retourne dormir. Je te rappelle quand on a fini.

— Vous pourrez pas me joindre.

— Pourquoi ?

— J'ai plus de batterie.

Sa montre : près de minuit.

— Rendez-vous à la chapelle à cinq heures du matin. Tu pourras recharger ton portable. On fera le point et on prendra une décision.

— D'accord.

— Ivana…

— Quoi ?

— Rien.

Il raccrocha et réalisa l'absurdité de la situation. Une quinzaine d'hommes désœuvrés au fond d'un bois en pleine nuit, armés jusqu'au menton, prêts à intervenir.

— Commandant, vous m'expliquez ?

Desnos l'avait rejoint – il s'était écarté du groupe pour téléphoner. Elle parlait à voix basse, sans doute pour ne pas l'humilier devant les autres. Cette virée nocturne ridicule, ce dispositif outrancier, du vent, Niémans, du vent…

— Périmètre de sécurité et fouille des alentours, ordonna-t-il.

— Qu'est-ce qu'on cherche ? Toujours un cadavre ?

— Oui.

— Et les TIC ?

— Qu'ils ratissent la zone autour du chêne, le corps était là. Il y a sans doute des traces, des empreintes.

— À qui vous téléphoniez ?

Sans répondre, Niémans empocha son portable.

Après une hésitation, il lâcha :

— Raccompagne-moi à la Mégane.

47

Mon gars, l'heure a sonné.

Parvenu à la voiture, il considéra sa partenaire. Emmitouflée dans sa parka, le visage barré par un bonnet noir, elle évoquait un conducteur de chasse-neige. Alors, d'une traite, il expliqua Ivana infiltrée, le portable planqué, les quelques infos glanées de l'intérieur, le meurtre probable du saisonnier… Desnos l'écoutait, comme à travers un mur de vent et de froid, hochant nerveusement la tête, lèvres pincées. Elle n'encaissait pas seulement ces nouvelles données, mais aussi le fait que Niémans l'avait menée en bateau depuis le début.

— Vous comptiez me le dire quand ?

Il songea à une réponse qui allait dans le sens de l'acceptable, puis se ravisa.

— À la fin de l'enquête, une fois l'assassin sous les verrous.

— L'heure du triomphe, c'est ça ? Le flic plus malin que les autres ?

— Exactement. L'équipe de Paris qui a coiffé tout le monde au poteau.

Il avait surenchéri avec une hargne particulière, et un mépris pour lui-même et la stupidité de son orgueil.

— Allez chier, cracha-t-elle en tournant les talons.

Elle repartit vers son sous-bois, sa doudoune gonflée comme les voiles d'un navire.

— Stéphane ! cria-t-il en la rattrapant.

Il la saisit par le bras. Son regard lui fit l'effet d'une gifle. Elle avait la peau tuméfiée par les rafales, à moins que cela ne soit l'effet de la colère et de la déception.

— Écoute, l'infiltration, le téléphone enterré, les appels en douce, c'était une erreur. Crois-moi, je suis le premier à regretter toutes ces conneries. Maintenant, faut que j'exfiltre ma collègue au plus vite et que je digère ma culpabilité. Je…

— Vos confidences, j'en ai rien à foutre.

— Si tu préfères, hurla-t-il, on a deux macchabées. Dans un cas, on a à peine de quoi qualifier la mort en tant qu'homicide. Dans l'autre, on n'a carrément pas de cadavre. Au milieu de ce merdier, j'ai une adjointe – qui est beaucoup plus que ça, j'ai pas à te faire un dessin – qui joue les amish dans une communauté qui, excuse-moi, pue de plus en plus la mort. Alors j'ai besoin de toi.

Face à face, ils chancelaient comme deux marins sur le pont d'un bateau.

— Toi et moi, continua-t-il, on va récupérer Ivana et on va élucider ces deux putains de meurtres. Prouvons à tous qu'un flic et un gendarme, ça peut faire autre chose qu'une ceinture, des bretelles et un pantalon qui tombe aux chevilles.

Desnos paraissait réfléchir mais, Niémans le savait, elle avait déjà choisi. En réalité, elle n'avait jamais changé de cap. Elle ne lâcherait pas le morceau avant son terme. Niémans savait reconnaître un vrai flic quand il en voyait un.

Elle fourra les mains dans ses poches, ce qui correspondait à un recul par rapport à l'hostilité du ceinturon. Le vent gonflait de plus en plus sa parka et ses bras avaient doublé de volume.

— La suite de l'enquête, c'est quoi ? demanda-t-elle, les paupières frémissantes.

Niémans rit de bon cœur.

— Aucune idée !

48

— Qu'est-ce que vous foutez là ?

Ils venaient de rejoindre le poste, qui ressemblait maintenant à un refuge de montagne avec tous ces gars emmitouflés ayant l'air de chercher leur duvet.

Max Lehmann, restaurateur de mosaïques et de fresques, moustaches fourchues et regard de soie, se tenait dans le hall d'accueil.

— Je suis venu faire mon rapport, répondit-il, visiblement déstabilisé par la brutalité du flic.

Niémans n'avait plus la moindre idée de ce qu'il lui avait demandé.

— À cette heure-ci ?

— Je croyais que c'était urgent. Il s'agit de la datation des fresques…

Niémans changea aussitôt de ton, lui tapant amicalement sur l'épaule.

— Bien sûr, excusez-moi. (Il se tourna vers Desnos.) Tu nous trouves une salle ?

Quelques minutes plus tard, ils étaient tous installés dans un bureau au premier étage. Les pièces semblaient interchangeables, toutes meublées de fer et de plexi, tapissées de lino et décorées d'affiches de propagande naïve. Et si on n'avait pas compris le message, les plafonniers étaient là pour vous repeindre au blanc de Meudon.

— Nous possédons des outils d'analyse qui…

— Épargnez-moi les détails techniques.

Lehmann haussa les sourcils : il n'aimait pas les manières de son interlocuteur. Mais il parut en prendre son parti et feuilleta rapidement les pages de son dossier. Il avait des doigts longs et souples comme des pinceaux.

Niémans voyait des chiffres, des courbes, des équations. Il avait un cadavre porté disparu, un autre qui suçait des cailloux, et sa petite Slave perdue dans une secte de tueurs. *Pas le moment de faire des maths…*

— Vous ai-je parlé de la technique *buon fresco* ? demanda l'homme sur un ton léger.

— Vous comprenez le français, Lehmann ? Je veux vos conclusions !

Cette fois, le restaurateur parut vraiment choqué.

— Je vous demande pardon, ajouta Niémans d'une voix plus calme. On est à cran avec cette enquête. Vous voulez un café, quelque chose ?

Lehmann balaya la proposition d'un geste de poignet.

— Vous voulez aller vite ? répliqua-t-il sèchement. Très bien, alors voilà, les fresques cachées ont été peintes au XXe siècle.

— Attendez. Celles qui sont sous les peintures du XVIIIe siècle ?

— Absolument.

— Comment c'est possible ?

— Ça ne l'est pas, justement.

Niémans plaqua ses mains sur la table de plastique et lança un regard à Desnos. Il lut dans ses yeux la même stupeur, la même incompréhension.

— Mais je crois avoir trouvé l'explication. Nous en avons profité pour dater également les fresques supérieures. Elles sont fausses elles aussi.

— Qu'est-ce que vous entendez par « fausses » ?

— Comme je vous l'ai dit, les peintures dissimulées sont récentes. Mais les peintures apparentes aussi.

— Vous venez de me dire…

Lehmann releva la tête dans un mouvement théâtral de maître de conférences.

— Les pigments sont bien ceux qu'on utilisait au XVIIIe siècle, mais il y a une faille. Nos analyses chimiques ont permis de…

— Lehmann…

— Oui. Ces peintures sont l'œuvre d'un faussaire qui a réussi à se procurer, je ne sais comment, des matériaux de l'époque, ou de même nature, pour parfaire son imitation. Mais il a commis une erreur. Aujourd'hui, le plomb qui entre dans la composition des pigments ne provient plus des mines européennes, comme c'était le cas au XVIIIe siècle, mais de mines américaines et australiennes.

— Ça fait une différence ?

— Du point de vue de certains procédés d'analyse, oui. Ils n'ont pas la même composition isotopique ni le même nombre d'oligo-éléments.

Niémans, machinalement, s'était approché, tout comme Desnos, pour observer les notes du spécialiste qui prenaient soudain une autre importance. Ils ressemblaient à des pirates penchés sur une carte au trésor.

— Voilà ma conclusion, dit l'homme sur un ton doctoral, les deux fresques ont été peintes à la même époque. Probablement au début du XXe siècle. Notre imposteur a d'abord exécuté les scènes bibliques de cauchemar, laissant libre cours à son style et à ses hantises, tout en respectant, je ne sais pourquoi, la manière du bas Moyen Âge. Puis il les a recouvertes en utilisant de la chaux, de l'enduit et du plâtre. Ensuite, il a tracé par-dessus de nouvelles œuvres, volontairement maladroites, en utilisant le style et les pigments, croyait-il, du XVIIIe siècle.

Il y eut un silence. Niémans avait sorti son portable et regardait à nouveau les images. Les officielles, motifs anodins de la Nativité, de saint Christophe, du sermon aux oiseaux. Les souterraines, Adam et Ève, la tour de Babel, les quatre cavaliers de l'Apocalypse…

— Vous connaissez l'histoire des anabaptistes ? demanda Lehmann.

— Ça commence à rentrer, ouais.

— Au début du siècle dernier, un curieux personnage a fait irruption dans leur Communauté.

— Otto Lanz.

— Exactement. Il est le seul étranger à avoir été accepté par les Messagers.

Niémans songea à Paul Paride, mais ce n'était pas le moment d'évoquer ce parasite.

— Lanz était peintre, continuait le restaurateur. J'ai retrouvé des images de ses rares œuvres connues. C'est le même style halluciné, l'expressivité du Moyen Âge, mais troublés par les dissonances du XXe siècle.

— Les datations correspondent à son passage au Domaine ?

— Oui. En gros, les années 20.

Niémans devait se replonger dans l'histoire d'Otto Lanz. Il se souvenait que l'homme avait eu une grande influence sur la compagnie. Sans doute avait-il glissé un message sur les plafonds de Saint-Ambroise. Plus qu'un message, un ordre, un credo…

— Les Émissaires ont acquis la chapelle au début du XXe siècle, poursuivit Lehmann. Lanz s'est enfermé là-dedans, il a peint ses délires puis il les a camouflés sous d'autres ornements. Pourquoi ces complications ? Personne ne le saura jamais.

Niémans se dit que, justement, c'était son boulot de le deviner.

— Je vous laisse le dossier ?

— Oui, bien sûr.

Lehmann se déplia comme une longue-vue de corsaire et se dirigea vers la porte. Machinalement, le flic se leva à son tour et le raccompagna jusqu'au hall de permanence, alors que Desnos, sans un mot, était retournée aux affaires courantes.

Sur le parking, après le départ de l'artiste, Niémans secoua encore quelques pensées. Pas la peine d'avoir fait l'École du Louvre pour deviner que les peintures importantes étaient celles du dessous : les vraies-fausses fresques du Moyen Âge, jetées sur les voûtes avec passion et folie.

Il fallait les déchiffrer. Pour cela, il avait besoin d'un expert, d'un cador en matière d'iconographie catholique. Il en était là de ses sempiternelles résolutions quand son portable vibra.

Synchronicité, Niémans, synchronicité…

49

Il reconnut aussitôt la voix feutrée de l'ermite. Le fantôme des cloîtres…

— Tu daignes sortir de ta réserve ?

— Pour toi, pas de problème.

— Rejoins-moi en Alsace.

— Hmmm, hmmm.

— Dans combien de temps tu peux être là ?

L'oblat ne répondit pas. Niémans eut une sorte de vision en time-lapse, scènes accélérées du destin étrange d'Éric Aperghis, alias Antoine.

Il l'avait connu durant son époque « Stups ». Il rêvait alors d'opérations coups de poing et de défouraillages en règle. Au lieu de ça, on l'avait chargé d'infiltrer le milieu de la nuit et de jouer les drogués afin de remonter les nouvelles filières : acides, ecstasy, cocaïne, kétamine, LSD…

Niémans avait dû vivre la nuit, lui dont le rythme biologique s'apparentait à celui d'un prof de gym. Il s'était fadé les bars, les boîtes, les squats, les raves sauvages, les tympans violés par les décibels, se prenant des lignes ou gobant pour le compte. C'est là qu'il avait croisé Aperghis.

Mi-mondain, mi-mendiant, le drogué vivait des prodigalités de ses amis, alternant périodes festives et chutes de trottoir. Niémans s'était servi de lui pour serrer quelques dealers. Il le rémunérait en substances psychoactives. Indifférent à tout, Aperghis dérivait, souvent réduit à voler les pourboires des serveurs dans les clubs ou à sucer n'importe qui pour une dose. À ce moment-là, il n'attendait plus que la fin avec une seule consolation : il ne la verrait pas venir.

C'est tout autre chose qui arriva : la chimie lui apporta la révélation, comme saint Paul sur la route de Damas ou saint Augustin dans le jardin de Milan. Pour Aperghis, ce fut un flash sous acide au fond des chiottes carrelées des Bains-Douches.

À son réveil, il croyait en Dieu. Pas comme un catholique du dimanche ni un lecteur dilettante de *La Croix*. C'était désormais le sens de sa vie. Aperghis se fit oblat, proposant ses services à différents ordres, qui en échange l'aidèrent à se sevrer. Ça ne s'était pas passé en une semaine, bien sûr, mais Aperghis n'était plus seul : Dieu était avec lui.

Il avait attaqué une maîtrise en théologie à l'Institut catholique de Paris et s'était fait spécialiste des Actes des Apôtres. En quelques années, il était devenu une référence de l'exégèse historique et critique du Nouveau Testament. Parallèlement, il avait approfondi l'histoire de l'iconographie picturale catholique. Maître de conférences au Theologicum, la faculté de théologie de l'Institut catholique de Paris, il avait finalement démissionné.

Enseigner ne l'intéressait pas. Ce qu'il souhaitait, c'était se consacrer définitivement aux Écritures pour s'élever, toujours et encore. Il y avait l'ici-bas, il y avait le Très-Haut, et quelque part entre les deux, un ex-junkie au cerveau carbonisé.

— Dans combien de temps tu peux être là ? répéta Niémans.

— Ça dépend.

— Ça dépend de quoi ?

— Je fais toujours du stop.

Niémans soupira.

— Je t'envoie un gendarme à la première heure demain matin.

Après avoir raccroché, il comprit, avec une pointe de panique, qu'il n'avait plus rien à faire, sinon attendre. Et même attendre, ça ne rimait à rien.

La scène d'infraction dans le sous-bois ne donnerait aucun résultat. Le déchiffrage des fresques ne commencerait qu'avec Éric. L'enquête sur la mort de Samuel était arrivée à son terme – c'est-à-dire nulle part. Et celle de Marcel ne pouvait avoir lieu, faute de cadavre.

Il tourna les talons et revint vers le poste de gendarmerie. Tant qu'à rester immobile, autant avoir quelque chose à lire. Desnos devait bien avoir constitué un dossier sur Otto Lanz, le prophète des vendangeurs de sang.

50

Le dossier existait, et Desnos fut plutôt heureuse qu'on s'y intéresse. Elle lui livra la liasse de feuillets dans la petite pièce du premier, là où Niémans avait choisi de se terrer comme une murène dans sa faille.

— Et toi, qu'est-ce que tu fais ? demanda-t-il sans avoir le moindre ordre à lui donner.

— Je retourne au sous-bois.

— T'as des nouvelles ? Ils ont trouvé quelque chose ?

Elle s'en alla sans desserrer les lèvres tant la réponse paraissait évidente. Niémans ferma la porte et refusa de se décourager. À cette heure de la nuit, dans un tel néant, le pire ennemi était l'abattement.

Il avait demandé qu'on lui prépare un thermos de café et en avant, Zoltan.

Otto naît en 1872 à Belfort, alors que la ville vient de tomber aux mains des Prussiens après plus de cent jours de siège. Les cadavres sont à peine enterrés et les miasmes du typhus planent encore. Il grandit dans une famille de huit enfants fracassée par les contradictions : une mère dévote, couturière, un père athée, alcoolique, forgeron. L'homme passe ses journées dans sa forge à ruminer sa haine des « Pruscos » et à picoler du tord-boyaux en frappant le fer chauffé à 800 degrés. Le soir, la femme et les enfants remplacent l'enclume.

Otto quitte très tôt l'école et refuse de devenir forgeron. Pour la peine, son père lui marque le poignet gauche avec sa tenaille incandescente – toute sa vie, l'enfant souffrira d'un handicap moteur.

À treize ans, il s'enfuit sur les routes d'Alsace. Larcins, petits boulots. Il finit comme apprenti dans une imprimerie de Sélestat et commence à dessiner. Très vite, il gagne sa vie en réalisant des portraits, des caricatures, des paysages... Toujours sur les routes, il subit de nouvelles violences, des abus sexuels, des humiliations. Il encaisse en espérant des jours meilleurs. Il n'est qu'un bloc de rage, infirme, famélique, virtuose.

À Brason, le Diocèse lui apparaît comme le seul salut.

Les anabaptistes ne peuvent lui refuser la faveur qu'il implore : être baptisé. Il désire s'en remettre à Dieu. C'est un acte délibéré, volontaire, réfléchi. Exactement ce que prônent les Émissaires. On le baptise. On le garde. C'est un bon forgeron – le métier que son père lui a inculqué par les coups – et c'est un homme de bien, qui a lavé ses péchés, ses colères, dans l'enseignement du Seigneur.

Il lit la Bible. Il lit *Le Livre des martyrs*. Il s'imprègne des massacres, des tortures, des noyades subis par les Émissaires. Sa colère revient mais prend une forme particulière, comme le fer est domestiqué par le feu. Il se jure de protéger les Messagers, de les préserver du vice et de la violence.

Le soir, il délaisse le dessin pour les ouvrages de droit. Il s'intéresse aux actes de propriété du Domaine, les fait enregistrer auprès d'un notaire, fonde une coopérative qui a désormais valeur de société privée, au même titre que les autres vignobles de la région – de fait, il se corrompt chez les Mondains pour que les Émissaires n'aient plus jamais à se salir les mains.

Au Diocèse, les avis divergent. Lanz n'est pas des leurs, il ne cesse de violer « l'ordre et l'obéissance », il vit au sein de la Communauté mais à l'écart – son sang est étranger. C'est un pécheur, un paria, un sacrilège. D'autres le considèrent au contraire comme une providence. Dans le siècle qui arrive, chargé de chaos et de conflits, Otto joue le rôle de bouclier.

La Grande Guerre démontre son importance. Les anabaptistes refusent de prendre les armes. Ils sont emprisonnés, fusillés. Otto profite du désordre général pour pousser son pion. Il convainc les autorités allemandes (à cette époque, l'Alsace appartient au Deutsches Reich) de l'utilité des anabaptistes en arrière-garde : hôpital, transmissions, cantine… N'importe quoi pourvu qu'ils n'aient pas à toucher une arme. Les généraux allemands, plongés dans la boucherie des tranchées, acceptent – les Émissaires échappent aux combats.

Au sortir de la guerre, l'Alsace redevient française, les Émissaires retournent à leurs vignes. À mesure que le vin coule à nouveau, Otto voit son statut grandir au sein de la Communauté. Il devient l'archevêque du

Diocèse, ce qui est exceptionnel puisqu'il n'appartient pas au sens propre à la Communauté.

Chacun lui est redevable de la prospérité du vignoble, dont la bonne gestion assure l'indépendance du Diocèse. De plus, Lanz a pressenti un autre danger : les touristes. Enclos, vigiles, propriété privée… Les curieux ne pourront jamais pénétrer sur leurs terres.

Même sous l'Occupation, les Émissaires sont protégés par l'intelligence d'Otto Lanz. Bilingue, il sait maintenir à distance l'occupant nazi grâce à la production vinicole du Domaine – les généraux allemands raffolent de ce vin trop sucré et respectent le savoir-faire des Émissaires.

Durant les dernières années de son existence – il meurt d'un cancer du côlon en 1957 –, Lanz est devenu le mentor absolu des Émissaires. Il prêche, il guide, il commente les Saintes Écritures. Chaste, ascétique, il ne s'est jamais marié – en tant qu'étranger, il n'a pu mêler son sang à celui des anabaptistes. En ce sens, il conservera aux yeux de tous une nature supérieure, éthérée, plus proche encore du Seigneur que les Messagers prisonniers de leur corps et de leurs désirs.

Niémans arrêta sa lecture. Un sacré numéro, sans aucun doute. Mais quel était son lien avec l'affaire d'aujourd'hui ? Il l'imaginait se retirer la nuit, à Saint-Ambroise, pour peindre ses fresques. N'avait-il pas laissé là une consigne ? peut-être la plus importante de tout son règne ?

À sa mort, aucune cérémonie, aucune célébration. Otto Lanz n'était même pas enterré dans le cimetière des Émissaires. Le silence – et peut-être même l'oubli – s'était ainsi refermé sur « l'intrus ». Jamais admis ni intégré, il avait pourtant permis aux anabaptistes de survivre dans le monde moderne. Et son testament se trouvait dans la chapelle…

Niémans était admiratif du boulot de recherche de Desnos. Elle avait dû passer des heures dans les bibliothèques d'Alsace et éplucher les archives des centres anabaptistes de tous bords existant encore en Europe.

La seule chose qui manquait, c'était une image du bonhomme. Les Émissaires refusaient toute représentation, en particulier les portraits, qui nourrissent le culte de la personnalité. Lanz n'avait sans doute jamais été photographié.

Niémans fourra les mains dans ses poches – plusieurs heures qu'il lisait et il n'avait toujours pas ôté son manteau –, puis il essaya d'appeler Desnos. Pas de réponse. Sans doute toujours rien à l'horizon.

Le flic se creusa les méninges pour savoir comment attaquer la matinée qui s'annonçait. Effectuer un coup de filet parmi les Émissaires ? Fouiller le Diocèse à la recherche d'armes automatiques ? Soulever les lits en quête du cadavre de Marcel ? Tout ça ne servirait à rien et ne ferait qu'aggraver le mutisme des Messagers.

Alors ?

Il regarda sa montre et bondit de sa chaise en s'apercevant qu'il était quatre heures quarante-cinq du matin. Il avait rendez-vous avec Ivana dans un quart d'heure à Saint-Ambroise. Il sortit de son bureau en laissant son dossier en plan.

La petite Slave lui filerait peut-être l'inspiration.

51

Un théâtre. Cette chapelle vide avec son sol éclairé par les projecteurs trop blancs de la PTS pas encore remballés constituait la scène. Les bâches suspendues aux échafaudages, les rideaux. Et eux, flicards errants, pâles, immobiles, les acteurs. Tout était prêt pour une pièce de pirandello.

— T'as pu t'échapper ? demanda-t-il en guise de salut.

— Ça devient une habitude. Vous avez une batterie ?

Niémans lui fila son powerbank, sur lequel elle brancha aussitôt son téléphone. Il eut brièvement l'impression qu'elle se rechargeait elle-même. Cette image lui fit plaisir.

— Vous avez du nouveau ?

— Non.

— Pourquoi vous m'avez fait venir, alors ? Je risque ma peau à chaque fois que je franchis leur putain d'enclos !

Il s'approcha. Malgré ses vieilles frusques, malgré la nuit en lambeaux, malgré les morts et les menaces,

Ivana sentait toujours le même parfum – qui n'en était pas un. Mélange de lavande et de lait de bébé. Quelque chose de végétal et d'enfantin, en totale rupture avec ce qu'elle était : 43 kilos de force hostile, pur produit de la zone, qui dormait avec son calibre sous l'oreiller.

Il résuma une fois de plus son scénario en trois temps. La bagarre avec Paul Paride. Le meurtre commis par l'homme au charbon. L'effondrement de la voûte provoqué par les Émissaires, afin de dissimuler la nature criminelle du décès de Samuel.

— Vous poussez pas un peu, non ?

En guise de réponse, il lui montra les radios des fresques cachées. Puis raconta l'histoire d'Otto Lanz, le mentor des Émissaires qui passait ses nuits à peindre les voûtes de Saint-Ambroise. Là était le secret.

— Je comprends rien, dit Ivana. D'un côté, vous prétendez que ces plafonds sont essentiels pour les Émissaires, de l'autre qu'ils n'ont pas hésité à en détruire un.

— Justement. Maquiller ce cadavre était plus important encore et je commence à croire qu'ils voulaient cacher autre chose que l'origine criminelle de sa mort.

— Quoi ?

— Je vais trouver.

Machinalement, Ivana lança un coup d'œil aux fenêtres, dont les vitraux avaient été remplacés par des bâches. Pas moyen d'apercevoir l'extérieur.

— Vous avez l'heure ?

— Cinq heures quarante-cinq.

— Faut que j'y retourne.

— Pas question. C'est l'autre chose que j'avais à te dire. Tu rentres avec moi.

Sa voix prit une inflexion d'intense lassitude :

— On en a déjà parlé.

Niémans ne voulait surtout pas s'énerver. C'était la dernière chose à faire avec Ivana. Sur les dalles poussiéreuses, les projos plaquaient des ombres drues qui avaient, encore une fois, la précision d'une poursuite de théâtre.

— T'es en sursis, ma vieille. Tu l'as compris, ça ? Ils te buteront quand ils le décideront et on pourra rien faire pour l'empêcher.

— La récolte se termine. Je sens qu'il va bientôt se passer quelque chose.

— Quoi ?

— Je sais pas. Ils projettent de brûler tous les résidus des vendanges, branches, outils, vêtements. La dernière nuit va être un gigantesque brasier. Le lendemain, ils prieront sous une pluie de cendres.

— Super. Et alors ?

Ivana recula et s'adossa à l'autel de pierre remisé au fond du chœur, comme pour donner une assise à sa conclusion :

— Le tueur sortira du bois à ce moment-là. J'en suis sûre. Y a pas que vous qui avez des coups d'instinct. Je…

Ivana bougea encore et se tourna vers l'autel.

— Qu'est-ce qui se passe ? demanda Niémans.

Sans répondre, la fliquette tendit le doigt vers la droite du bloc de pierre. Niémans ne mit qu'une seconde à repérer ce qu'elle lui montrait : deux pieds, chaussés des galoches des Émissaires, dépassaient du pan de grès, offrant une image de dessin animé.

Niémans lança une paire de gants en nitrile à Ivana avant d'enfiler les siens. Comme un seul homme, ils se penchèrent. Entre l'autel et le mur, il y avait juste assez de place pour un cadavre – et c'est bien ce qui était encastré là. Et même, si on voulait des détails, la dépouille d'un homme connu des deux flics : Jakob en personne.

— Aide-moi, ordonna-t-il.

Ivana ne bougeait pas : elle paraissait en état de sidération.

— Aide-moi, merde !

Elle se joignit à Niémans, qui s'escrimait à écarter du mur le bloc. Finalement, celui-ci pivota selon un axe de 45 degrés dans un bruit de sanctuaire profané. Le flic alla chercher un des projecteurs et l'approcha de la zone macabre.

Enfin, ils virent.

À l'œil nu, on ne distinguait aucune blessure mortelle. Mais le gilet et la chemise étaient ouverts, et sur le torse dénudé, on avait écrit « MLK ».

Ne pense pas, s'interdit Niémans, puis il se pencha et ouvrit les mâchoires du mort. À l'intérieur de la bouche, il débusqua une pierre qu'il saisit et soupesa : légère, grisâtre, striée. Pas une pierre, un morceau de charbon de bois.

Il poursuivit son examen. Soulevant en douceur la tête du mort, ses doigts poissèrent vers la nuque. Une plaie ouverte à hauteur des vertèbres cervicales. On avait tué Jakob à l'aide, comme on dit, d'un « objet contondant », ou plus précisément, vu le contexte, d'une grosse pierre…

Niémans se releva et attrapa son téléphone.

Un mort n'est jamais une bonne nouvelle. Mais celui-là, dans le désert de cette nuit, allait lui permettre de repartir de plus belle. Une nouvelle pièce de la mosaïque que le tueur assemblait.

52

Trois heures avaient passé et Ivana se retrouvait quasiment au même endroit, mais de l'autre côté de la ligne.

Saint-Ambroise, ses murs de grès, ses fenêtres borgnes, son cadavre. Et maintenant ses Émissaires, ses saisonniers, ses journalistes… Tout le monde regroupé derrière le rubalise et maîtrisé par les gendarmes.

Elle était là, avec les autres, à considérer la porte de la petite église d'où allait sortir Jakob, plus raide qu'un billot. Le fait étrange était le silence. Les Émissaires ne disaient pas un mot – sans doute priaient-ils en leur for intérieur. Du coup, les saisonniers n'osaient pas la ramener non plus, ni même les journalistes qui, micros tendus, caméras perchées, étaient d'ordinaire plus loquaces.

La veillée funèbre de Jakob avait commencé.

Ivana n'avait pas à se pousser beaucoup pour jouer les stalactites. Depuis la découverte du cadavre, elle était pour ainsi dire en état de suggestion. Elle était rentrée au campement à pas furtifs, s'était glissée dans son lit glacé et avait attendu l'aube, en chien de fusil, yeux ouverts sur la nuit qui semblait la fixer en retour.

Avant qu'ils se séparent, Niémans avait encore insisté : Ivana devait réintégrer son rôle officiel de flic. Ce nouveau meurtre affolait tous les curseurs. Mais, motivée par une sorte de pulsion suicidaire, elle tenait encore à la jouer *undercover* jusqu'à la dernière heure des vendanges.

Elle voulait observer les réactions, poser des questions, surprendre un détail… De guerre lasse, Niémans l'avait laissée repartir en l'exhortant encore à la prudence.

La nouvelle était tombée aux environs de sept heures, alors que les saisonniers sortaient de leur douche. Jakob a été assassiné ! Ces mots scandaleux avaient bruissé dans le camp comme un serpent parmi les fougères, provoquant, sinon la panique, du moins un sérieux flottement. Les camions n'étaient pas venus les chercher. L'heure du départ aux champs était passée. Les Émissaires – ceux qui les surveillaient – semblaient, pour la première fois, perdus.

Finalement, tout le monde s'était rendu à Saint-Ambroise, à pied, pour voir ce qu'il s'y passait. La pluie s'était mise à tomber, plaquant les vêtements sur les os, enfonçant chacun dans sa détresse, ralentissant peu à peu le mouvement.

Maintenant, on attendait en grelottant – et Ivana reprenait ses esprits, appréciant au passage le grand jeu déployé par Niémans. Il était resté sur sa faim avec Marcel, il ne se raterait pas avec Jakob. Gendarmes, TIC, croque-morts… Tous ces costumes se détachaient avec une certaine grâce sur les murs moirés de pluie de l'église et les palpitations bleutées des gyrophares. Pas mal.

De temps à autre, Ivana se retournait et se dressait sur la pointe des pieds pour essayer d'apercevoir Rachel. Pas moyen. Était-elle restée au Domaine ? Avait-elle pris un véhicule ? Ivana aurait voulu lui parler, la réconforter. Elle s'obstinait à la considérer comme une petite chose fragile, alors que la jeune femme disposait d'une force infaillible : sa foi.

Elle se souvenait qu'en 2006, en Pennsylvanie, un taré avait pénétré dans une école amish et avait tué huit petites filles avant de se suicider. Les amish s'étaient rendus à son enterrement afin d'exprimer leur pardon et s'étaient cotisés pour apporter une aide financière à la veuve de l'assassin.

Et Niémans ? Sans doute à l'intérieur, en conciliabule avec les politiques ou autres officiels. Elle préférait être à sa place. Elle se sentait beaucoup mieux dans ce silence spongieux, presque organique, parmi cette armée qui ne perdrait jamais parce qu'elle n'aspirait à aucune victoire.

Enfin, la nouvelle adjointe de Niémans, la gendarmette à forts pare-chocs, apparut sur le seuil de l'église. Engoncée dans son anorak, elle tenait plutôt du bibendum et, sans trop savoir pourquoi, Ivana s'en réjouit. Elle comprit avec un temps de retard qu'elle avait été jalouse de cette grosse poitrine dès qu'elle l'avait vue, parce qu'elle connaissait son Niémans.

À cet instant, se sentant observée, la capitaine lui rendit son regard. Un regard qui s'égouttait sous des cils lourds et trempés, mais où frémissait une lueur complice. Elle savait, aucun doute. Niémans n'avait pas eu d'autre choix, pour légitimer l'opération Marcel, que de révéler ses sources.

Malgré elle, Ivana lui adressa un sourire fugace, aussitôt renvoyé comme un écho. À travers le rideau de pluie, cet échange muet lui réchauffa le cœur. Elle avait une alliée, et par les temps qui couraient, c'était pas du luxe.

Aussitôt, la capitaine disparut, faisant claquer les flaques avec ses grosses chaussures militaires. La terre autour des murs commençait à se transformer en bourbier et on se demandait déjà si les véhicules pourraient repartir.

Mais alors, il se passa autre chose, de totalement inattendu.

Du portail de Saint-Ambroise, sortit Rachel en personne, trempée comme une serpillière, menue comme une poupée vaudoue. Sa robe lui collait aux os à la manière d'une seconde peau, noire et laquée. Son visage en sucre fondu se distendait, alors que de lentes larmes coulaient sur ses joues, s'obstinant à exister sous la pluie battante.

Ivana eut un cri du cœur, s'adressant spontanément à l'Émissaire qui se tenait à côté d'elle, un colosse roux crépu, dont les bords du chapeau gouttaient comme une motte de mozzarella.

— Qu'est-ce qu'elle fout là ? s'exclama-t-elle.

Elle se reprit aussitôt :

— Rachel. Pourquoi était-elle dans la chapelle ?

L'homme, sans la regarder, répondit :

— C'est son mari qui est mort.

— Son mari ? Jakob ?

Le géant ne daigna pas poursuivre. Les Émissaires, c'était jamais un mot plus haut que l'autre. Et pas de mot du tout, c'était encore mieux.

Ivana fut prise d'un vertige. Sur ses épaules, la pluie s'écoulait en rigoles. Autour d'elle, l'agitation se répercutait en giclées, froissements et autres éclaboussures.

Comment était-elle passée à côté de ça ? Jakob, le gestionnaire de la Communauté. L'un de ses responsables, n'en déplaise aux Messagers. Jakob, qui devait bien avoir trente ans de plus que la petite Rachel… Sans pouvoir l'expliquer, cette nouvelle lui parut d'une importance capitale. Un élément décisif dans l'histoire – mais de quelle façon ?

Rachel ne l'avait pas vue. D'ailleurs, elle ne semblait rien voir, avançant la tête droite, stoïque, d'un pas mal assuré. Bousculée par les gendarmes, freinée par les va-et-vient de chacun, elle marchait comme une somnambule. Ivana s'apprêtait à passer sous le rubalise pour la rejoindre quand les croque-morts sortirent le corps de Jakob.

Au contact de la pluie, la housse mortuaire se mit à crépiter comme un AK-47. Rachel poussa un cri déchirant et se jeta sur la dépouille. Ivana avait vu des dizaines de scènes de ce genre-là, toujours éprouvantes, mais cette fois, elle fut vraiment bouleversée. Cette môme de vingt-deux ans, mère de trois enfants, qui croyait vivre dans un nouvel Éden et qui perdait son mari dans la pire des violences…

Rachel s'agrippait maintenant au corps, ses ongles s'enfonçant dans le textile comme si elle voulait le déchirer. Elle ne criait plus, ne pleurait pas, poussait seulement des gémissements qui semblaient provenir d'une bête à l'agonie.

Les gendarmes essayèrent de la maîtriser et, dans la bousculade, le cadavre glissa dans une flaque. La housse s'ouvrit, le zip étant sans doute mal remonté, et le bras gauche de Jakob jaillit pour frapper à plat l'eau noire.

Ce que vit alors Ivana bloqua son cri dans sa gorge.

Enfin un indice. Et pas n'importe lequel : un fait qui redistribuait totalement les cartes.

53

— Ton histoire ne tient pas debout.

— J'en ai pas d'autre à te proposer.

Niémans ne l'avait pas vu depuis un bail mais Schnitzler avait traversé les strates de l'âge sans trop de dégâts. L'Alsacien avait toujours été beau mec. Grand, élégant, il arborait maintenant une chevelure argentée assortie à une barbe soyeuse. Le modèle chic et gris, en vente dans tous les bons sitcoms – le juge ou l'avocat, sagace et séducteur, toujours sur les rangs pour confondre l'assassin ou trousser la greffière.

Ils s'étaient retrouvés comme s'ils s'étaient quittés la veille. Pas d'effusions, pas d'embrassades, pas de « Ça fait combien de temps ? ». Il y avait plus urgent que d'évoquer le passé : un présent qui accumulait les cadavres, par exemple.

Le flic lui avait expliqué comment il voyait les choses sous la toiture trouée et les bâches en plastique ruisselantes. La poussière et l'humidité donnaient l'impression que le chantier avait repris, une bonne vieille odeur de ciment frais planait.

— Cassons-nous d'ici, ordonna Schnitzler.

Trop de monde, trop de regards, trop d'oreilles. Ils contournèrent le bâtiment et s'engagèrent sur un sentier protégé par la voûte des arbres. Le lieu devait être charmant au printemps, mais en novembre, les branches noires se nouaient comme du fil barbelé et on avait l'impression de pénétrer dans une prison de haute sécurité.

Ils marchèrent ainsi quelques secondes, sans dire un mot. Niémans affichait une mine lugubre mais c'était pour rester dans le ton. En réalité, cette pluie le mettait en joie. Rien ne l'enthousiasmait plus qu'une belle averse. Il flottait dans l'air un parfum de renaissance, de grande lessive…

— En tout cas, ce nouveau meurtre confirme mes hypothèses, clama-t-il.

— Bien sûr, t'as toujours été le meilleur.

Niémans ne releva pas l'ironie de la remarque.

— Ce que je veux dire, c'est que les Émissaires ont fait effondrer le plafond, non seulement pour cacher la nature criminelle de la mort de Samuel, mais aussi pour cacher les lettres, MLK, que le corps devait porter.

— Mais tu ne sais pas ce que ça signifie.

Schnitzler n'était pas taillé pour ce genre de criminalité. Il était plutôt fait pour produire un bon petit vin de justice, pépère et ordinaire. Rien à voir avec la folie qui s'était abattue sur le Domaine.

— Bon, concrètement, reprit-il, qu'est-ce que je peux dire aux médias ?

— Les médias, on les emmerde.

— Très fin comme réponse.

— T'en dis le moins possible et tu me laisses faire mon boulot.

Le magistrat ne répondit pas. Niémans le laissa avancer et retrouva un détail dans son allure qui l'avait toujours frappé. L'homme semblait avoir mal poussé. Il avait de longues jambes de femme, un peu épaisses, aux genoux cagneux. Une silhouette fragile, androgyne, à la démarche maladroite.

— Et dire que j'ai cru que t'allais nous emballer ça en deux jours, lança le proc par-dessus son épaule.

— Quand tu m'as appelé, t'étais même pas sûr qu'il y avait homicide, et les choses n'ont plus cessé de se compliquer.

Schnitzler marmonna quelque chose d'inintelligible. D'après les souvenirs de Niémans, il n'était pas du genre à avoir des idées, et quand il en avait, elles étaient mauvaises.

— Le mec qui s'est battu avec Samuel, là..., dit-il justement d'un ton soucieux.

— Paul Paride ?

— C'est ça. Garde-le-moi au frais. Si on n'a rien de nouveau, on pourra toujours le donner en pâture aux journalistes. Pour gagner du temps.

L'Alsacien était vraiment à côté de la plaque. Mais lui-même n'était pas en position de la ramener. D'autant que, pour ne pas compliquer les choses, il n'avait pas évoqué la mort de Marcel. Ni cette idée brillante d'infiltrer Ivana.

Parvenus au sommet du coteau, ils eurent une vue générale sur l'église, ses flaques et ses badauds. Bien que le corps de Jakob eût été emporté, Émissaires et saisonniers restaient là, à attendre on ne sait quoi.

— Regarde-moi tous ces cons, murmura Schnitzler en fixant les journalistes qui trépignaient derrière la ligne. Ils me lâchent pas, putain… Et y a pas qu'eux ! Les élus, le préfet, les gars du ministère, tout le monde m'appelle…

— Je te dis que je fais le maximum.

— Pas trop quand même.

— Qu'est-ce que tu veux dire ?

Schnitzler se tourna vers Niémans. De près, on distinguait tout de même les rides et autres ravages du temps. Il ressemblait à un vieux marquis poudré.

— Tu les laisses finir leur récolte. Une mauvaise année pour leur gewurztraminer serait catastrophique.

— Plus catastrophique que deux cadavres ?

— Fais pas chier. Ici, toute l'année se joue en quelques jours. Si on traîne ou si on ne respecte pas le protocole au millimètre, le raisin est foutu.

— J'hallucine.

Le magistrat rajusta son costume croisé. Curieusement, les gouttes d'eau ne semblaient pas pénétrer sa belle chevelure grise : le modèle plumes d'oie, compact et huilé.

— Je te fais confiance, conclut-il en resserrant sa cravate. Ce sont des emmerdeurs mais de grands viticulteurs, et dans la vallée, comme tu sais, tout tourne autour du pinard.

— Même ta carrière.

Schnitzler éclata de rire puis s'achemina vers les journalistes pour leur dire quelques mots bien inspirés. Ceux qu'on entendrait sur France 3 Régions au journal de midi.

Niémans s'orienta au contraire vers la chapelle. L'averse se calmait. Les gouttes s'espaçaient. Plus légères, elles s'estompaient dans le vent. Une sorte de songe de pluie, cristallin, immatériel.

En même temps, les odeurs d'écorce humide et de feuilles détrempées revenaient en force, comme une deuxième vague. Niémans en inspira une grande rasade. Cette pluie, ce nouveau meurtre… Pas moyen de ne pas être excité. Ce jour marquait un nouveau départ.

Aux abords de Saint-Ambroise, Stéphane Desnos apparut.

— Les techniciens n'ont rien trouvé, annonça-t-elle. Pas la moindre trace ni la moindre empreinte.

Niémans revit en un éclair le corps de Jakob coincé derrière l'autel de pierre – torse à nu, scarifié à chaud, crâne fracassé. Son humeur se crasha d'un coup.

— Aucune trace sur le sol ? Pas de sang ?

Desnos rajusta sa ceinture.

— Les TIC pensent que le meurtrier a utilisé une des bâches en plastique. C'est un pro.

— Ou simplement un mec un peu moins con que d'habitude. Autour de la chapelle ?

— Rien.

— Sur la terre ? Dans la boue ? Aucune empreinte de pas ? de pneus ?

— Rien, je vous dis.

— Et la pierre ?

— La pierre ?

— Celle avec laquelle on lui a fracassé le crâne.

— Pas retrouvée non plus.

La femme semblait répondre avec réticence. Ses traits étaient crispés, presque déformés, comme ceux de quelqu'un qui vient de cracher un noyau avec dégoût. Niémans la comprenait : pour sa première vraie enquête, elle avait décroché le gros lot.

— Que dit le légiste sur l'heure de la mort ?

— Y a pas de légiste.

— Quoi ?

— Zimmermann est à Colmar et…

— Me parle pas de ce jean-foutre. Je veux un autre toubib.

— C'est le seul dispo pour l'autopsie et…

— Je te dis d'en trouver un autre. Des témoins ?

— On interroge les Émissaires, mais a priori…

Les mots moururent sur ses lèvres. Pas besoin d'achever la phrase : à l'invisibilité du tueur, répondrait le silence des Messagers. Ce silence qui les enlisait depuis le début…

— Je te confie les clés du camion, conclut-il. Tu me boucles cette scène de crime et tu en tires tout ce que tu peux.

Desnos acquiesça. Elle paraissait plus à l'aise sur ce terrain, celui du manuel de gendarmerie et des procédures réglementaires.

— Pour l'instant, on ratisse la zone en cercles de plus en plus larges. La méthode escargot.

— Le nom ne m'inspire pas.

— Je vous en prie, dit-elle d'un air pincé.

Il désigna la meute en blanc et noir, des visages de craie mouillée, des barbes rousses, toujours impassibles.

— Commence par me virer tous ces faux jetons. Ils sont en train de piétiner ta scène de crime.

Elle lui tendit une carte d'identité.

— La veuve de Jakob veut vous parler.

— Ça tombe bien, moi aussi.

54

En la voyant, il songea à Debussy. Non pas à sa musique, mais aux titres de ses pièces pour piano. *La Fille aux cheveux de lin*, *La Cathédrale engloutie*, *Jardins sous la pluie*... Rachel Koenig, selon l'état civil, inspirait ce genre de rêveries poétiques.

Elle se tenait devant lui, frêle comme un oiseau plumé dans ses vêtements trempés, sa coiffe de prière plaquée sur ses cheveux châtains. Elle ne lui arrivait pas à l'épaule, mais son cou jouait les prolongations. Et sa tête toute ronde évoquait une petite lune percée de deux yeux clairs, si dilués qu'ils semblaient flotter avec aisance dans ce monde détrempé.

— Bonjour madame, fit Niémans d'un ton sentencieux, avant de se présenter. Vous voulez bien me suivre ?

Rachel ne bougea pas. Niémans en profita pour l'observer encore. Sa jeunesse était, comment dire, sidérante. D'après ses papiers, elle avait vingt-deux ans, mais ce chiffre paraissait une pure abstraction. Comme une partition ne donne aucune idée de l'émotion d'une musique interprétée.

— Madame, s'il vous plaît.

Enfin, elle se décida.

Pas question de l'emmener au poste. Sa Mégane ferait très bien l'affaire. Marchant vers la voiture, il aperçut la fameuse phrase sérigraphiée sur la portière : « GENDARMERIE NOTRE ENGAGEMENT, VOTRE SÉCURITÉ. » Vraiment temps de changer d'accroche.

Il ouvrit la portière arrière et lui fit signe de monter. Il sentait qu'à sa foi irréductible la femme ajoutait l'aveuglement de la jeunesse.

Il aimait cette idée. On pense que les années vous enrichissent, vous rendent plus fort. C'est tout le contraire. L'âge vous dessèche, vous ratatine. L'expérience gangrène votre volonté et pourrit vos rêves. La jeunesse ne sait rien, croit à tout, méprise les vieux – et c'est pour ça qu'elle est géniale.

— Tout d'abord, commença-t-il en s'asseyant près d'elle, je tiens à vous présenter mes condoléances. Je…

— On en a pour longtemps ?

Elle se tenait cambrée sur son siège, les mains posées sur les genoux. Son profil se découpait sur la vitre perlée de pluie. La ligne bombée du front, le renflement à hauteur des yeux, le nez mutin, espiègle, les lèvres nouées dans une moue distraite. Vraiment du pas banal.

— Seulement quelques minutes, la rassura-t-il.

Contre toute attente, elle sortit du tabac et des feuilles d'une housse humide. Un bref instant, il crut qu'elle allait se rouler un pétard. Mais non : du Caporal fait maison, sans doute cultivé entre deux pieds de vigne.

— Il faut que je retourne au travail. C'est le dernier jour des vendanges.

Elle n'était pas froide, plutôt absente.

— Quand avez-vous vu votre mari pour la dernière fois ?

— Hier soir, il est passé nous voir dans notre maison au Diocèse.

— Vous ne vivez pas ensemble ?

— Si, mais en ce moment, il est… Enfin, il était débordé. Il dormait à la coopérative.

Elle alluma sa cigarette. Une odeur étrange se répandit dans l'habitacle. Un parfum de sous-bois, de cueillette de champignons, vivifiant et frais, mais aussi chargé de relents de décomposition. Quelque chose qui avait à voir avec l'intimité de la terre, la douceur des mousses et la pourriture de la mort.

— Pourquoi est-il venu vous voir ?

Rachel parut prendre conscience qu'elle enfumait l'habitacle. Elle chercha le bouton de commande d'ouverture de la vitre, mais le mécanisme ne fonctionna pas. Niémans n'osa pas lui expliquer que les fenêtres arrière de ce genre de véhicule sont toujours verrouillées.

Sans un mot, il se déplia, se cogna, se coinça entre les deux sièges avant et parvint à atteindre le bouton de commande générale. Quand la vitre s'ouvrit enfin, une bouffée d'air frais les enveloppa. Rachel ferma les yeux, comme sous l'emprise d'un plaisir inattendu.

— Il voulait embrasser nos enfants, dit-elle après avoir repris une taffe et exhalé lentement la fumée.

— Combien avez-vous d'enfants ?

— Trois.

Rachel souriait. Un sourire accroché à rien.

— Et ensuite ?

— Il est reparti vers vingt et une heures trente au chai surveiller les cuves. (Elle hocha la tête plusieurs fois, comme pour insister sur ce qu'elle allait dire :) Les vendanges l'accaparent nuit et jour.

— Il vous a dit qu'il irait à la chapelle ?

— Non.

— Avait-il une raison de s'y rendre ?

— Non.

Niémans laissa passer quelques secondes : il devait la ménager, mais aussi faire son boulot.

— Jakob avait-il des ennemis ? questionna-t-il franchement.

Rachel se mit à glousser, très brièvement, puis se laissa aller sur son siège, tendant le bras qui tenait sa cigarette hors de la fenêtre. Un geste d'une décontraction surprenante, presque langoureux.

— Au Domaine, il n'y a ni amis ni ennemis. Ce sont des notions étrangères à notre Communauté.

— Mais à l'extérieur, il n'a jamais rencontré aucun problème ?

— Jakob ne sortait pas du Domaine.

— Même pour tout ce qui concerne la commercialisation de votre vin ? On m'a dit qu'il était l'interface entre vous et le monde extérieur.

Rachel avait toujours le bras dehors, abandonnant sa cigarette à la pluie, sa peau à l'averse (bizarrement, elle avait ses manches relevées). Niémans remarqua qu'elle portait une tache de naissance sur l'avant-bras gauche. Une sorte de salamandre, un truc de sorcière qui ne lui allait pas du tout au teint.

— On venait à lui, répliqua-t-elle. Et venir ici, c'est accepter nos règles. Vous savez que l'argent n'a pas cours au Domaine ?

Niémans acquiesça, mais il connaissait les hommes et savait qu'aucun dieu ne pourrait changer leur nature profonde. Au contraire, la religion exacerbait les passions humaines, les tares de l'esprit, les vices du corps…

— Comment décririez-vous sa personnalité ?

Sans changer de position, elle tourna la tête vers Niémans. Ses yeux brillaient d'une manière particulière. Toute la lumière de la pluie semblait s'y concentrer.

— C'était un être… comblé !

— Comblé par quoi ? Sa famille ? Son métier ?

La jeune femme rentra son bras dans l'habitacle et remonta la vitre. Elle fourra sa cigarette éteinte dans la poche de son tablier.

— Par Notre Seigneur, murmura-t-elle en reprenant sa position initiale, droite comme un clou sur son siège. C'était un être de paix et de sérénité.

Niémans n'insista pas. Pas le moment de ternir le tableau – d'ailleurs, il ne possédait pas la moindre charge contre Jakob.

— Vous avait-il parlé de fresques cachées dans la chapelle Saint-Ambroise ?

— Jamais.

— Mais les travaux de rénovation lui tenaient à cœur, non ?

— Bien sûr, comme à nous tous.

— Pourquoi ?

Elle lui lança un coup d'œil bleu clair et il eut l'impression d'être éclaboussé par une eau pure.

— Pourquoi quoi ?

— Vous tenez tant à rénover cette chapelle.

— Elle nous a abrités quand…

Il l'arrêta d'un geste, regrettant déjà d'avoir posé la question. Elle allait encore lui sortir la version officielle.

— Les lettres MLK vous disent-elles quelque chose ?

— Non.

— Et un rituel qui consisterait à placer une pierre dans la bouche d'un défunt ?

Rachel tressaillit. Elle lui lança un nouveau coup d'œil.

— On a trouvé une pierre dans la bouche de Jakob ?

Le flic répondit à côté :

— Dans celle de la première victime, en tout cas.

— Samuel…

Elle avait murmuré son nom comme si elle se souvenait tout à coup que Jakob n'était pas le premier mort. Il existait une liste quelque part et cette liste était un outrage à Dieu.

— Ça vous dit quelque chose ? insista Niémans.

— Non, fit Rachel en regardant dehors.

Une ligne rouge était franchie, il ne savait pas pourquoi, mais la jeune femme ne dirait plus un mot.

— Je dois retourner travailler, confirma-t-elle.

— Je vais vous faire déposer en voiture.

Rachel avait déjà ouvert sa portière.

— Non. Je veux rentrer en camion, avec les autres.

Niémans n'eut pas le temps d'insister : elle avait claqué la portière et courait sous la pluie. Il la regarda partir, silhouette chétive, trottinante, disloquée par le ruissellement sur la vitre.

— Toi, chuchota-t-il dans l'habitacle qui sentait encore son tabac étrange, t'es impliquée jusqu'au cou dans ce merdier.

Si jamais les Émissaires attrapaient le coupable avant lui, ça serait une jeune femme dans son genre ou même Rachel en personne qui abattrait le sabre sur le billot. « La salaire du péché, c'est la mort », avait dit Desnos, citant l'épître aux Romains de Paul.

Même si Rachel paraissait plus jeune que son âge, elle pesait lourd, très lourd. Le poids des ruines bibliques, des vestiges des temps anciens, des commandements de l'Ancien Testament. Sous sa beauté et sa jeunesse, elle était un fossile, que rien ni personne ne pourrait faire dévier de sa voie.

Sortant du véhicule à son tour, il se prit une rafale de pluie en plein visage. Les alentours de l'église se vidaient. Les journalistes étaient partis, les Émissaires et les saisonniers se résignaient également à retourner au travail. Il n'avait pas fait trois pas que Desnos surgissait encore.

— Le corps est arrivé à Brason. L'autopsie va commencer.

— Me dis pas que c'est encore Zimmermann qui…

— Il n'y avait que lui de dispo et le procureur a validé ce choix.

Niémans allait céder à la colère mais se contrôla : pas le moment de rallumer les hostilités. Ils avaient fait la paix quelques heures auparavant.

— Ce mec-là nous a déjà fait perdre un temps précieux, marmonna-t-il tout de même. Si on avait su que la pierre…

Niémans aperçut parmi les retardataires Ivana qui les épiait.

— Bon, concéda-t-il. Tu poursuis la gamme.

— Ça marche.

— Moi, je retourne voir le curé de Brason pour avoir son avis sur l'inscription « MLK ». Je suis certain que ces lettres appartiennent à l'univers biblique. C'est peut-être même de l'hébreu ancien.

— Pourquoi ?

— Parce qu'à l'origine, en hébreu, on n'écrivait pas les voyelles. (Il la gratifia d'un sourire.) Tu vois, on peut être un vieux macho et posséder quelques bases.

Il désigna les gendarmes et les techniciens criminels qui s'absorbaient dans les sous-bois sous la lumière terne du jour pluvieux.

— Et toi, ton opération Limace, ça avance ?

Desnos devint toute rouge.

— Je plaisante, sourit-il. Après le curé, on file tous les deux au dispensaire pour rendre visite à Zimmermann.

— Pourquoi je dois aller avec vous ?

— Pour m'empêcher de lui casser la gueule.

— Parfois, je me demande quel âge mental vous avez.

Il ne répondit pas : Ivana venait de lui faire un signe discret en direction des sous-bois derrière la chapelle, là même où ils avaient joué les comploteurs avec Schnitzler.

Niémans hocha la tête. Un rendez-vous en plein jour avec son supérieur, entouré d'Émissaires et de gendarmes.

Vraiment, comme infiltrée, elle se posait là.

55

De retour sur le sentier, Niémans avisa des taillis sur sa gauche qui n'avaient pas encore été touchés par les recherches. Il se faufila entre deux arbres, comme s'il s'isolait pour pisser, puis dévala la pente dans un chahut d'écorces et de feuilles mortes. Il était certain qu'Ivana l'attendait en bas.

Il découvrait une petite clairière quand d'autres craquements résonnèrent dans son dos. Plus furtifs… En fait, Ivana marchait sur ses traces. Un bref instant, elle lui fit penser à Rachel. Avec ce costume, elles ressemblaient aux deux faces d'une même pièce.

— Bravo pour la grande parade, dit-elle, essoufflée.

— J'y suis pour rien. L'info a fuité, je sais pas comment. Sans doute un cruchot.

— Chez les Émissaires, la rumeur a gonflé dès sept heures du mat'. Tout le monde a lâché son sécateur pour aller à la chapelle. Où vous en êtes ?

— J'ai confié la gamme aux cruchots.

— Je pense pas que les méthodes habituelles apporteront quoi que ce soit.

— On ne sait jamais. Et toi, t'as quelque chose ?

Avec l'air de ne pas y toucher, Ivana lâcha un véritable scoop : la jeune femme avec qui elle avait sympathisé n'était autre que Rachel Koenig.

— C'est incroyable que j'aie manqué ça, ajouta-t-elle.

— Je connais d'autres mots pour qualifier cette erreur.

— Commencez pas. Cette fille est une Émissaire lambda, qui ne voit pas plus loin que le bout de sa bible. À travers elle, j'ai cherché à mieux connaître la Communauté, pas à sonder un destin personnel.

Ivana faisait une erreur de jugement. Rachel n'était pas un modèle standard, il le sentait. Elle avait porté sa foi à une incandescence dangereuse. Niémans avait connu beaucoup de terroristes, il retrouvait chez elle ce mélange d'aveuglement mystique et de ruse vicieuse.

— Qu'est-ce qu'elle sait sur toi ? Me dis pas que tu lui as balancé la vérité ?

Ivana ne répondit pas. Sa respiration distillait une buée qui, sur fond de lichen et de taillis, prenait une teinte verdâtre. Elle paraissait ne pas tenir en place.

— Non, dit-elle enfin, mais c'est elle qui m'a sauvée après la visite de la grange. Sans elle, j'aurais peut-être fini comme Marcel.

— Qu'est-ce que tu lui as raconté ?

— Que j'étais journaliste et que j'enquêtais sur leur communauté.

Un moindre mal, mais Rachel ne devait pas être dupe. Il fallait vraiment arrêter cette mascarade. Pourtant, Niémans n'osa pas lui ordonner encore de lâcher son tablier.

Autour d'eux, la pluie avait cessé et la brume s'élevait du sol, une sorte d'haleine légère qui sentait les feuilles mortes et les excréments.

— C'est pour ça que tu voulais me voir ?

— Pas seulement. J'ai compris autre chose ce matin.

Elle plongea ses yeux verts dans les pupilles de Niémans. Ce regard l'atteignit directement au cœur. Comme souvent, il revit les billes de son enfance. Ces chatoiements de verre qui offraient, au fond d'un simple cercle de verre, la complexité d'un univers. Malgré lui, il entendit d'un coup le bruit lourd des calots au fond de sa trousse.

— Jakob et Rachel n'étaient pas seulement mari et femme. Ils étaient aussi frère et sœur.

— Qu'est-ce que tu racontes ?

— Ils ont la même tache de naissance sur l'avant-bras gauche.

Le flash : l'étrange salamandre couleur sépia qui se détachait sur sa peau pâle.

— Vérifiez, Jakob a exactement la même. S'ils ne sont pas frère et sœur, c'est qu'ils sont père et fille.

Depuis le départ, Niémans sentait quelque chose de suspect de ce côté. Et il n'avait pas oublié l'étrange histoire de Paul Paride, maillon étranger évincé de la Communauté consanguine.

Pouvait-on leur tomber sur le poil pour des rapports incestueux ? Pas du tout. Les Émissaires maîtrisaient leur état civil. Ils livraient les informations de leur choix à la mairie de Brason. À l'extérieur du Domaine, personne ne savait qui était qui. Mais l'info valait son pesant d'or : une pièce de l'échiquier à jouer en temps et en heure.

— La prochaine étape, c'est quoi ? relança Ivana.

— Trouver la signification des initiales sur la poitrine de Jakob et du charbon de bois.

— Vous allez encore débarquer au Domaine avec vos pétoires ?

— Évidemment. Et interroger tout le monde.

— Ils ne vous répondront pas. Et ils ne renonceront pas à travailler. Il ne reste que quelques heures pour achever les vendanges. Laissez-les finir !

Ils s'étaient décidément tous donné le mot. Mais Ivana avait raison, elle seule pouvait encore tirer les vers du nez de Rachel ou des autres. Qui sait ? Avec le chagrin et les larmes, les volontés allaient peut-être se ramollir, comme des affiches sous la pluie…

Niémans dégaina et lui tendit son Glock.

— Prends au moins ça.

— Vous rigolez ou quoi ?

— Je ne te laisse pas repartir là-bas sans calibre.

— Ça serait une véritable déclaration de guerre.

— Je crois que le conflit est déjà bien engagé.

Avec tendresse, elle lui saisit le bras.

— Laissez-moi faire, Niémans. Restez à l'extérieur et faites-moi confiance.

Troublé, le flic se libéra de son emprise. Il n'avait pas peur de la violence, il avait peur de la douceur. Surtout celle d'Ivana. À chaque fois qu'elle le touchait, qu'elle le frôlait, elle mettait en péril le château de cartes qu'il s'était saigné à bâtir. Ses mauvais choix sur lesquels il s'était arc-bouté, ses fausses résolutions qui lui renvoyaient l'image d'un dur, à l'abri de tout sentimentalisme.

Tu parles. La tendresse d'Ivana, en une seule caresse, exhumait tous ses rendez-vous manqués. La femme qu'il n'avait pas eue, les enfants qu'il avait espérés, l'affection qu'il n'avait jamais su accepter de quiconque…

— Reste connectée. Je t'appelle.

— Impossible. Trop dangereux.

— Tu me fais vraiment chier. (Il regarda sa montre.) Retrouvons-nous ici à dix-neuf heures. Tire les vers du nez à la petite, elle connaît une bonne partie de la vérité.

— Comptez sur moi.

Un frémissement d'inquiétude passa sur son visage. Ses sentiments s'y lisaient comme sur une page blanche. Sa peau diaphane était une fine membrane sensible qui imprimait à la lumière, et plus encore à l'ombre…

— De toute façon, ajouta-t-il pour la rassurer, je vais faire surveiller le Domaine.

— J'ai pas besoin de protection !

— Ce n'est pas pour toi mais pour les Émissaires. Un tueur a décidé de décapiter cette communauté et il ne va pas s'arrêter là, crois-moi.

Ivana eut un sourire furtif, en forme de feu follet.

Sa confiance semblait revenue. Menacée de mort par les assassins de Marcel, coincée entre deux cadavres, immergée dans une communauté fanatique, elle paraissait tout à coup insouciante, presque inconsciente.

Niémans connaissait cette drogue : la petite Slave était simplement shootée à l'enquête, cette ivresse d'extirper la vérité aux morts et à la violence. Il consommait la même, mais lui avait le vin triste.

— File, conseilla-t-il avec un clin d'œil. Et fais attention à ne pas te prendre toi aussi une pierre sur le crâne.

56

En courant, Ivana réussit à attraper un des derniers camions venus chercher les retardataires. Une banale bétaillère de saisonniers, tous en état de choc. Étonnant d'ailleurs qu'ils n'aient pas pris leurs jambes à leur cou, mais il ne restait plus qu'une journée de boulot, et le salaire tomberait le lendemain.

Après eux, le déluge…

Les cueilleurs demeuraient silencieux. Chacun se laissait bringuebaler sur son banc, résigné à collecter encore une après-midi ces fruits qui étaient devenus les raisins de la peur.

Le temps avait radicalement changé. Après le lavage, le séchage. Un vent couleur de fer pénétrait les vêtements – à ce compte-là, ils allaient attraper une crève mortelle. Mais personne ne parlait de rentrer se changer ou se réchauffer. On était pressé d'en finir.

Le camion stoppa. Tout le monde sauta à terre. Bon an mal an, on se saisit de sa hotte, de son sécateur. D'autres avaient déjà repris le boulot. Saisonniers, Émissaires, on les voyait tous courbés, frigorifiés, concentrés, parmi les feuilles jaunes. Ils bossaient dur, comme si rien ne s'était passé, et même, ils accéléraient le mouvement, histoire de rattraper le retard.

Ivana tendit le cou : elle voulait aller jusqu'au bout de sa mission et se glisser parmi les Messagers. Mais alors, elle surprit l'impossible.

Parmi les femmes à coiffe blanche, Rachel était là, fidèle au poste. Ni une ni deux, et au mépris des directives des Émissaires, Ivana remonta les allées. Le vent semblait la pousser, l'encourager, charriant toujours ce parfum écœurant de raisins trop mûrs, cette odeur de mort lancinante.

Parvenue à la hauteur du rang de Rachel, elle bouscula les vendangeurs qui la séparaient d'elle, sans même prendre la peine de s'excuser.

Elle s'installa à côté de son amie et se mit à son tour au travail. Elle avait préparé un tas de phrases compatissantes, de formules consolatrices, mais tout ce qui lui vint, ce fut :

— Pourquoi tu m'as rien dit ?

Rachel ne leva pas les yeux de ses grappes.

— Te dire quoi ?

— Que Jakob était ton mari.

Paupières baissées, la jeune femme effectuait ses gestes mécaniques. *Clic-clic-clic…* Une fois achevé son pied de vigne, elle se tourna vers Ivana. Ses iris avaient viré au gris, comme si les falaises du ciel lui étaient passées dans les yeux.

— C'est pour ton article, c'est ça ? T'aurais voulu connaître ma vie en détail ? Tu peux être contente, la veuve de la victime, un vrai scoop !

Soudain, le visage de Rachel s'affaissa comme de la cire trop chaude. Sa beauté se disloqua sous la brûlure du chagrin en un masque mou, dégoulinant, hideux.

Ivana lui entoura les épaules d'un bras affectueux puis la prit fermement par la taille.

— Je te ramène chez toi. T'es pas en état.

Rachel se laissa faire alors que les autres Émissaires s'écartaient sur leur passage. Ivana percevait dans leurs yeux un éclat de reproche, une sourde désapprobation. Rachel avait flanché, elle s'était montrée faible et se faisait maintenant aider par une Mondaine.

Elles parvinrent à un 4 × 4 stationné près de la clairière où feu Jakob prononçait la prière matinale. Ivana ouvrait la portière quand Rachel, à bout de forces, s'effondra sur le marchepied du véhicule. Cette fois, ce fut une crise de larmes, une belle, une vraie, en bonne et due forme.

Les minutes passèrent. Ivana n'osait pas intervenir. Quand Rachel eut enfin retrouvé son souffle, une idée traversa l'esprit de la Slave, vraiment une idée de salaud de flic. C'était le moment, maintenant que l'ennemi était à terre, de lui extorquer quelques infos.

— J'ai vu le corps de Jakob tout à l'heure, balança-t-elle.

Rachel ne réagit pas. Assise contre la portière, genoux serrés, pieds tournés vers l'intérieur, galoches prises dans la boue rouge, elle offrait une parfaite image de l'animal blessé, moins que rien ici-bas, souveraine au royaume des cieux.

— J'ai vu la tache sur son avant-bras.

Rachel sourit en hochant la tête. Un sourire à la fois cynique et fielleux.

Avec brutalité, Ivana releva la manche de l'anabaptiste et révéla la même tache.

— Vous êtes frère et sœur, c'est ça ?

Rachel considéra la marque sur sa peau sans répondre. D'un geste sec, elle se détacha d'Ivana et se leva.

— Dieu est avec nous, chuchota-t-elle d'une voix rêveuse. Il nous a envoyé ce vent pour que tout sèche et soit prêt ce soir pour brûler.

— Ou Jakob était ton père ?

— Seules les cendres pourront nous sauver…, continua-t-elle à murmurer. Enfin, après le feu, une nouvelle saison s'ouvrira.

Ivana aurait pu la gifler. Au lieu de ça, elle lui attrapa de nouveau le bras et susurra entre ses lèvres tremblantes :

— Réponds !

Rachel se dégagea à nouveau, toisant Ivana comme si elle évaluait sa capacité intellectuelle (ou sa force physique) à en encaisser encore. Puis elle ouvrit la portière de la voiture.

— Prends le volant, je veux te montrer quelque chose.

57

Elles passèrent d'abord à l'école chercher les deux filles de Rachel : Esther, huit ans, et Marie, cinq ans. Deux gouttes de pureté aux yeux d'argent non raffiné, qui ressemblaient à leur mère dans une version plus ombrageuse.

Ivana ne comprenait pas ce qui se passait.

Pendant que Rachel s'entretenait avec la maîtresse, elle essaya d'engager la conversation avec les petites sans y parvenir. Pas grave, elle avait réussi : elle était au cœur du Diocèse, là où aucun Mondain ne viendrait jamais. Et elle y était officiellement, pas en clandestine comme avec Marcel.

Autour d'elle, la cour de récréation – une simple prairie, fauchée très ras – débordait de vie et de cris. Hilares, les yeux scintillants, les joues brûlées par le froid, les gamins se poursuivaient ou escaladaient les barrières pour mieux s'y suspendre.

— C'est bon. On peut y aller.

Une fois en voiture, Rachel ne dit plus un mot. Pas de larmes non plus. De temps à autre, elle désignait d'un geste la voie à suivre. Ivana ne pouvait s'empêcher d'espérer : la jeune Messagère allait lui montrer un lieu caché, lui révéler un secret, l'affranchir d'une terrible vérité…

Elles roulèrent ainsi plusieurs kilomètres – le Diocèse était plus vaste qu'elle n'aurait cru. Côté paysage, on naviguait en terrain connu : encore des vignes, encore des dos voûtés parmi les feuillages. Parfois pourtant, dans les clairières que les parcelles ménageaient çà et là, des Émissaires avaient changé d'activité : ils poussaient des brouettes pleines de sarments, tiraient des fagots de bois, portaient des brassées de vêtements.

— Qu'est-ce qu'ils foutent ?

— Je t'ai déjà expliqué, ils préparent les bûchers.

Elle remarqua d'autres hommes marchant le long de la route, visage noirci, manches souillées, les bras chargés de sacs de toile. Leurs chapeaux blancs en avaient pris un sacré coup.

— Et ceux-là ?

— Ils apportent du charbon de bois, pour aider le feu à partir.

Comment n'y avaient-ils pas pensé ? Alors que le Domaine allait se transformer en gigantesque brasier, le charbon de bois dans la bouche de Samuel et Jakob symbolisait l'autodafé. Le tueur désignait le Jour des cendres. Pourquoi ?

— Où on va, maman ? demanda une des petites filles à l'arrière.

— Voir Jean.

Les fillettes crièrent de joie – cette journée où l'école s'arrêtait brutalement pour une mystérieuse balade les comblait.

— C'est qui, Jean ? demanda Ivana.

Rachel ne quittait pas des yeux la piste, qui n'était plus qu'un sentier boueux creusé de nids-de-poule et de flaques écarlates.

— Leur frère, répondit-elle laconiquement.

— Quel âge a-t-il ?

— Sept ans.

— Et… où est-il ?

— Chez les autres ! s'écrièrent les petites filles.

Elles avaient pris le ton mi-amusé, mi-effrayé des enfants qui évoquent un secret.

— Les autres ? répéta Ivana en leur lançant un coup d'œil dans le rétroviseur.

Les gamines se mirent à rire sous cape, mais Rachel se tourna, les fusillant du regard. Aussitôt, les enfants se turent.

— C'est qui les autres ? insista Ivana.

— Sois patiente.

58

Deux longères apparurent à l'horizon, formant un L dans la plaine. Construits en brique, surmontés d'un toit d'ardoises, ces bâtiments n'avaient rien à voir avec les granges en bois des Émissaires. Tous les volets étaient fermés, ajoutant encore un air claquemuré à l'ensemble. Malgré elle, Ivana songea aux trois petits cochons et à la maison en brique du plus prévoyant.

— Gare-toi ici, ordonna Rachel.

Tout en manœuvrant, Ivana remarqua un détail bizarre : les véhicules déjà stationnés n'étaient ni les fourgons habituels ni les machines agricoles autorisées par l'*Ordnung* et la *Gelassenheit*. Plutôt des camionnettes sans signe distinctif qui évoquaient des ambulances ou des véhicules de livraison.

Une fois dehors, elles marchèrent en silence, précédées par les petites filles qui se tenaient la main en sautillant. Première surprise : la porte d'entrée – une paroi coulissante qui semblait en métal brossé – était équipée d'un digicode, ce qui, dans un domaine qui prétendait bannir tout signe de modernité, la foutait plutôt mal.

Rachel pianota sans hésiter sur les touches. À cet instant, elle n'était plus une brebis innocente coupée du monde extérieur ni même une veuve bouleversée. La sûreté des gestes, la détermination du regard révélaient une femme moderne, familière de la technologie.

La porte coulissa, révélant un sas équipé de bancs baignant dans une lumière éblouissante. Les gamines, visiblement habituées à l'endroit, se déchaussèrent. Ivana commençait à comprendre : les plafonniers, les murs blancs, le sol immaculé. Et surtout l'odeur : mélange de détergents et de médicaments. Un hôpital.

— Retire tes chaussures et mets ça. Ensuite, enfile cette robe.

Rachel lui désignait des sortes de Crocs et une blouse de papier bleu. Ivana s'exécuta tant bien que mal, essayant de ne pas s'emmêler les pinceaux avec les pans et les liens de sa blouse. La tête lui tournait. Ce passage d'un monde à l'autre, trop rapide, trop brutal, et surtout inexplicable…

Les Koenig, mère et filles, étaient déjà fin prêtes pour pénétrer dans le couloir qui s'ouvrait devant elles, au-delà d'une double porte vitrée. Nouveau code. La clarté qui se réfractait sur les murs et le sol donnait une impression d'apesanteur, comme si plafond et plancher pouvaient se substituer l'un à l'autre sans provoquer le moindre déséquilibre.

Le silence surtout oppressait Ivana. Après ces jours passés dans la nature bruissante et chantante, cette absence de sons lui blessait presque les tympans. Pire, un chuintement très léger résonnait quelque part. Dans ce genre de lieu aseptisé, l'air était toujours surpressurisé pour rejeter toute poussière, toute scorie.

À chaque pas, Ivana mesurait l'ampleur du mensonge. Le Domaine et plus encore le Diocèse, réputés avoir arrêté le temps et préservé un savoir-faire artisanal – la viticulture – abritaient une espèce d'unité futuriste.

Nouveau code, nouvelle double porte.

La pièce suivante avait la taille d'une grange mais ses murs clairs étaient capitonnés et le sol recouvert d'un linoléum souple. Le plafond diffusait toujours la même lumière crue, dans une version légèrement tamisée.

Sur le sol, des jouets. Contre les murs, des lits, des potences à perfusion, de petites armoires à pharmacie, du mobilier ergonomique pour handicapés.

Et partout, des enfants.

Accroupis par terre, gisant sur des civières, cloués dans des fauteuils roulants. Tous étaient difformes et atrophiés. Ils devaient être une trentaine et semblaient flotter au-dessus du temps. Et de la conscience humaine. Certains avaient l'air hébétés, d'autres hilares, d'autres encore étrangement concentrés ou en proie à une agitation sans objet, à la manière d'une mécanique cassée.

La Slave, toujours trop sensible sur le terrain des mômes, se força à les observer d'une manière presque clinique, comme elle aurait contemplé des pièces à conviction. Un bon tiers portaient les stigmates de la trisomie 21 : tête ronde, yeux écartés, nez camus. D'autres présentaient des déformations plus terribles encore : crâne pointu, nez rogné, dents de travers, yeux glauques, exorbités, comme près de sortir de leurs orbites.

Ivana pleurait sans même s'en rendre compte. Des larmes douces, lentes, chaudes. Elle percevait chez ces malheureux une pureté qu'elle avait attribuée, par erreur, aux Émissaires. Les seuls innocents du Diocèse, c'étaient eux. Et ils n'étaient pas jolis à voir. Tous vêtus de blouses blanches (en gros tissu, à la rude, façon Émissaires), ils ressemblaient à des fantômes égarés, qui auraient hanté un lieu sans même comprendre où ils se trouvaient.

— Jean !

Les petites filles avaient repéré leur frère allongé sur un lit. Un jeune garçon très maigre, à la tête trop lourde, menton posé sur son torse.

Impossible de ne pas penser à un reptile. Des yeux à fleur de tête, un nez inexistant, des lèvres renflées. Et quelque chose de distendu qui étirait ses traits comme en caoutchouc. Une face d'iguane, affublée d'un sourire perpétuel.

Ses sœurs avaient bondi et étreignaient cet enfant inerte, apparemment indifférentes à son caractère monstrueux. Elles l'embrassaient, le cajolaient, sautaient sur son lit. Les infirmières, en blouse blanche elles aussi, laissaient faire.

La maladie n'était donc ici ni une malédiction ni même un problème. Simplement un état de fait. Une volonté divine qu'il fallait respecter et apprécier. Il lui revint en mémoire cette citation des Évangiles, plutôt facile dans ce contexte : « Heureux les pauvres en esprit, car le royaume des Cieux est à eux ! »

Elle n'osait s'approcher de Jean et des petites filles. La différence, quelle qu'elle soit, l'avait toujours mise mal à l'aise et là, elle était incapable du moindre geste, de peur de briser cette espèce d'harmonie qui régnait, bon gré mal gré, parmi ces anormaux.

— Tu comprends maintenant ? demanda Rachel en revenant vers elle.

— Pas trop, non.

— Alors, viens. Je vais t'expliquer.

59

— Tu sais ce que c'est qu'un isolat ?

— Une communauté isolée dont la consanguinité est élevée, non ?

— Exactement. Des gens comme nous.

Les deux femmes s'étaient installées dans un nouveau couloir équipé de sièges fixés au mur, comme dans n'importe quelle salle d'attente d'hosto.

— Depuis quatre siècles, nous nous reproduisons exclusivement entre nous.

L'anabaptiste était assise de trois quarts, tournée dans sa direction, les mains jointes sur les genoux, dans une position doctorale et patiente, comme si elle s'adressait à une retardée. Un comble, vu le contexte.

— Ça signifie qu'au fil des générations, nous avons fini par avoir des patrimoines génétiques si proches que nous sommes *tous* frères et sœurs.

Elle releva sa manche, découvrant sa marque de naissance.

— Cette tache, nous la portons tous. C'est notre signe. Le signe de Dieu.

— Donc ? fit Ivana d'une voix sèche.

— Les mauvais gènes doivent se développer et mourir, disons, dans leur coin, afin que la bonne semence croisse chez les élus. Souviens-toi de la parabole du bon grain et de l'ivraie, dans l'Évangile selon saint Matthieu.

— Autrement dit, ces gamins sont de la mauvaise herbe ?

— Pas du tout. Ce sont nos frères, nos sœurs, nos enfants. Nous devons les chérir et les soigner. Mais Dieu a choisi pour eux une autre route.

Rachel n'était plus triste ni résignée, elle était embarquée dans une espèce d'exaltation qui la dépassait elle-même.

— Jakob disait qu'ils étaient le prix à payer pour notre pureté.

— Votre pureté ?

— Nous suivons notre voie, Ivana. À chaque génération, nous devenons de plus en plus purs, de plus en plus éloignés des autres hommes.

Elle ferma les yeux et la fliquette eut peur qu'elle soit prise d'une transe, ou quelque chose de ce genre.

— « Observez les lis des champs, comme ils poussent, murmura-t-elle d'une voix basse, presque sensuelle, ils ne peinent ni ne filent. Or je vous dis que Salomon lui-même, dans toute sa gloire, n'a pas été vêtu comme l'un d'eux… »

Elle rouvrit les yeux. La passion lui rougissait le bord des paupières.

— Nous ne serons bientôt plus qu'un seul être, tu comprends ? (Les mots tremblaient entre ses lèvres.) Un être unique, une créature de Dieu totalement dévouée, avec le même ADN. Notre plus belle prière, Ivana, c'est notre corps.

Lors d'auditions, la flic avait déjà assisté à ce genre de dérapage où le suspect dévisse complètement. Dans ce cas, il fallait revenir à des questions concrètes :

— Vous financez cet hôpital avec les revenus du vin ?

— Oui.

— Qui sont les médecins qui vous soignent ?

— Tu prépares ton article ? Tu veux prendre des notes ?

Ivana ne sut pas quoi répondre – à moins de lui cracher : « Je suis flic, ma cocotte, et je ne sais pas trop ce que vos combines valent face à un tribunal de justice, mais on trouvera bien de quoi vous coffrer plusieurs années. »

Mais Rachel ne lui laissa pas le temps de formuler une réponse plus tempérée.

— Suis-moi, ordonna-t-elle en se levant. La visite continue.

Elles se dirigèrent vers une porte au bout du couloir. Avec leurs Crocs et leur blouse en papier, elles produisaient des *toc-toc* de wood-block et des frottements de papier journal.

Ivana sentait le portable au fond de sa poche. *Prévenir Niémans...* Mais l'anabaptiste déverrouilla la porte en tapant un nouveau code. Un éclair blanc jaillit, plus violent encore que les précédents, vers lequel elle poussa la flic.

Éblouie, Ivana mit quelques secondes à se repérer : une pièce d'environ vingt mètres carrés, où étaient entreposés fioles, bocaux, médicaments. On ne distinguait pas trop ce que les récipients contenaient mais mieux valait ne pas savoir.

Rachel se retourna et croisa les bras, un geste de gamine en colère.

— T'es là pour ça, non ?

Ivana plaça sa main en visière pour discerner Rachel, qui semblait se dissoudre dans l'évanescence du lieu.

— Quoi ?

— Trouver l'assassin de Samuel et de Jakob, t'es bien ici pour ça, non ?

Ivana essaya de répondre, mais sa langue, sèche et gonflée, lui collait au palais.

— De… de quoi tu parles ?

Deux hommes jaillirent et l'empoignèrent par les bras. Ils paraissaient vouloir l'enfoncer dans le sol. Ivana au contraire se sentit d'un coup toute molle.

— Qu'est-ce que tu crois ? ajouta Rachel. Que j'ai gobé tes mensonges ? Saisonnière ? Journaliste ? Ma pauvre… Mais ton badge de flic, tu le portes sur ta gueule…

La lumière était de plus en plus aveuglante. Un miroitement vibrant, vivant, qui blessait ses yeux comme des tessons de miroir.

— Marcel non plus ne croyait pas à tes fables mais il n'en savait pas plus. Sinon, il aurait parlé.

— C'est… c'est toi qui l'as torturé ?

— Qu'importe qui tient l'outil ici, nous ne sommes qu'un.

— Vous n'êtes que des fanatiques dégénérés ! explosa Ivana.

Rachel hocha la tête, un sale petit sourire toujours accroché aux lèvres.

— Nous ne nous mêlons pas de votre monde, ne vous mêlez pas du nôtre. S'approcher de la fresque était une terrible erreur.

— Pourquoi ? hurla Ivana.

— Notre vocation est invisible, et elle doit le rester.

Ivana tenta de se libérer des deux molosses. Impossible : leurs doigts s'enfonçaient dans ses bras comme des forceps.

— Alors, pourquoi Otto Lanz a-t-il peint ces fresques ?

Pur coup de bluff, mais l'effet produit dépassa ses espérances. La haine durcit encore le visage de Rachel. Depuis leur arrivée à l'hôpital, elle avait pris dix ans. Les os de sa figure semblaient pousser sous la peau, masque d'ivoire et de mort émergeant sous la tendre chair de la jeunesse.

— L'important n'est pas ce qui est peint mais ce qui ne l'est pas. Jamais vous ne découvrirez notre secret.

Ce fut au tour d'Ivana de sourire : pour elle, c'était cuit, aucun doute. Mais Niémans saurait déchiffrer leurs putains de magouilles. Il leur arracherait la vérité comme on arrache le scalp d'un crâne.

Elle tenta un baroud d'honneur en forme d'appel à la raison :

— L'important est de démasquer l'assassin, celui qui élimine vos frères, fit-elle d'une voix plus calme. Vous avez besoin de la police pour ça. Nous poursuivons le même combat.

— Nous n'avons besoin de personne. Nous trouverons le tueur, crois-moi. Mais chaque chose en son temps, nous devons d'abord finir les vendanges et préparer le Jour des cendres.

Ivana était à court d'arguments. Sa pensée fondait sous la lumière, alors que la panique s'insinuait dans son esprit.

Rachel plongea la main dans son tablier.

— Tu ne m'as pas demandé qui étaient les infirmières qui s'occupent de nos enfants. C'est nous-mêmes, ma belle, à tour de rôle. Nous avons tous suivi une formation médicale.

Elle tenait maintenant une seringue dont l'aiguille disparaissait dans le miroitement des plafonniers.

Ivana essaya de crier quelque chose mais les mots restèrent bloqués dans sa gorge.

— Nous semons, nous moissonnons. Nous savons aussi détruire.

— Qu'est-ce que c'est ? parvint-elle à demander.

Rachel appuya sur le piston et fit perler une étincelle dans la réverbération.

— « Tout homme qui sera rebelle à ton ordre, et qui n'obéira pas à tout ce que tu lui commanderas, sera puni de mort », dit la Bible.

— QU'EST-CE QUE C'EST ?

Une goutte de lumière glissa le long de l'aiguille, avant que celle-ci pénètre l'artère carotide commune d'Ivana.

III

LE FEU

60

À Notre-Dame de Brason, Niémans avait manqué Kosynski, déjà parti à Colmar pour participer à une réunion du Diocèse. Il avait repris le volant et était encore arrivé trop tard : le meeting terminé, le curé avait rejoint Gérardmer, où un baptême l'attendait à l'église Saint-Barthélemy.

Niémans avait filé là-bas. Il aurait pu appeler le prêtre, lui envoyer les photos du cadavre de Jakob, mais il voulait voir sa tête quand il découvrirait les lettres scarifiées sur la poitrine du Messager. Parfois, une expression est plus éloquente qu'une longue explication…

À Saint-Barthélemy, le baptême avait déjà commencé. Pas moyen de l'interrompre. Niémans s'était glissé entre les bancs, paroissien discret et recueilli.

L'église était impressionnante. Une succession de neuf arcs en béton évoquait un tunnel sous une montagne. Au fond, un immense calvaire de cuivre rouge exhibait un Christ stylisé. Niémans éprouvait un malaise. La décoration des églises lui avait toujours foutu le bourdon, mais quand cette esthétique se mêlait d'être moderne, c'était pire encore.

En fait, il se concentrait sur l'architecture pour ne pas réfléchir. Ni à l'enquête ni à Ivana. En route, il avait tout de même pris le temps d'appeler Desnos pour lui demander d'envoyer un cruchot à la mairie. Il voulait la généalogie complète des Émissaires. Savoir qui était qui, qui épousait qui, et qui était l'enfant de qui… Même si les anabaptistes truquaient leur état civil, il en ressortirait bien quelque chose.

Il l'avait aussi chargée de vérifier le versant Sécu des loustics. Il les imaginait mal une carte Vitale à la main, mais les soins prodigués par les hôpitaux laissaient toujours des traces administratives.

La génétique. L'inceste. Les maladies. Tout cela possédait une secrète cohérence, mais pas moyen de la saisir…

Jacques Lacan disait que Sigmund Freud n'avait pas découvert un continent inconnu mais le système qui permettait de comprendre son langage. Il n'était pas Christophe Colomb. Il était Champollion.

Niémans se sentait dans la même position face aux indices de l'affaire. Rien ne servait d'analyser un de ces éléments en solo. Comme les hiéroglyphes, ils ne prenaient leur signification qu'à côté des autres, ordonnés à leur juste place. Mais pour l'heure, Niémans n'avait pas trouvé sa pierre de Rosette.

— Commandant ?

Il sursauta. L'église était vide et Kosynski se tenait devant lui, en chasuble verte brodée d'or. Absorbé dans ses pensées, il n'avait rien remarqué.

— Qu'est-ce que vous faites là ?

Le flic se leva. Tout chiffonné, il se sentait comme un clodo endormi au fond de la nef.

— J'ai quelque chose à vous montrer.

— J'ai entendu à la radio qu'il y avait un nouveau mort ?

Niémans sortit son portable et chercha ses images.

— Non, intervint le prêtre. Pas ici. Cet espace est sacré et j'ai un autre baptême dans la foulée.

— Je n'en ai pas pour longtemps.

Kosynski lança un regard vers le portail qui déversait déjà sa nouvelle fournée de visiteurs endimanchés, puis il s'engagea dans l'allée et marcha en direction de l'autel.

— Suivez-moi.

Ils prirent sur la droite et Kosynski poussa Niémans dans un isoloir de bois noir. Niémans n'était pas assis – disons plutôt encastré – dans sa loge que le prêtre, de l'autre côté du réduit, ouvrait le treillis qui les séparait.

— Montrez-moi ça.

Niémans hésita – il n'avait pas pénétré dans un confessionnal depuis au moins quarante ans. Mais l'espace était tout indiqué pour leur entrevue.

— Dépêchez-vous.

Le flic tendit son écran à travers la lucarne. La première photo affichait le corps de Jakob allongé sur le dos tel qu'il l'avait découvert avec Ivana. On distinguait nettement les lettres MLK sur sa poitrine.

Le premier réflexe du prêtre fut de retrousser ses babines en une grimace de dégoût, révélant des gencives rose Malabar.

— Seigneur, c'est Jakob ?

— Est-ce que ces initiales vous disent quelque chose ?

— Bien sûr.

— Comment ça, bien sûr ?

Il avait posé la question au flan et, contre toute attente, ça mordait. Kosynski recula dans la pénombre, provoquant un grincement lugubre. Le confessionnal sentait le bois, l'humidité, l'encaustique.

— Ces initiales correspondent à la racine ouest-sémitique qui signifie « régner, être roi », expliqua l'homme d'Église. Sans les voyelles ni le contexte, on ne peut pas en dire beaucoup plus, mais a priori, ces lettres peuvent évoquer « le roi », en hébreu « *melek* », et désigner aussi une divinité.

— Laquelle ?

— Aucune idée.

— C'est tout ce que vous pouvez me dire ?

— Mais… oui.

— Quelle connexion établiriez-vous avec les fresques que je vous ai montrées hier ?

— Je ne sais pas précisément. Je vous le répète, ces initiales peuvent être une allusion à un épisode de l'Ancien Testament.

— Un de ceux qui ont été peints sur les voûtes ?

— Non. Pas vraiment… Je ne suis pas un spécialiste des langues sémitiques.

— Vous pouvez vous renseigner ?

— Heu… oui, bien sûr.

Kosynski s'essuya le front. Il faisait froid dans ce cagibi mais il semblait avoir une bouffée de chaleur. Il ne ferait aucune recherche, Niémans le savait. Ou bien alors ce serait pour prévenir sa hiérarchie, certainement pas les flics.

Ce fut le prêtre qui réattaqua – seule la lumière du portable les éclairait par en dessous :

— Que se passe-t-il dans notre vallée ? Vous avez des pistes ?

Niémans ne répondit pas. Il avait la sensation confuse que Kosynski disait la vérité. Il ne savait pas de quoi il retournait mais ces trois lettres réveillaient chez lui de vieilles terreurs. Un fléau lié à l'Ancien Testament ? Une colère de Dieu ? « *Das Biest* », comme disait Ivana ?

Soudain, Niémans fut pris de pitié pour Kosynski. Après tout, aucune raison d'embringuer ce prêtre dans son cauchemar. Aperghis allait arriver et lui encaisserait le choc.

D'abord, parce qu'il était familier de l'enfer.

Ensuite, parce qu'il était redevable à Niémans.

— C'est bon, mon père, je vous appellerai.

Il attrapa son téléphone et quitta l'isoloir avec soulagement. Il avait l'impression de s'extraire d'une de ces cages grillagées qu'utilisaient les « gueules noires » pour descendre au fond de la mine.

61

À seize heures, sur la route de Brason, où en était-on côté lumière ?

Au fil de la journée, elle était directement passée d'une aube laborieuse à un crépuscule résigné. À présent, le jour s'affaissait lentement, comme dans ces péplums où les dégâts des séismes sont filmés au ralenti, pour faire plus « lourd ».

La brume, qui n'avait rien lâché durant toutes ces heures, s'élevait plus encore, couleur de limaille. La route et les champs alentour donnaient l'impression qu'on ponçait quelque part une terre d'acier, produisant des copeaux bleuâtres et magnétiques.

Niémans conduisait comme il le faisait toujours, pied sur l'accélérateur, frôlant la sortie de route à chaque virage. Il jouissait de cette vitesse pour deux raisons. D'abord, parce qu'il aimait aller vite. Ensuite, parce qu'il avait la sensation physique, en dépassant les limitations de vitesse, en brûlant les stops et les feux, en violant à peu près toutes les règles de la sécurité routière, d'être du côté de la vie comme il l'entendait, lui. Il gerbait sur cette époque qui ne ressemblait plus qu'à un long principe de précaution.

Que gagnait-on à ne jamais rien miser ? Niémans n'avait qu'un seul adversaire : l'ennui.

Il ruminait ces conneries machos, quand Desnos, qu'il était passé chercher, demanda :

— Vous pouvez aller un peu moins vite, s'il vous plaît ?

Il leva le pied de la pédale d'accélérateur comme un étrangleur desserre les doigts sur le cou de sa victime.

Il devait l'admettre, la perspective de revoir cet abruti de Zimmermann et d'être confronté à nouveau à son incompétence ajoutait à la tension ambiante. Il espérait que cette fois, le médecin relèverait ses manches et ferait le boulot en profondeur.

Le portable de Desnos sonna. Au moins six fois avant qu'elle réponde, empêtrée qu'elle était entre son anorak, sa ceinture, son calibre et sa torche.

S'ensuivit une conversation ponctuée de « mmm-mmm » et de « ok » sibyllins. Pas moyen de savoir de quoi il retournait.

— Qu'est-ce qui se passe ? demanda Niémans quand elle eut raccroché.

— C'était le collègue qui étudie la généalogie des Émissaires.

— Eh bien ?

— Rien. Selon l'employé de mairie, ils font l'objet d'un dossier d'état civil à part, et ce dossier lui-même ne veut pas dire grand-chose. Ils déclarent ce qu'ils veulent et la plupart portent le même nom.

Niémans s'attendait à cette réponse mais il espérait une faille, une faiblesse dans le système des anabaptistes.

— Pourtant, sur une fiche d'état civil, les noms des parents sont notés, c'est la loi. Par ailleurs, il y a le dossier médical qui…

— Vous ne comprenez pas, tout se passe à l'intérieur du Diocèse. Les femmes y accouchent sans intervention médicale, comme il y a deux mille ans. Il n'y a pas de suivi, pas d'échographies, rien.

— Et la Sécu ?

— Pareil. Officiellement, aucun d'entre eux n'a jamais été soigné. Ils n'ont jamais été remboursés du moindre euro ni n'ont reçu aucune prescription.

— Impossible. Ils ont sans doute des cancers et des accidents cardiaques, comme tout le monde. Par ailleurs, du fait de leur consanguinité, ils sont atteints de maladies héréditaires récessives.

— Si c'est le cas, répondit la gendarme, ils ont leurs propres médecins. On arrive…

Toujours pas un rat sur le parking. Ils se garèrent et sortirent. Le nettoyage à sec continuait. Des flambées de vent glacé s'abattaient sur le sol, effaçant les flaques d'eau comme des tapis qu'on roule…

Face à ces bourrasques, les bâtiments de l'hôpital tenaient bon. Dans l'obscurité, les blocs de brique avaient l'air peints avec du sang caillé. Pas une fenêtre n'était allumée.

Ils marchèrent vers le portail, face au vent. L'anorak de Desnos se gonflait comme une voile de kitesurf, le manteau noir de Niémans claquait comme un drapeau de pirate. Ils faisaient vraiment la paire.

Une fois à l'intérieur, ils rejoignirent le patio et ses galeries ouvertes. Le lieu oscillait toujours entre une piscine désaffectée des années 30 et un Palais de Tokyo miniature. Ils longèrent la galerie de gauche jusqu'à une porte close, comme la première fois. Desnos la poussa et ils découvrirent un escalier qui descendait.

— C'est au sous-sol, dit-elle.

— Comment tu le sais ?

— Zimmermann m'a expliqué. La morgue est en bas de l'escalier.

Ils trouvèrent un commutateur et plongèrent. Le boulot de légiste est plutôt silencieux mais ce soir-là, on battait des records de néant. En bas, ils empruntèrent une allée de béton avec, en guise de fresque, des tuyauteries et des câbles suspendus au plafond. Ils croisèrent des bacs de poubelle, des chariots abandonnés. Dans un endroit pareil, on ne pouvait plus s'occuper que des morts.

Au bout du couloir, de la lumière filtrait sous une porte. Desnos frappa. Pas de réponse. Niémans tourna la poignée.

Quand ils pénétrèrent dans la pièce, ils ne comprirent pas tout de suite. En tout cas, lui, flic aguerri par plus de trente ans d'expérience criminelle, ne comprit pas. Alors Desnos…

Au fond d'une salle entièrement carrelée de blanc, des lampes scialytiques étaient allumées plein pot, comme de monstrueux yeux de mouche.

En dessous, deux tables d'examen.

Sur ces tables, deux cadavres.

Le premier leur était presque familier : Jakob, aisément reconnaissable, masse nue et blanche bordée de rouge – barbe, chevelure, poils pubiens.

Le second leur était aussi connu : Zimmermann, habillé, mais avec sa blouse blanche et sa chemise ouvertes sur sa poitrine ruisselante de sang.

Pas besoin d'être tombé de l'arbre de la connaissance pour deviner ce qui y était écrit.

Les enquêteurs s'approchèrent en silence, sans même songer à dégainer leurs calibres. Bizarrement, ils ne semblaient ni effrayés ni même surpris. Plutôt emportés par un courant de cauchemar auquel ils n'opposaient plus de résistance.

— Le tueur a le sens de l'ordre, murmura Desnos.

En effet, dans cette morgue déserte, les deux macchabées alignés sur leurs tables d'inox, éclairés par ces lampes blafardes, ça vous avait des airs de cérémonie ésotérique, ou encore d'installation d'art contemporain.

Pourtant, Niémans rétorqua :

— Je dirais plutôt le sens de l'humour.

62

C’est la première salve qui la réveilla. Disons la première vague…

Paupières entrouvertes, elle vit d’abord sa propre image en version chromée, déformée et obscène. Toujours vêtue de son costume traditionnel, elle était recroquevillée sur le sol, pieds et poings liés avec du gaffeur argenté, un adhésif collé sur la bouche. Pas du tout dans l’esprit artisanal des Émissaires.

Elle se trouvait dans une citerne en inox, un genre de château d’eau circulaire, qui la cernait de toutes parts avec son mur miroitant à la fois trop proche et sans limite. Sans doute une des cuves du chai du Diocèse.

Elle ignorait ce que les salopards lui avaient injecté, mais elle sentait une violente nausée et un goût amer au fond de la gorge. Son esprit n’alignait pas deux idées cohérentes. La migraine surtout tuait dans l’œuf tout effort de réflexion.

Elle tenta tout de même d’analyser la situation. La citerne devait faire deux ou trois mètres de diamètre et elle était parfaitement étanche. Allait-elle crever asphyxiée ? Elle se tourna légèrement vers le sommet pour en évaluer la hauteur – au moins dix mètres. Quelle était la capacité d'un tel conteneur ? Dix mille litres ? Cinquante mille litres ? Et d'abord, des litres de quoi ? En tout cas, elle avait encore de la marge pour l'oxygène…

Ce qu'elle ne comprenait pas, c'était la lumière – d'où provenait-elle ? Avec effort, elle parvint à distinguer une lucarne qui, tout en haut, était ouverte. À l'évidence, la salle des cuves était restée allumée, car le rai qui filtrait suffisait à éclairer l'intérieur de la citerne tout entière.

Soudain, une nouvelle giclée vint lui fouetter les flancs. Elle baissa les yeux. Un jet brun, mousseux, aux reflets mordorés, pénétrait dans la cuve. Allons, Ivana, un petit effort d'imagination. Les raisins pressés se déversaient là, par l'orifice d'une pompe dont elle percevait le rythme saccadé du moteur.

Ses pensées furent balayées par la panique. Le jet était désormais continu. La récolte de la journée était en train de couler sur son corps ligoté.

Ce qui était encore quelques minutes auparavant des flaques trépidantes devenait des mares boueuses se rejoignant comme des nappes au retour de la marée, montant à l'assaut de son corps prisonnier du gaffeur. Le jus – on appelait ça le « moût », elle s'en souvenait – l'enveloppait, l'écume jaunâtre s'insinuant dans les plis de ses vêtements.

Réfléchis, nom de Dieu. Elle en avait maintenant entre les genoux, dans le creux du cou, à hauteur de poitrine… Elle se tenait en chien de fusil, de profil, et commençait à se demander si c'était la meilleure position. Si elle se plaçait sur le dos, peut-être pourrait-elle…

Elle se prit une giclée gluante dans le visage.

C'était à mourir de rire. Elle allait crever noyée dans du jus de raisin, elle qui n'avait jamais aimé le vin.

63

— T'as des enfants ?

Ils étaient assis dans la galerie ouverte du patio, sur les marches qui menaient au bassin, attendant les renforts. Pas question de toucher à quoi que ce soit en bas ni de rester auprès des cadavres. Ils avaient surtout besoin d'air frais.

Desnos ne répondit pas tout de suite. La question résonnait dans la longue cavité tapissée de céramique.

— Oui, deux. Pourquoi ?

— Pour rien. T'as une photo ?

La gendarme était de plus en plus désorientée.

— Heu… oui, finit-elle par murmurer.

Elle se leva et fouilla dans sa parka. Debout face à lui, elle lui parut soudain colossale. Dans ce décor géométrique des années 30, il songea à l'Athéna en bronze de la porte Dorée, une déesse sans ornements ni fioritures.

Enfin, elle lui tendit son portable.

Rien de moins intéressant que les enfants des autres. Pourtant, Niémans s'attarda sur ces mioches qu'il distinguait à peine. En contemplant ces images, il se félicitait de ne pas être monté au créneau avec cette collègue – et de ne pas s'être fourvoyé dans une drague stérile, comme le font tous les hommes dès qu'ils voient une paire de seins, opposant l'instinct immédiat, primitif et viscéral, à la construction d'une vie.

— Et vous ? s'enhardit Desnos, quand il lui eut rendu le téléphone.

— Moi ? Ni femme ni enfants.

Il attendit quelques secondes pour ajouter – sans doute l'effet du décor et surtout des deux cadavres sous leurs pieds :

— Je suis seul. Seul avec mon boulot.

— Et vos souvenirs.

— Même pas. La mémoire, à mon âge, c'est pas toujours un atout.

Desnos fourra les mains dans ses poches. Le froid les clouait aussi solidement au sol que les colonnes dans le parvis.

— Y a tout de même la petite rousse. C'est bien plus qu'une adjointe, non ?

Il acquiesça, col relevé, embué jusqu'au nez.

— Son grade n'est pas répertorié chez les fonctionnaires.

Desnos sourit avec une spontanéité touchante. Elle semblait à la fois émue et satisfaite : elle avait percé l'armure du flic parisien.

Une pause s'étira encore – les partenaires auraient pu se croire sur une planète inconnue, dont la population avait été décimée par un virus et dont il ne restait que cette architecture faite de blocs et de vide, de brique et de faïence…

— Qu'est-ce que vous en pensez ?

La question de Desnos le fit sursauter.

— De quoi ?

Elle ne répondit pas. Allusion claire aux deux macchabées du sous-sol.

— J'en pense que je me suis trompé de A à Z sur Zimmermann. Je l'ai pris pour un con, mais le seul con ici, c'est moi. Il était complice des Émissaires.

— Mais encore ?

— La première fois, il n'a pas trouvé la pierre parce qu'il ne voulait pas la trouver. Les Émissaires espéraient sans doute qu'il n'y aurait qu'un seul meurtre et qu'ils pourraient brouiller le message du tueur.

— Quel message ?

— MLK et le charbon de bois.

Des hiéroglyphes, et toujours pas de pierre de Rosette… Il assembla, à voix haute, les morceaux qu'il pouvait tout de même recoller :

— La première fois qu'on l'a rencontré, Zimmermann faisait ses valises. En fait, il prenait la fuite. Il avait compris le message, comme les autres à mon avis.

— Pourquoi n'est-il pas parti alors ?

— Il n'en a pas eu le temps. Il voulait d'abord effacer ses propres traces. Les dossiers médicaux des Émissaires. C'est lui qui les soignait, ici même, dans ce dispensaire à moitié abandonné. Les anabaptistes devaient le payer au black et basta. Voilà pourquoi la Sécu n'a jamais été au courant de rien.

Desnos revint se planter face à Niémans. Sa stature, sa silhouette pleine et noire, lui rappelait toujours une statue démesurée.

— Et pour Jakob, il aurait fait comment ?

— Il aurait parlé. D'abord, parce qu'il n'avait plus le choix. Ensuite, parce qu'il était le prochain de la liste.

— Mais… pourquoi le tueur s'acharne sur ces gens ?

Niémans se leva. En parlant, sa construction mentale prenait forme et elle lui semblait plus solide qu'il ne l'aurait cru.

— Il se venge. Samuel, Jakob et Zimmermann ont fait quelque chose de terrible et l'assassin les a châtiés. Quand nous aurons trouvé la nature de leur faute, nous aurons le nom du meurtrier.

— La liste des coupables, je veux dire chez les Émissaires, vous pensez qu'elle est longue ?

— Aucun moyen de le savoir, mais je suis persuadé que la fresque peut nous aider à démêler ce merdier.

— Vraiment, vous faites une fixation. Je ne vois pas…

— Un spécialiste va arriver. Je place tous mes espoirs en lui.

— Le mec que vous avez envoyé chercher ?

— Exactement.

— Mon gars l'a récupéré. Il paraît qu'il est, comment dire… spécial.

Niémans sourit, à couvert de la nuit.

— On peut dire ça, oui.

Il songea à Ivana. Il n'avait pas réussi à la joindre pour l'informer du troisième meurtre. Dix-sept heures avaient à peine sonné. Il la retrouverait dans deux heures à Saint-Ambroise. Cette fois, pas de discussion. Il la ramènerait au bercail, dût-il l'enfermer dans le coffre de la Mégane.

— Vous avez remarqué les blessures sur la poitrine de Zimmermann ?

— Eh bien ?

— Elles ont la même particularité que celles de Jakob.

Vingt-quatre heures plus tôt, Niémans l'aurait rabrouée mais il mesurait maintenant ses compétences. Surtout, il avait appris à la connaître : si elle osait parler, c'est qu'elle avait quelque chose de concret à dire.

— Les traits sur la chair sont doubles. Il n'y a pas une entaille, mais deux, resserrées. Pour moi, ça a été fait par un sécateur mal fermé ou dont les pointes ne sont plus symétriques.

— Chercher un sécateur chez les Émissaires, c'est ça ta piste ?

— Non. Les Émissaires en ont des milliers et d'ailleurs, aucun n'est attribué à quelqu'un en particulier. Mais c'est peut-être une pièce de plus du puzzle. Le tueur nous désigne les vendanges. Un élément à ajouter aux initiales, au charbon de bois et à la fresque.

Niémans posa ses mains sur ses épaules et lui sourit.

— On est sur la même longueur d'onde, toi et moi.

Il n'eut pas le temps de poursuivre. Les renforts arrivaient. Les sirènes ululaient dans la nuit. Un mélange de gémissements lugubres et d'indifférence hautaine.

Lorsqu'il vit encore une fois la maxime des cruchots sur les portières, il se dit que ça tournait au running gag.

64

— Où est-il ? demanda Niémans en arrivant au poste de gendarmerie.

— On l'a installé dans le bureau du premier, expliqua le gendarme qui avait accompagné Éric Aperghis jusqu'au poste. Dites donc, c'est un phénomène. Vous saviez qu'il marche pieds nus ? Et l'odeur…

Niémans aurait pu en raconter bien d'autres à son sujet, et des bien plus salées, mais il se contenta d'acquiescer et s'engouffra dans la cage d'escalier. Il avait laissé Desnos sur la scène de crime : elle commençait à prendre le coup de main.

L'oblat attendait, tranquille, assis sur sa chaise. Pas de café ni de verre d'eau. Il n'avait même pas retiré son manteau – enfin, sa pelure. Fidèle à lui-même, il ressemblait à un anachorète de l'Antiquité planqué au sommet d'une montagne, aussi dur au mal que les serpents et les scorpions qui l'entourent.

Il n'avait pas changé. Maigre à compter les os, gris comme une serpillière qui n'aurait pas vu l'eau depuis des lustres, ongles noirs, mains noueuses, barbe raidie de crasse… Il avait tout du clodo, sauf que la noblesse de ses traits le plaçait au premier coup d'œil dans le camp des ermites, des ascètes, des mystiques éthérés.

L'équilibre des sourcils, l'harmonie des yeux, l'élégance du nez et de la bouche, tout était là, mais fracassé par la drogue, les sevrages, les jeûnes, les macérations, les extases... On appréciait sa beauté comme on admire un site antique en ruine.

En réalité, la majeure partie de son visage était cachée. Le front était absorbé par une toque de fourrure noire rappelant le schtreimel des juifs orthodoxes. Le bas était gagné jusqu'aux pommettes par une barbe évoquant les lianes cendrées de la forêt d'Angkor.

— Ça va, Éric ?

— Ça va.

— T'as fait bonne route ?

— Dans une voiture de gendarme.

Niémans sourit et lui serra la main. Ses phalanges osseuses étaient décorées de bagues qui semblaient toutes provenir des déserts d'Orient ou des comptoirs d'Asie.

— Pourquoi m'as-tu appelé ? Pour toi, j'ai brisé mon vœu de silence.

— J'ai brisé aussi pas mal de serments pour sauver tes miches.

— Je t'écoute.

Sans préambule ni avertissement, Niémans balança toute l'histoire. Les meurtres. Les signes. Les Émissaires. Il parla vite, très vite. Il savait que la vie solitaire d'Éric, alias Antoine, n'avait en rien affecté sa vivacité d'esprit.

— T'es toujours dans des histoires compliquées, conclut le visiteur.

Niémans n'avait pas l'impression que l'existence du reclus, survivant d'un nombre incalculable d'overdoses, de mortifications et de pèlerinages sans chaussures, ait été un modèle de simplicité, mais passons.

— Les Émissaires constituent un groupe religieux très intéressant, commença-t-il.

Quatre assassinats en moins d'une semaine, c'était du pas banal, en effet. Mais Antoine parlait d'autre chose. Une somme d'informations connues quasiment de lui seul allaient déferler. L'anachorète était, pour ainsi dire, dans le secret de Dieu. En matière de religions et de textes sacrés, aucune bibliothèque ni aucun ordinateur n'auraient pu produire la synthèse qu'il était capable de fournir en quelques secondes.

— Beaucoup de groupes religieux travaillent au salut de leur âme. Ils avancent sur les traces de Dieu en menant une existence irréprochable.

— C'est ce que font les Émissaires.

— Pas seulement. Ils considèrent aussi que leur chair a été sauvée.

— Je ne comprends pas.

— On pense qu'ils se font appeler les « Émissaires » parce que leur rigorisme a valeur d'exemple. Pourtant, c'est le versant mineur de leur mission. Ils sont des Émissaires au sens physique du terme. Leur message est leur corps.

— Essaie d'être plus clair.

— Au XVIe siècle, le baptême les a transformés, physiquement. La grâce de Dieu a été comme une irradiation. Ils ont été sauvés et ils ont hérité d'un devoir : développer une lignée pure et nouvelle. Une sorte de *reboot* de l'Adam du Pentateuque.

Le flic se concentrait – Antoine n'était pas du genre à se répéter.

— Ils ont décidé de se reproduire au sens propre. De devenir, au fil des générations, une seule et même créature. Des clones, si tu veux.

— Ils pratiquent l'inceste pour reproduire toujours le même ADN ?

— Exactement. La technique est bien connue chez les éleveurs. Quand on veut développer une qualité au sein d'une lignée de chevaux par exemple, le meilleur moyen est encore de faire se reproduire la jument avec son poulain.

— Ce genre d'unions engendre des malformations et des maladies.

— Oui, mais ceux qui restent ont un ADN purifié.

— L'inceste est interdit par la loi.

— Par votre loi. Les Émissaires s'en moquent. D'ailleurs, personne ne sait qui est qui chez eux. Leur véritable état civil est secret et leurs ADN sont devenus si proches que l'inceste est leur mode naturel de reproduction.

Il fallait mettre la main sur cette généalogie secrète. Un arbre difforme dont les branches revenaient sur elles-mêmes, se nouaient les unes aux autres. Là était le mobile de l'assassin, il en était certain.

— Comment tu sais tout ça ?

— Il suffit de s'y connaître un peu. Ces informations sont accessibles. Un personnage du siècle dernier a systématisé tout ça.

— Otto Lanz ?

Le nom avait fusé sans même qu'il y réfléchisse.

— Un homme qui a été leur messie mais aussi leur démon. Il les a encouragés à rapprocher encore leurs unions. L'inceste est devenu la règle universelle.

En une seule conversation avec ce clochard céleste, Niémans en avait plus appris sur les Messagers que depuis son arrivée à Brason. Il aurait dû commencer par là.

Mais il fallait revenir aux faits concrets :

— Ces relations consanguines ont forcément produit des maladies héréditaires récessives, des malformations. Que sais-tu là-dessus ?

— Rien. Ils sont très discrets à ce sujet.

— Nous pensons avoir identifié le médecin qui les soigne.

— Je te fais confiance.

— Ce toubib est la dernière victime du tueur.

Il avait l'espoir d'ébranler son interlocuteur en lui rappelant la nature criminelle de l'histoire. Autant vouloir secouer le mont des Oliviers.

— Les meurtres sont liés à ces maladies génétiques, insista le flic.

— Dans quel sens ?

— On cherche, et tu peux m'aider.

— Je ne suis ni flic ni médecin. Dis-moi plutôt ce que tu attends précisément de moi.

— Est-ce que les initiales MLK t'évoquent quelque chose ?

Antoine livra un discours assez semblable à celui de Kosynski. Des histoires de racine ouest-sémitique. Des consonnes qui signifiaient « roi, être roi », mais qui nécessitaient une vocalisation pour en préciser davantage le sens.

— Le mieux, conclut l'ermite, serait d'avoir le contexte de la citation.

— Et le charbon de bois ? relança Niémans, déçu.

— Je ne vois pas de quoi tu parles.

Niémans s'aperçut que, dans sa précipitation, il avait omis ce détail.

— Est-il question de charbon de bois dans la Bible ?

— Le charbon peut être une punition de Dieu.

— C'est-à-dire ?

— Dans le Livre des Psaumes, il est écrit : « L'Éternel sonde le juste ; il hait le méchant et celui qui se plaît à la violence. / Il fait pleuvoir sur les méchants des charbons, du feu et du soufre… »

— C'est tout ?

— C'est tout.

— Ce n'est pas un matériau qui a une importance symbolique quelconque ?

— Non plus.

— Y a-t-il un passage dans la Bible qui fait référence à une pierre dans la bouche ?

— Non.

Niémans se décida alors à sortir ses photos de macchabées.

— Que peux-tu m'en dire ?

Antoine avait un maintien particulier. Une manière de tenir la tête légèrement en arrière, une façon de vous surplomber au naturel. Un prince du dénuement, de l'errance, de la prière.

Les restes broyés de Samuel. Le torse scarifié de Jakob. Les cadavres alignés de l'Émissaire et du légiste dans la morgue de Brason. Tout ça n'avait pas l'air de l'impressionner beaucoup. Il feuilletait les images d'une main souple, les doigts déliés, ses bagues cognant la table à chaque mouvement.

— Je te répète que je ne suis ni flic ni médecin, qu'est-ce que tu veux ?

Niémans ouvrit la seconde chemise, celle des clichés des voûtes de Saint-Ambroise.

D'abord, les fresques apparentes.

— De banales illustrations de scènes du Nouveau Testament, commenta Antoine. Je dirais du XVIIIe siècle. Aucun intérêt.

Puis les œuvres cachées.

Alors, se passa un petit miracle. Quand Lehmann avait découvert ces visages de damnés, il avait accusé le coup. Niémans lui-même et Desnos se les étaient pris en pleine poire. Mais Antoine ne semblait ni choqué ni surpris. Plutôt ravi. Ces images extatiques lui plaisaient. Et même, lui allaient comme un gant. Il semblait ici en terrain connu.

— Des radiographies ?

— Sous les images visibles, oui.

— Alors, celles du XVIIIe siècle sont fausses.

— Comment tu le sais ?

— Parce que ces peintures sont d'Otto Lanz.

Niémans sourit. Il avait décidément bien fait d'extraire l'anachorète de sa conque de silence.

— Tu les avais déjà vues ?

— Non. Mais je connais le reste de son œuvre.

On pouvait donc contempler des peintures d'Otto Lanz quelque part. Niémans n'avait pas assez approfondi ses recherches et il était trop tard. De toute façon, il avait maintenant sous la main ce puits de science. Un puits d'eau limpide au milieu du désert.

— Il a imité ici le style du bas Moyen Âge, poursuivit l'oblat. Pourtant, les corps, les visages sont caractéristiques de son œuvre. Aucun doute.

Niémans posa les mains à plat sur les clichés.

— Je crois que Lanz a dissimulé un message sous ces fresques. Je pense que ce secret est le mobile des meurtres, ou du moins qu'il peut nous aider à comprendre les motivations du tueur. Je veux que tu déchiffres le sens caché de ces scènes.

Antoine s'empara des clichés et les remit en ordre dans la chemise.

— Ce bureau ferme-t-il à clé ? Je ne veux pas être dérangé.

65

Il regarda encore une fois sa montre : dix-neuf heures vingt, et toujours pas d'Ivana. Il se dit qu'elle avait peut-être dû rester plus longtemps dans les vignes. Il se dit qu'elle avait été embringuée dans un pot de fin de vendanges. Il se dit qu'elle était auprès de Rachel, à la consoler et à essayer de lui tirer les vers du nez.

Il se dit tout, sauf le plus probable : elle avait été démasquée et emprisonnée. Voire pire. Il jura dans la nuit de glace, tournant en rond sur le seuil de Saint-Ambroise.

Bon Dieu. S'il lui arrivait quelque chose, il ne se le pardonnerait jamais. L'avoir laissée repartir dans ce nid de cinglés, avec quatre cadavres au compteur, ce n'était même pas une faute professionnelle, c'était un délire.

Pour la forme, il appela encore son portable. Pas de réponse. Les deux fois où il avait essayé de la joindre, il l'avait regretté. En admettant qu'Ivana soit aux mains des Émissaires, les salopards devaient voir son propre numéro s'afficher. Peut-être même avaient-ils les moyens de l'identifier.

Il raccrocha en frissonnant. Ce coin était décidément sinistre. Les TPS et les gendarmes avaient abandonné l'église comme des pilleurs de tombes laissent un sanctuaire profané.

Par superstition, il se refusait à regagner sa voiture pour se réchauffer. Cela aurait été comme entériner le fait qu'Ivana ne viendrait pas. Cela aurait été la lâcher dans la nuit et la mort.

Il souleva le ruban de non-franchissement et pénétra dans la chapelle. Il n'y trouva aucun réconfort. Au contraire. Un bloc de terreur au repos, qui ne demandait qu'à se réveiller.

Soudain, son portable vibra et Niémans sursauta comme si une vipère venait de jaillir d'entre les gravats.

Ce n'était que Desnos.

— On a retrouvé votre corps, attaqua-t-elle sans préambule.

— Quel corps ?

— Votre mec, là, Marcel. Le type dont vous a parlé votre agente infiltrée.

Ce terme lui fit mal : Ivana n'avait jamais été une agente. Et infiltrée, elle ne l'avait sans doute jamais été non plus.

— Où ?

— En aval du Lauchenbachrunz, c'est un ruisseau qui…

— Je connais.

— Ah ?

— Tu es là-bas ?

— Je suis en route. Je vous envoie les coordonnées GPS ?

— Je te dis que je connais.

— Où êtes-vous ?

— À la chapelle. J'arrive.

Il courut à sa voiture. Cette découverte, c'était une trappe qui s'ouvrait sous ses pieds. Il existait donc bien un cadavre aux phalanges coupées et aux gencives meurtries, étranglé avec ses viscères. Ce qui induisait qu'Ivana se trouvait prise au piège dans une société de tueurs fanatiques, eux-mêmes terrifiés par le retour de la « bête ». *Das Biest*.

L'urgence était de la récupérer fissa avant que ces malades ne lui règlent son compte. En même temps, il hésitait encore. Passer en force cette nuit, c'était ruiner toutes leurs chances, celles d'Ivana comprises, de découvrir la vérité.

Il opta pour un ultime sursis – rejoindre la zone de découverte en espérant qu'Ivana donne d'ici là de ses nouvelles…

Il connaissait le Lauchenbachrunz, une des rivières qui partent du lac de la Lauch, à plus de 1 200 mètres d'altitude. Les Émissaires avaient planqué le corps de leur victime là-haut, à près de trente bornes du Domaine, dans l'espoir que la neige recouvre la dépouille jusqu'au printemps prochain.

Il longea les vignes à toute blinde puis prit la D 430 à travers la vallée de Guebwiller pour grimper jusqu'au domaine skiable du Markstein. Autour de lui, les sapins formaient deux murailles inextricables. Les premières neiges marquaient ces flancs noirs, comme nacrés sous la lune.

Les virages montaient toujours. De temps à autre, Niémans lançait un coup d'œil à la vitre passager qui lui renvoyait son propre reflet, pâle, spectral, lacéré par les taches bleuâtres de la neige. Les arbres s'en mêlaient aussi, lui passant sur les traits comme des coups de pinceau féroces.

La foi des Émissaires allait les perdre. Ils auraient mieux fait de planquer le cadavre sur leurs terres, personne n'aurait pu le découvrir. Mais cette dépouille était un sacrilège. Une charogne de Mondain…

Niémans n'était pas certain de la cohérence de ses pensées mais à mesure que le désastre s'approfondissait, il se sentait chez lui. *La mort et la violence à tous les étages, mon petit père, et toujours le même aller simple pour l'enfer.*

Enfin, le paysage noir et blanc céda la place à des éclairs bleu glacé. Flashs familiers qu'il avait vus frapper des immeubles haussmanniens, des entrepôts délabrés, des quais désertés, des forêts lugubres… Les gyros des cruchots hachuraient la départementale et lui volaient à chaque éclat un peu plus de matérialité.

Des hommes sécurisaient le périmètre, empaquetant les sapins de rubalise comme des asperges géantes. Ces gars-là se souviendraient longtemps de ce mois de novembre.

Niémans se gara le long de la route, cinquante mètres en amont du dispositif, et dut montrer son badge – il y avait ici pas mal de nouvelles têtes. Il s'insinua parmi les arbres et descendit vers la rivière. La forêt était secouée de convulsions. Le vent toujours. Et aussi le grondement du torrent qui montait comme une onde sismique.

Sur la rive, Desnos l'attendait, entourée de gendarmes et de croque-morts qui n'avaient touché à rien.

Scène superbe. Après le bleu frappé des gyrophares, on revenait ici à la vraie nature des ténèbres, couleur cul de bouteille, se propageant entre les roches et les arbres comme une encre mystérieuse, lourde, lente, veloutée.

Le cadavre faisait la planche, pressé contre la rive par le courant, entre les touffes d'herbe et les galets moussus. Alors que sa tête était coincée dans une cavité rocheuse, le reste du corps ne cessait d'onduler dans les remous, avec en prime les entrailles se déployant au fil de l'eau.

Niémans considéra le visage déjà gonflé par des heures d'immersion. Les Émissaires l'avaient sans doute planqué plus haut, sur le coteau, mais il avait glissé jusqu'à la flotte. Il s'agenouilla et saisit ses mains à travers les vaguelettes glacées : plus de phalanges. D'un geste, il retroussa ses lèvres : plus de dents.

Il se releva et lança un regard circulaire sur la rivière. D'autres gendarmes fouillaient déjà les alentours. Il songea à la méthode escargot de Desnos mais ce n'était plus le moment de déconner.

Il s'écarta du groupe et fit quelques pas, se tordant les pieds entre les roches. Ivana. Il n'éprouvait pas beaucoup d'empathie pour Marcel qu'il n'avait pas connu mais il se sentait défaillir à l'idée de sa petite Slave à la merci de telles ordures. Allait-on la retrouver elle aussi dans la rivière ?

Des cailloux roulèrent dans son dos et atterrirent dans l'eau : Desnos s'était approchée. Au fond de son cerveau, le martyre de Marcel explosait. Une grange chauffée par une ampoule. Des Émissaires, sérieux comme des papes, à jouer de la tenaille et du sécateur…

— T'as fait venir combien d'escouades ?

— Trois. Si on en veut plus, faut en parler à Schnitzler.

— Tu prends tout le monde et on fonce chez les Émissaires.

— Dans quel but ?

— Retrouver Ivana.

— Qui ?

— Mon adjointe. Elle a disparu.

— Mais… et Marcel ?

— On s'en branle de Marcel ! Priorité aux vivants. On t'a pas appris ça à l'école des gendarmes ?

66

Ivana aurait cru que la cuve se remplirait plus vite. Ou bien c'était sa perception du temps qui s'était modifiée.

En tout cas, elle était toujours vivante. Elle avait réussi à défaire ses liens – pas une grande victoire – et s'était mise debout afin de retarder la noyade. Elle s'était effondrée plusieurs fois, la drogue des Émissaires jouant les effets retard. Des endormissements de quelques secondes, ou quelques minutes, suffisamment prolongés pour qu'elle se réveille avec du moût dans la bouche.

Maintenant, elle en avait jusqu'à la taille. Ses deux jambes saisies par le froid, elle sombrait encore mais, aussitôt réveillée, se redressait en s'appuyant sur la paroi.

Par fatigue, ou par désespoir, elle n'avait même plus la force de s'affoler. À la fois stoïque et fataliste, elle essayait tout de même, vaguement, de réfléchir à un moyen de s'en sortir. La sauce continuait à monter, monter, scandée toujours par le rythme obsédant de la pompe, de l'autre côté de la paroi…

Bien sûr, elle avait cherché une trappe, une issue à sa portée. Elle n'avait rien trouvé, à l'exception de l'orifice de la vanne, aux contours solidement vissés, et de la lucarne, tout en haut, inaccessible.

Quand elle se sentit soulevée par les mètres cubes, elle imagina enfin une solution, toute simple. Elle devait nager, ou du moins flotter, jusqu'à ce que le niveau atteigne le sommet et lui permette de se glisser par l'ouverture.

Mais le moût était si épais – plutôt une boue dorée – qu'elle peinait à effectuer des mouvements de brasse. À ce rythme, elle allait s'épuiser et couler à pic…

La planche. Elle devait faire la planche…

Ses cours de physique-chimie de première lui revinrent en mémoire : « Dans l'eau douce, l'homme ne flotte pas car il est plus lourd que son volume dans ce liquide, mais dans l'eau salée de la mer, il devient moins lourd que son volume… »

Plusieurs fois, elle essaya d'extraire ses membres inférieurs afin de se maintenir allongée à la surface. Chaque fois, elle s'enfonça plus encore. Les raisins pressés lui suçaient les hanches, l'aspiraient…

C'était foutu… Pourtant, dans un ultime mouvement (très lent, très précautionneux), elle réussit à se placer à l'oblique et cette fois, aucun doute : elle se mit à flotter. Encore un effort et elle fut tout à fait à l'horizontale, les bras en croix.

Les minutes passèrent. Ne plus bouger, se faire légère, position étoile de mer… Elle ferma les yeux et se prit à espérer : à ce rythme, dans une dizaine de minutes, elle parviendrait en haut de la cuve et pourrait attraper les bords de la lucarne. Ce n'était pas gagné. À la moindre crispation, elle s'enfonçait à nouveau. Elle devait alors déployer des prodiges de volonté pour se détendre, s'amollir, amadouer cette densité instable qui l'élevait…

Sa pensée lui paraissait elle aussi s'écouler de son crâne à la manière d'une hémorragie, par la bouche, le nez, les oreilles. Pas moyen de retenir la moindre idée… C'était presque agréable, en tout cas enivrant. Elle renouait là avec les sensations de la drogue. Cette soudaine apesanteur de l'être…

Ça montait toujours.

Dans moins d'une minute, elle n'aurait plus qu'à tendre le bras pour attraper la bordure de la trappe. Elle se hisserait et sortirait de ce piège mortel.

Mais alors, tout s'arrêta.

La pompe cessa de vibrer, le niveau du moût s'immobilisa.

Stupéfaite, Ivana demeura les yeux rivés à l'ouverture qui semblait soudain hors de portée. Les Émissaires ne remplissaient pas entièrement leur cuve. Ils ménageaient un espace vide d'environ un mètre entre le plafond et la vendange. Sans doute au nom de quelque phénomène physique qu'elle ignorait.

Sans réfléchir, elle se redressa et essaya de se rehausser. Tout ce qu'elle réussit à faire, ce fut de s'enfoncer jusqu'au cou. Toussant, éructant, elle parvint à flotter à nouveau, battant des bras dans un effort désespéré. Elle dessinait des plis amples dans le liquide, elle tournait dans cette épaisseur glacée, sans parvenir à se redresser de plus de quelques centimètres.

Elle tenta de s'extraire encore dans une contorsion, mais ce fut pour mieux retomber. Elle refusait de couler. Submergée jusqu'aux lèvres, elle se cambra encore, se tordit, s'agita pour revenir à la surface et essayer à nouveau. Elle voulut hurler mais le moût s'engouffra dans sa bouche.

Pédalant dans le liquide, s'appuyant sur la paroi d'inox, elle se dressait, se tordait, se contorsionnait… Rien n'y faisait : elle retombait toujours. La noyade était là, souveraine, irréversible…

La trappe s'éloignait…

Non : dans une ultime cambrure, celle du désespoir, elle parvint à accrocher d'une main le rebord. En hurlant, elle arracha son autre bras du moût et agrippa à pleines mains l'ouverture.

Elle était sauvée.

67

Niémans fonçait dans la nuit en direction du poste.

Ses ordres : fouille du Diocèse et interrogatoire de tous les Émissaires, recherche approfondie d'Ivana, photos à l'appui, auprès des saisonniers et du moindre péquin qui passait par là. On n'en était plus à jouer aux cachotteries. Une OPJ avait disparu, la retrouver était la priorité absolue. Chacun devait se creuser les méninges à propos de la petite rousse. Il était preneur de la moindre info, même anodine.

Retourner le Domaine, secouer ces blaireaux en costume du dimanche et leurs apprentis vendangeurs en les menaçant de garde à vue ou d'inculpation. Lâcher les chiens parmi les vignobles, vider les chais, sonder la moindre grappe. Sortir du lit chaque habitant du Domaine, enfants et vieillards inclus. Que chacun comprenne que le temps de la mascarade était fini et que les Émissaires n'avaient plus le moindre droit sur leurs terres. Quant à leur grand cru 2018, ils pouvaient se le foutre au c…

En réalité, tout ça, c'était de la gueule. Pour mener une opération de cette envergure, délai de flagrance ou pas, il fallait la bénédiction du procureur. Or, justement, Schnitzler avait fait le voyage. Niémans tomba sur lui en arrivant au poste de gendarmerie.

Ils s'enfermèrent dans le bureau de Desnos et Niémans dut faire le point – ou plutôt les comptes : trois cadavres en une journée, qui dit mieux ? Dans la foulée, le flic essaya d'expliquer qu'il existait deux fronts d'assassins, le tueur au charbon de bois et les autres.

— Les autres ?

— Les Émissaires eux-mêmes.

— Pourquoi auraient-ils tué le saisonnier ?

Niémans botta en touche, renonçant à évoquer encore une fois le « grand secret » de la Communauté (dont il n'avait d'ailleurs pas la moindre idée). Pas plus qu'il n'osa parler de l'anachorète du premier étage censé lui livrer la clé de l'énigme.

Le gros morceau, c'était l'infiltration d'Ivana Bogdanovic, trente-deux ans, lieutenant de police à l'expérience toute relative. Une fliquette qui venait de disparaître dans la gueule du loup…

— Comment t'as pu me faire un coup pareil ? hurla Schnitzler.

— Compte tenu de la situation, c'était la meilleure méthode.

— Infiltrer une collègue sans m'en parler ? Sans en parler à personne ? T'as fumé ou quoi ?

— C'est le principe même de l'infiltration, tempéra Niémans. Le secret de…

Schnitzler se leva, révélant un costume froissé et taché. Très mauvais signe : dans la tourmente, le procureur avait oublié son dress code.

— Non, mon vieux. T'as perdu les usages en vieillissant. On peut pas faire un coup pareil sans l'aval de sa hiérarchie.

— Quand tu m'as appelé, on n'était même pas sûrs qu'il y ait un meurtre. Et il ne restait plus que quelques jours de vendanges. Si je t'en avais parlé, il aurait fallu suivre la voie de la paperasse et perdre encore du temps.

— Résultat, ton adjointe a disparu.

— Elle a pas disparu, s'insurgea Niémans. Elle est pas venue à notre rendez-vous.

— Et tu peux pas la joindre ?

— Elle ne répond pas. Mais ça ne veut rien dire non plus, les portables sont interdits dans l'enceinte du Domaine.

Schnitzler se rassit et se prit la tête entre les mains.

— J'hallucine…

Niémans en eut soudain marre : il perdait son temps ici, à rendre des comptes comme un caporal pris en faute.

— Tu confirmes mes ordres ou non ? demanda-t-il brutalement.

— On a le choix ?

— Il faut retrouver Ivana.

Le procureur eut un geste désabusé qui signifiait « Démerde-toi… ».

Puis il parut se réveiller et se redressa d'un coup sur son siège.

— Et l'enquête ? Je te rappelle qu'à la base, il s'agit de quatre homicides. Pas d'une disparition inquiétante.

— Je tiens le bon bout, bluffa Niémans.

— Quel bout ?

— Laisse-moi jusqu'à l'aube.

Schnitzler hocha mollement la tête, vaincu. Sa bonne pomme de bellâtre semblait près de rouler dans la corbeille à papier.

— Je donne une conférence de presse demain matin…, dit-il dans un murmure. T'as intérêt à me filer du concret d'ici là.

— Tu peux compter sur moi.

Niémans partit sans se retourner ni même claquer la porte.

Parking, froid et argenté comme une plaque de glace.

Le flic avait piqué les clés de la bagnole la plus rapide du poste, une Renault Mégane III RS, appartenant à l'ERI (équipe rapide d'intervention). Un engin de 265 chevaux capable de monter à 100 km/h en 6,3 secondes et d'atteindre 260 km/h. Tout ce qu'il lui fallait pour sillonner le Domaine afin de surveiller les manœuvres de recherche.

La nuit était albinos. Herbe blanche, sapins dépigmentés, tout semblait décoloré, ébloui, affolé par les pleins phares de la Mégane. Niémans ne suivait pas la route, il plongeait dans cette trouée livide qui l'emmenait de l'autre côté de la nuit, là où des escadrons de gendarmes briseraient la fourmilière des Émissaires et leur arracheraient leur prisonnière.

Soudain, il prit conscience d'une altération dans le paysage. Il passa en codes. Le décor reprit sa sombre réalité, matériau épais et noir, puis, lentement, vira au sépia. Les bois, les plaines, les vignes étaient en train de rouiller, de virer à l'ocre. Une mystérieuse corrosion était à l'œuvre, transformant le bronze en cuivre, l'encre en sang…

Niémans roulait sans ralentir. Les branches frémissaient, les troncs brillaient, les ombres tremblaient… Le ciel tirait sur l'or, des rousseurs s'allumaient au pied des vignes. Tout prenait la couleur douce et intime des lampes qu'on fabrique enfant avec des pelures d'orange.

Alors il comprit.

Les feux.

Les Émissaires avaient commencé leur célébration, multipliant les foyers incandescents aux quatre coins des parcelles. Les escarbilles virevoltaient, les sous-bois devenaient des éponges imprégnées d'ambre… Tout le paysage semblait pris sous un dôme de résine mordorée.

Niémans étouffa un juron. Comment les avait-on laissés faire ça ? Quoi qu'il arrive dans ce putain de Domaine, impossible de déroger à la règle. Même si, au passage, ça permettait de faire disparaître des preuves et des indices compromettants.

Par réflexe, il lança un nouveau coup d'œil à la vitre passager : son visage paraissait maintenant disloqué par les étincelles qui souillaient la nuit. Une gueule en verre filé, sur laquelle on lisait la peur et la détresse.

Quand il renoua avec la route, il eut tout juste le temps d'écraser la pédale de frein. Sa Mégane pila et partit en tête-à-queue sur le bitume de campagne.

Une silhouette lui barrait le chemin. Totalement trempée, la femme semblait avoir échappé à la noyade. Engluée dans les plis de sa robe, elle titubait, visage et cheveux ruisselants…

Niémans alluma les pleins phares et regarda mieux. Combien de temps pour admettre un tel miracle ?

En tout cas, ce ne furent ni ses yeux ni son cerveau qui analysèrent le prodige, mais son cœur, son instinct ou une autre forme de perception dont il ignorait le nom.

La créature qui chancelait sur la route, comme rejetée par des flots de cauchemar, n'était autre qu'Ivana.

68

Ils avaient les noms, les actes, les circonstances aggravantes. Pourtant, Ivana ne voulait pas arrêter Rachel et sa bande – et elle avait raison. C'était le meilleur moyen de stopper l'enquête et de ne jamais identifier l'assassin qui menaçait les Émissaires. Tout ce qu'ils obtiendraient, ce serait un mea culpa pour la tentative d'homicide sur la personne d'Ivana Bogdanovic et – peut-être – des aveux pour le meurtre de Marcel le saisonnier.

Et on en resterait là.

L'exécuteur de Samuel, de Jakob et de Zimmermann disparaîtrait dans la nature, sans que Niémans et Ivana aient pu percer son mobile.

Un meurtrier s'en prenait à des fanatiques qui ne craignaient pas en retour d'utiliser la violence. Dans ce monochrome noir, les flics étaient tombés d'accord : la priorité était de découvrir leur secret, qu'il soit caché dans la fresque, dans le passé de la secte ou dans les magouilles d'un médecin marron.

Maintenant, la jeune Slave prenait sa douche et Niémans réfléchissait. Pas à l'enquête : à elle.

Il avait failli la perdre et il avait renoué, sans même en prendre conscience, avec le néant. Cette fameuse mort qu'il avait connue déjà et qui l'avait tué dans le lit d'une rivière, à Guernon.

Il y avait deux façons de voir les choses.

Ivana était sa protégée. Il l'avait sauvée une première fois, quand elle avait tué son ordure de mec, pour l'empêcher d'injecter un shoot d'héroïne à leur propre fils âgé de quatre ans. Il l'avait sauvée une deuxième fois en la sevrant puis en la forçant à passer son bac avant de l'envoyer à Cannes-Écluse, l'école des officiers de police. Enfin, il l'avait arrachée à l'ennui qui la rongeait au commissariat de Versailles en lui proposant de rejoindre sa brigade, l'Office central contre les crimes de sang.

Ça, c'était l'endroit.

Mais il y avait l'envers.

En agissant ainsi, Niémans s'était sauvé lui-même. Revenu de l'enfer – celui des criminels, mais aussi le sien propre, intime, interdit, marqué par autant de violence que celle qu'il prétendait bannir –, il avait trouvé en Ivana sa voie, sa raison de vivre. C'était elle, en surgissant dans son existence, qui l'avait sorti du puits. C'était elle qui lui avait redonné naissance.

Assis dans le couloir du poste, il sourit pour lui-même, attendri par le ruissellement de la douche derrière la porte des vestiaires. Il imaginait sa protégée, petite statue de marbre à la Degas, effacer les souillures du raisin et retrouver sa blancheur d'origine. Il était heureux.

Il l'avait désormais près de lui et ils allaient monter ensemble au front. Le danger avait changé de camp et c'étaient eux, maintenant, qui allaient « terroriser les terroristes », comme disait ce bon vieux Pasqua. Un flic sur le retour, au calibre leste, et une jeune poulette nourrie au grain.

— Je suis prête.

Il leva les yeux et la découvrit, vêtue des fringues qu'on lui avait dégotées au poste. Des frusques oubliées, ou réquisitionnées, peut-être même celles d'une suicidée quelconque. Veste de survêtement rouge barrée aux épaules par trois bandes blanches comme le pantalon de jogging noir. Pompes de sport aérodynamiques usées jusqu'aux coutures. L'ensemble était (à peu près) à sa taille de moineau et collait avec son visage aigu, aux joues allumées par la douche brûlante.

— On y va ? s'impatienta-t-elle en attrapant le holster qu'il lui tendait.

Elle glissa dans l'étui le Sig Sauer SP 2022 que Niémans était allé lui chercher, prenant soin auparavant de faire monter une balle dans le canon – il espérait qu'elle avait tout de même laissé la sécurité sur l'arme.

À la contempler ainsi, il éprouva un pincement de trouille. Elle ressemblait à une grenade dégoupillée, prête à exploser. On lui avait tué son pote. On l'avait noyée sous des tonnes de raisin. Et, d'une manière plus intime, on lui avait menti, on l'avait trahie, on avait bafoué ce qu'elle s'était prise à espérer chez les pingouins : un peu de paix pour son âme tourmentée. Maintenant, c'était une pure pulsion de vengeance qui la tenait debout.

Niémans n'avait pas la moindre idée de la suite des opérations mais n'osait pas le lui avouer. Il était minuit, ils étaient au fond du trou – un cratère de volcan où tout était en train de brûler. Ils avaient quatre cadavres sur les bras, une gamine fanatique à la tête d'un escadron de la mort, un tueur qui se vengeait des Émissaires, lui-même activement recherché par ceux qu'il menaçait. Et tout ça se passait sans eux, pour ainsi dire sous leur nez.

Il s'apprêtait à expliquer ce topo à la petite furie quand Desnos lui sauva la mise en l'appelant :

— Je suis à la mairie de Brason.

Il ne se souvenait même plus quels ordres il lui avait donnés.

— Qu'est-ce que tu fous là-bas ?

— Je suis la trace de Zimmermann.

— Tu cherches son contrat de mariage ?

— Je crois que j'ai découvert la vérité.

— C'est-à-dire ?

— Venez. Je veux vous montrer. Ça sera plus simple.

69

La mairie n'était qu'à deux pas mais ils prirent tout de même la voiture : Ivana tenait à peine debout. Elle n'avait eu ni un gémissement ni un mot de plainte concernant le supplice de la cuve, mais, visiblement, son corps ne suivait plus.

Dans les rues de Brason, la nuit avait un goût de brûlé et les cendres voletaient partout. Au-dessus des toits, la rougeur du ciel ne laissait aucun doute : les foyers se consumaient en nombre sur les coteaux de la vallée.

Niémans conduisait lentement et écoutait Ivana qui, d'une voix atone, racontait ses dernières heures. Elle lui parla surtout d'un étrange hôpital au sein du Diocèse, où étaient soignés les enfants anormaux de la Communauté, et selon elle, il y en avait pas mal.

Le flic écoutait attentivement. Splendide confirmation de ses hypothèses – et aussi des explications d'Antoine. En couchant entre eux, les Émissaires développaient une espèce de race pure mais aussi des générations d'enfants malades et difformes. Qui soignait tout ce petit monde ? Patrick Zimmermann, bien sûr, même si Ivana n'avait jamais entendu ce nom chez les adeptes de l'inceste.

Les archives de la mairie de Brason n'offraient aucune surprise. Du moins côté déco.

Toujours la même salle en sous-sol tapissée de placo et de plafonniers poussifs. Des rangées d'étagères ployant sous des milliers de dossiers bourrés ras la gueule. Petite originalité, tous n'avaient pas la même couleur. Visiblement, on avait pris ce qu'on avait sous la main au fil des ans : un rouge, un bleu, un vert, toutes les couleurs y passaient, et dans le désordre s'il vous plaît.

Même dans cet univers de papier, l'odeur de feu rôdait comme une menace.

Niémans et Ivana remontèrent les allées – le gardien leur avait laissé les clés, pressé d'aller se recoucher. Stéphane Desnos se tenait à l'autre bout de la salle, dans un coin occupé seulement par une longue table. Debout entre des piles de dossiers, elle semblait sélectionner des feuillets.

Ça faisait un moment qu'il ne l'avait pas vue à la lumière et son extrême rougeur le frappa. La gendarme semblait avoir avalé une torche électrique. Sans doute l'effet du froid, du stress – ou l'excitation d'avoir débusqué un élément important.

En quelques mots, Niémans fit les présentations. Il s'attendait à un duel d'amazones, il avait tort. En un seul regard, les femmes se comprirent et scellèrent leur accord sur fond de solidarité (il fallait se le farcir, lui, le vieux bouc tondu).

Niémans ne put s'empêcher de noter le contraste, non pas entre les deux femmes, mais entre eux et

Desnos. Elle avait ôté sa veste et s'agitait dans son gros pull bleu. En face, Niémans et Ivana ressemblaient à deux chiens galeux. Lui, couvert de scories, Ivana, vêtue comme une capuchon des cités, avec une veste et un pantalon dépareillés.

— Qu'est-ce que t'as trouvé ?

Desnos s'écarta et désigna les documents alignés sur la table.

— Regardez par vous-même.

— J'ai pas le temps pour les devinettes.

La capitaine soupira.

— Ce sont des certificats de décès, tous signés par Patrick Zimmermann.

— Et alors ? demanda Niémans en s'approchant.

— Pour la plupart, il s'agit d'enfants qui n'ont pas dépassé leur treizième année. Des enfants de la Communauté.

Ivana fut plus rapide que Niémans, saisissant un des feuillets.

— Sans doute les gamins dont je vous ai parlé.

Desnos les interrogea du regard et, d'un signe, Niémans ordonna à son adjointe de s'expliquer. En quelques mots, Ivana raconta sa visite à l'hôpital secret du Diocèse et résuma le problème des maladies récessives.

Niémans feuilletait les certificats à son tour : une série de patronymes allemands, à réveiller les Walkyries.

— Si ces enfants étaient malades, commenta-t-il, il n'y a rien d'étonnant à ce qu'ils n'aient pas vécu longtemps. Ça confirme aussi que Zimmermann était leur « médecin de famille ».

— Sans doute. Mais regardez les dates des décès.

À la cinquième fiche, il avait compris.

— Ils surviennent toujours au mois de novembre, commenta Desnos. Zimmermann ne soignait pas seulement ces enfants, il les euthanasiait.

Niémans considéra la gendarme, qui virait à la Mater dolorosa. Des larmes coulaient de ses yeux et formaient des perles sur son pull. Elle ne semblait pas y faire attention. Elle brûlait sur place, tout simplement.

Les Émissaires se débarrassaient donc de leurs déchets. Tout en poursuivant l'affinement génétique de leur race, ils supprimaient les mauvaises branches, les résidus de leurs unions consanguines.

Pourquoi ne pas les tuer à la naissance ? Les femmes accouchaient au Diocèse. Aucune autorité légale n'était présente pour surveiller leur « élevage ». Dans ce contexte, il aurait été facile de trouver un gars serviable pour se charger du sale boulot. Un salopard dans le style de Patrick Zimmermann…

Mais non, ils attendaient que les enfants grandissent et mûrissent. De plus, ils prenaient le risque de les éliminer toujours à la même date. Pourquoi ?

Niémans déglutit – pas moyen. Son cerveau était un désert peuplé seulement d'insectes et d'arachnides vénéneux.

— C'est à cause des vendanges, intervint Ivana.

Frêle et déterminée, elle avait l'air d'avoir repris du poil de la bête. Comme lui, c'était dans l'horreur qu'elle était la plus forte.

— À la fin de la moisson, expliqua-t-elle, ils éliminent les mauvaises grappes, les raisins inutiles. Ils font la même chose avec leur progéniture. Ils coupent les sarments anormaux et stériles, afin de repartir pour une nouvelle saison, plus pure, plus affinée. Le meilleur cru des Émissaires, ce sont leurs enfants.

Ivana venait de frapper dans le mille – mais comme toujours, pas l'ombre d'une preuve. Se lancer dans ce genre d'accusations, c'était se planter à coup sûr. Des enfants qui mouraient chaque année à la même époque ? Les Émissaires trouveraient une explication, avec comme caution un médecin mort, à qui on pouvait faire dire n'importe quoi.

Niémans se sentait encore une fois dans la position d'un moteur qui tousse, et qui cale. Chaque fois qu'un élément important surgissait, que la mécanique repartait, tout s'arrêtait aussitôt, faute de carburant ou d'énergie.

Pourtant, dans ce marasme, ils se rapprochaient du tueur.

On tuait ici des enfants.

Et ça, c'était un sacré mobile.

À l'évidence, des parents ne voulaient plus jouer le jeu de l'eugénisme et avaient décidé d'éliminer les artisans du mal.

À cet instant, le portable de Desnos sonna. Elle décrocha et garda le silence. Son visage écarlate ne trahissait aucune expression. Au bout de quelques secondes, elle tendit le combiné à Niémans.

— C'est pour vous.

— Pour moi ?

Il ne mit qu'un millième de seconde à reconnaître la voix :

— J'ai trouvé le code que tu cherchais, dit Aperghis.

— C'est-à-dire ?

— Ce que cachent les fresques.

70

— Les Émissaires n'aiment pas les représentations. Ils sont contre les images. Dieu est indicible. Dieu est invisible.

Ivana considérait l'homme qui parlait à Niémans en les ignorant royalement, elle et Desnos. Encore un putain de misogyne déguisé en moine, à moins que ça ne soit l'inverse. Elle n'était même pas sûre qu'il appartienne à un ordre quelconque, avec son chapeau de fourrure et sa barbe de sadhu.

— Ces histoires de fresques ne collent donc pas avec leur culte. Pas du tout. Alors, je me suis tourné vers la seule chose qui les intéresse : l'invisible.

Le dénommé Éric Aperghis, qu'on appelait aussi Antoine, semblait laisser parler sa voix, sans effort ni humeur. Ivana ne pouvait détacher ses yeux de ses mains. Ses ongles étaient aussi noirs que le cul d'un four. En même temps, ses bagues à chaque doigt évoquaient l'étal d'un marché à Goa.

— Ce qui est important ici, ce n'est pas ce qu'Otto Lanz a peint, mais ce qu'il n'a pas peint…

Il avait disposé devant lui quatre photographies en croix, en laissant un large espace au milieu.

— Je me suis attaché aux images cachées de la voûte effondrée. C'est celle qui t'intéresse en priorité, si j'ai bien compris.

— Exactement, dit Niémans, histoire de signifier qu'il était tout ouïe.

— Lanz a caché une première fois son secret sous de fausses peintures, puis il l'a dissimulé une seconde fois au sein même de sa fresque initiale.

— Explique-toi.

— Les quatre motifs représentent des scènes extraites de la Genèse, le premier livre de l'Ancien Testament. Pourquoi s'en tenir à ce corpus ? ne pas évoquer le Livre de Job ou représenter des scènes du Nouveau Testament ? Il y avait là un premier message. Ou du moins, le premier élément d'un système.

Il pointa son index crochu sur le haut de la croix.

— On reconnaît ici le chapitre 2 de la Genèse : Adam et Ève.

Ivana pouvait sentir l'impatience, presque hostile, de Niémans. Il envoyait des putains d'ondes négatives à travers toute la pièce. Pour l'instant, l'ascète ne leur apprenait rien.

— À gauche de la croix, Lanz a représenté la tour de Babel, soit le chapitre 11 de la Genèse.

Personne ne prit la peine de considérer la photo.

— En face, reprit l'homme poussière, c'est le chapitre 27 du Livre : l'histoire de la rivalité de Jacob et de son frère. Enfin, en bas, la mort de Rachel, racontée dans le chapitre 35.

— C'est tout ce que t'as trouvé ? explosa soudain Niémans. Des trucs qu'on sait depuis le départ ?

— Attends un peu.

Il passa à nouveau les doigts sur les radiographies, à la manière d'un tireur de cartes de tarot.

— Le choix des épisodes n'est pas logique. Certaines de ces scènes, comme la mort de Rachel, ne sont pratiquement jamais représentées dans les églises. Et je ne connais pas d'autre exemple au monde où ces quatre tableaux soient rassemblés sur le même mur ou la même voûte.

— Et alors ?

— Le message est ailleurs. Le message est dans les chiffres.

— Les chiffres ?

Ivana frissonna. Ce Père Noël calcifié avait trouvé. Les mots de Rachel : « L'important n'est pas ce qui est peint, mais ce qui ne l'est pas. Jamais vous ne découvrirez notre secret. »

— Le chapitre 3 de la Genèse, puis le 11, puis le 27 et enfin le 35. Ces épisodes ont été tirés tous les huit chapitres.

— Le chiffre 8 signifie quelque chose ?

— Rien du tout.

— Éric, passe la seconde, putain.

L'oblat leva le bras en signe d'apaisement. Il ressemblait à un sablier dont les grains de sable s'écoulent en douceur par le goulot.

— Écoute-moi bien, ordonna-t-il. Je te répète que les scènes en question ont été choisies tous les huit chapitres en partant de l'origine de l'homme. Or, un gamin pourrait le remarquer, entre la deuxième et la troisième image, l'intervalle n'est pas de huit chapitres mais de seize.

— Donc ?

— Il manque un chapitre. Une étape qui fait partie du système mais qu'Otto Lanz n'a pas représentée.

— DONC ?

Antoine planta son index dans l'espace vide au milieu de la croix.

— L'image manquante, au centre de la fresque, correspond au chapitre 19 de la Genèse.

— Qu'est-ce que ça raconte ?

— La destruction de Sodome et Gomorrhe.

— Quel lien pourrait-il y avoir avec les Émissaires ?

— Cette partie de l'histoire, aucun, mais il y a la suite…

Niémans se pencha, les paumes plaquées sur la table – Ivana connaissait ce geste : en général, c'était pour éviter d'en coller une au suspect.

— Accouche, putain de Dieu !

Sans qu'aucun signe le laisse présager, Antoine se leva brusquement et s'immobilisa, tête baissée, les mains sur la poitrine, en signe de prière.

— La suite, c'est l'histoire de Loth.

On était reparti pour un épisode entier de l'Ancien Testament.

— Loth, poursuivit-il, était le neveu d'Abraham. Il vivait à Sodome avec sa femme. Un jour, il offre l'hospitalité à deux anges envoyés par Dieu. Le soir, les habitants de la ville viennent voir les visiteurs, sans doute pour les violer. Loth s'interpose et propose même ses deux filles en échange. Les hommes insistent et Dieu les frappe de cécité. Il prévient Loth qu'il va faire pleuvoir sur Sodome, et aussi sur Gomorrhe, la ville voisine, le feu et le soufre. Loth a juste le temps de s'enfuir avec ses filles et sa femme. Malheureusement, celle-ci se retourne pour contempler la ville en feu et elle est changée en statue de sel…

Antoine arpentait maintenant la pièce, brandissant l'index à la manière d'un imprécateur.

— Il ne fallait surtout pas regarder en arrière, vers les péchés de Sodome, vers le châtiment de Dieu… Tout cela était désormais l'affaire du Seigneur.

Niémans fit un pas vers lui, sans doute pour le secouer par le col.

— Sois patient, Niémans, reprit-il calmement. Loth se réfugie alors avec ses deux filles dans une grotte. Une nuit, inquiètes de ne pas trouver d'hommes dans cette région désertique et de ne pas avoir de descendance, elles enivrent leur père et parviennent à s'unir à lui. De ces liaisons incestueuses vont naître deux peuples, les Moabites et les Ammonites.

Niémans frappa du poing sur la table. Ivana et Desnos sursautèrent.

— En quoi tout ça peut nous intéresser ?

Antoine esquissa un sourire.

— Des peuples nés de l'inceste, ça ne te rappelle rien ?

Niémans se planta devant l'ascète.

— On sait que les Émissaires pratiquent l'inceste, et depuis des siècles encore. C'est dégueulasse, c'est immonde, c'est tout ce que tu veux, mais c'est trop vieux pour être le mobile des meurtres, tu piges ?

— Laisse-moi finir. Loth est pour eux une sorte de modèle. Plus précisément, je pense que les Émissaires s'identifient à un des deux peuples nés de ses filles : les Ammonites. En tout cas, c'est l'exemple qu'Otto Lanz a voulu leur désigner à travers cette fresque… non peinte.

— Pourquoi eux en particulier ?

— Parce qu'ils vénéraient un dieu spécifique, Moloch, et qu'en hébreu, le nom de ce dieu s'écrit MLK.

Ivana tressaillit : ils y étaient. Ils y étaient vraiment.

— Moloch, demanda Niémans, celui à qui on sacrifiait des enfants ?

— Exactement.

Ivana eut un éclair :

— La Bible précise de quelle manière on les sacrifiait ?

— Par le feu.

71

Sur le parking du poste, Niémans donna ses consignes. Mobiliser en urgence toutes les casernes de pompiers. Celles de Brason, de Guebwiller, de Colmar. Éteindre les feux et sonder chaque brasier pour trouver les corps et sauver ceux qui pouvaient l'être encore. Puis foutre au trou tous ces salopards jusqu'à ce que la mort les efface.

Dans l'odeur de fumée qui gagnait en densité, les gendarmes se regardaient, incrédules. Mais l'heure n'était plus aux explications. La pluie de cendre qui leur tombait dessus était là pour le leur rappeler.

Alors que chacun courait pour rejoindre véhicules et fourgons, Ivana attrapa Niémans par le bras.

— Il m'est revenu un truc tout à l'heure.

— Quoi ?

— Ce soir, j'ai vu les Émissaires porter des sacs de charbon de bois à travers champs pour nourrir les foyers. C'est la signification du fragment dans la bouche. Un indice laissé par le tueur pour qu'on découvre la nature du sacrifice.

— Tu pouvais pas te réveiller avant ?

Elle lui répondit avec un sourire de fantôme :

— Excusez-moi, Niémans, j'ai encore du jus de raisin dans le cerveau.

Il prit le temps de la considérer, et ce fut comme un coup d'œil dans un miroir. Ils en avaient vu dans leur putain de vie de flic, et lui plus encore qu'elle, mais leur seuil de tolérance était dépassé.

— Viens. On prend la Mégane.

— Non.

— Quoi encore ?

Les cendres tournoyaient toujours autour d'eux.

— J'ai une autre idée. Laissez-moi faire.

Niémans ouvrit la bouche mais il avala une volée de scories. Au fond de sa gorge, le goût amer du carbone imbrûlé le fit hésiter à dire quoi que ce soit. Le visage d'Ivana, en quelques secondes, s'était couvert de noir, modèle mineur de jadis. Il devait être dans le même état.

— Pour qui tu te prends ? réussit-il à demander.

— Je me prends pour une flic qui a failli crever cette nuit. Une flic qui est au cœur du merdier depuis cinq jours et qui s'est fadé ces malades H24. Je me prends pour votre coéquipière, qui a fait son boulot et qui a le droit d'exploiter une piste personnelle.

— Tu fais vraiment chier, grogna-t-il en courant vers la Mégane.

Les cendres avaient enfin recouvert la punchline des gendarmes : « NOTRE ENGAGEMENT… »

Pris de remords, il se retourna pour faire un signe à Ivana, ou lui adresser un simple sourire.

Elle avait disparu.

72

Ivana avait récupéré son téléphone portable. Tout en conduisant d'une main, elle soupesait l'appareil de l'autre en éprouvant la sensation d'avoir retrouvé sa cohérence. Pour l'heure, l'écran lui indiquait la route de l'hôpital en sommeil de Brason.

Desnos lui avait prêté un véhicule. Elle avait aussi répondu brièvement à ses questions. L'idée s'était emparée d'Ivana au fil des révélations d'Antoine : c'était dans l'antre de Patrick Zimmermann que se trouvait le nom de l'assassin des anabaptistes. Ou du moins les éléments qui permettraient de le déduire.

Concentrée sur la route, elle observait les particules grésillantes qui semblaient attirées par ses phares comme des papillons. De toutes parts, le ciel virait au rose, au mauve, au violacé, formant des aurores boréales de cauchemar.

Niémans, avec ses gendarmes et ses pompiers, viendrait à bout de ces feux, elle n'était pas inquiète. Mais cette opération était inutile. Son mentor avait oublié le principal : il n'y aurait pas d'enfants brûlés cette nuit-là. Le meurtrier avait éliminé Samuel, Jakob et Zimmermann pour empêcher leur sacrifice.

Pas trop compliqué d'imaginer le profil du ou des suspects : une famille d'Émissaires qui avait décidé de stopper la spirale meurtrière parce que leur gamin était cette année sur la liste noire. Ces parents avaient agi de la manière la plus radicale qui soit, en supprimant les héritiers directs d'Otto Lanz et en sabordant la cérémonie païenne des cendres.

Au bout de la ville, l'hôpital de Brason apparut. Un groupe de bâtiments bruts de brut. Des blocs qui paraissaient plaqués sur le ciel rouge à la manière de vieilles affiches sanglantes.

Quand elle sortit de sa voiture, elle remarqua que l'odeur d'herbe et de bois brûlés l'avait suivie jusque-là. Des minuscules braises, des insectes de feu, s'agrippaient à ses vêtements et en mordaient la trame. Nerveusement, comme on cherche à se débarrasser de moustiques, Ivana agita les bras et se mit à trottiner jusqu'au porche du bâtiment principal.

Elle traversa un hall aux murs tapissés de céramique beige, sortit de sa poche le plan que Desnos lui avait griffonné et gagna le patio qui, comme la gendarme le lui avait dit, ressemblait à une piscine abandonnée, encadrée d'allées à colonnades.

La galerie de gauche. Elle sillonnait un temple oublié, un site antique dévolu à un dieu païen, abritant un officiant doué de pouvoirs secrets. Otto Lanz avait été le premier de ces gardiens mystérieux. Puis s'étaient succédé des médecins troubles, des sacrificateurs silencieux, jusqu'à Patrick Zimmermann.

Au bout de la galerie, une porte s'ouvrait sur un escalier. Après une hésitation, elle se décida. Les miasmes des feux renoncèrent à la suivre mais, presque aussitôt, une nouvelle odeur l'assaillit : celle du formol, le parfum des morts.

Au fond, une nouvelle porte barrée d'un rubalise. Elle enfila des gants d'examen en nitrile – un autre cadeau de Desnos – et actionna la poignée. Puis elle alluma sa torche et entra.

Une pièce grise et carrelée, tachée d'humidité, fissurée aux encoignures, abritait deux tables d'examen en inox. Une fenêtre de la taille d'une lucarne donnait sur les autodafés du dehors. Une vignette orange, crue comme de la pulpe.

Elle passa son faisceau sur ce lieu sinistre et réalisa qu'elle tremblait comme une breloque. Malgré sa détermination, elle crevait de trouille. Ses jambes flageolaient et elle dut même prendre appui sur une table roulante pour ne pas tomber, faisant tinter des instruments oubliés là. Des outils pour ouvrir les chairs, pour scier les os…

Là, des Émissaires avaient amené en 4 × 4 des enfants innocents, conscients de rien, qui s'amusaient peut-être de ce déplacement. Des sacrifiés qu'on plaçait sur ces tables d'examen et auxquels on injectait un produit létal – ou un anesthésiant. Elle priait de toutes ses forces pour une euthanasie rapide tout en se doutant que la folie des Émissaires les poussait à immoler les enfants vivants.

Envie de vomir. Elle n'enquêtait plus sur un ou plusieurs meurtres mais sur un véritable génocide, l'élimination raisonnée d'une catégorie d'êtres humains.

Elle chercha une porte : pas d'autre issue. Elle retourna dans le couloir et découvrit une voie sur la gauche. Son appréhension monta d'un cran. Que craignait-elle au juste ? Ils étaient tous morts. Du moins le trio des chefs. Quant aux autres, ils devaient en ce moment même nourrir leurs bûchers ou mener une bataille rangée contre pompiers et gendarmes dans les vignes.

Des chaises renversées obstruaient le corridor. Elle les enjamba, croisa des chiottes vétustes, puis une deuxième pièce à gauche qui n'était qu'un débarras et une troisième qui s'ouvrait sur une salle de faïence sans mobilier ni la moindre fenêtre.

Enfin, à droite, une nouvelle porte. Peut-être la bonne, puisqu'elle était verrouillée… Paroi en métal. Aucune chance de l'enfoncer. Surtout qu'avec ces putains de chaises, elle ne disposait d'aucun recul pour prendre son élan. Elle dégaina son calibre et visa la serrure en s'écartant le plus possible du châssis pour éviter tout ricochet.

Une seule balle fit sauter les pênes et la gâche. Dans une odeur de métal cramé, elle poussa la porte et sut qu'elle avait trouvé. Un laboratoire carrelé d'une quarantaine de mètres carrés. Au fond, une ouverture, plus petite encore que dans la salle des morts. La pièce était occupée en son milieu par une paillasse et, sur la gauche, par un petit bureau de bois verni placé à l'oblique.

Derrière ce bureau, une bibliothèque protégée par des portes grillagées. Juste à côté, une vitrine abritant une collection d'instruments de chirurgie des siècles passés : scalpels, pinces, ciseaux…

La partie qui l'intéressait était à droite de la paillasse. Une armoire réfrigérée, comme on en trouve dans les supermarchés, occupait toute la longueur du mur. Sur les étagères, des fioles, des flacons, des bocaux, dont le contenu commençait à pourrir.

Aucun doute, les produits qu'injectait Zimmermann aux petits malades pour les endormir ou les tuer étaient sous ses yeux. C'est ce qu'elle cherchait. Elle espérait découvrir là un indice qui lui révélerait les noms des enfants condamnés cette nuit-là.

Elle s'approcha. Des fœtus, des organes, des tissus fibreux, mais aussi des précipités chimiques qui pouvaient donner la mort. Elle ouvrit les vitres. À cet instant, elle pensa : « La boucle est bouclée. » *Das Biest*. La bête était là, devant elle. Elle n'avait pas un mufle hérissé de dents comme elle l'avait rêvé. Ni le corps couvert de poils soyeux. Elle était beaucoup plus puissante. Elle circulait dans l'esprit des Émissaires et les guidait chaque jour. Elle oblitérait l'évolution de la Communauté.

Enfin, elle trouva. Trois tubes à essai fermés par un bouchon de liège, frappés d'une étiquette comme dans n'importe quel hôpital. On pouvait y lire le nom du médicament, thiopental, sa composition (pentothal R, thiopental R), son dosage, sa date de péremption…

Et en dessous, écrit à la main, un prénom. Les deux premiers ne lui dirent rien, mais le dernier lui sauta au visage : JEAN.

Jean, fils de Rachel et de Jakob, l'enfant inerte qu'elle avait aperçu dans l'unité de soins avant qu'on lui injecte à elle aussi un sédatif.

Rachel était l'assassin.

Elle avait éliminé l'évêque, Samuel, le régisseur, Jakob, et le bourreau, Zimmermann. Celle qui prétendait défendre sa communauté et évoluer dans la plus pure harmonie avait trompé tout le monde. Elle avait joué double jeu avec Ivana, dans la peau d'une fleur des ceps. Elle avait donné le change auprès des Émissaires en faisant mine de chercher le meurtrier. Mais elle poursuivait un tout autre but : sauver son enfant, tout simplement. Et au passage, faire éclater la vérité en laissant des indices désignant le sacrifice annuel.

Ivana revit ce visage tout rond, aux yeux lumineux, qui avait cette curieuse façon de sourire en dodelinant de la tête. C'était elle qui avait fracassé le crâne des salopards, placé un morceau de charbon dans leur bouche, scarifié leur poitrine…

Bientôt, un murmure chatouilla ses oreilles. On priait derrière elle.

Elle se retourna, mais il était trop tard.

73

Elle les reconnut aussitôt. Les deux molosses qui l'avaient déjà surprise à l'hôpital des enfants. Des espèces de Dupond et Dupont à chapeau de paille et large carrure. Se tenant de l'autre côté de la paillasse, ils étaient impeccablement vêtus. L'air recueilli, yeux mi-clos, ils invoquaient à voix basse le Très-Haut. Le jour où ils s'étaient fait baptiser dans la Lauch, ils devaient avoir eu cette expression sereine, extatique.

Dans leurs mains, des outils rustiques destinés à la vigne : serpette et scie égoïne pour l'un, plantoir à poignée latérale et serpe à croc pour l'autre.

Le temps qu'elle lâche sa torche pour attraper son calibre, la serpette s'abattit sur sa main et lui trancha une des veines du dessus. L'onde de douleur l'incisa comme un éclair. Sa lampe roula sur le sol. Dans le rayon, elle vit son sang gicler, se mêlant au nitrile déchiré. Elle essaya malgré tout de saisir son arme mais ses doigts endoloris furent incapables de confirmer la prise. Le Sig Sauer tomba quelque part dans les ténèbres.

Déjà, l'autre détendait son plantoir. Elle se laissa tomber pour parer le coup. Dans son élan, l'homme pénétra jusqu'au coude dans la vitrine. Ivana se recroquevilla sur le sol, se comprimant la main droite pour atténuer l'hémorragie, et se planqua sous la paillasse. La souffrance bondissait à l'intérieur d'elle-même à la manière d'une bille de pachinko.

Sous une pluie de verre et de formol, les galoches des tueurs se précipitèrent autour du comptoir. Ils se penchaient, les salauds, se pliaient en deux pour essayer de l'apercevoir, soufflant comme des veaux. Ivana ne cessait d'aller d'un côté à l'autre, prenant soin de rester hors de portée de la serpe et la scie qui fouillaient l'obscurité.

Elle ramassa un bout de verre et visa une jambe. Le tranchant pénétra le mollet mais lui entama aussi la paume. Sa main droite ressemblait maintenant à un fragment de barbaque sanguinolent emmailloté dans un gant de chirurgien. Oubliant la douleur, elle s'aida de l'autre pour enfoncer le tesson qui péta net contre le tibia de l'assaillant.

Un grognement, un recul. Elle profita de son avantage pour se propulser hors de la paillasse et se mettre debout. Un bref instant, elle chancela, perdant tout sens de l'orientation. Tout ce qu'elle repéra, ce fut sa lampe qui baignait dans une mare puis la silhouette du deuxième homme qui chargeait.

La serpe à croc et le plantoir. Elle se replia derrière le bureau. L'homme tendit les bras. Le plateau n'était pas assez large pour le tenir à distance. Elle le poussa vers son adversaire tout en reculant et se retrouva acculée contre la bibliothèque. L'autre effectuait des moulinets dans les airs, façon film de sabre. Elle vit ses armes luire une fois, deux fois. À la troisième, elle glissa sur un des organes visqueux au sol.

Elle tomba en arrière, arrachant au passage sa veste sur le grillage de l'armoire. Déjà, le barbu contournait le bureau. Elle essaya de se relever, se rata, essaya encore, s'adossant à la vitrine qui jouxtait la bibliothèque. Le verre se brisa. Les instruments anciens de chirurgie dégringolèrent.

La solution.

De la hanche, elle poussa de nouveau le bureau qui atteignit l'agresseur aux cuisses et gagna une seconde de répit. Elle plongea pour attraper un scalpel et leva les yeux : l'homme armait son bras-plantoir. Il n'acheva pas son geste. C'est seulement lorsqu'il recula qu'elle vit les anneaux qui dépassaient des chairs pleines de sang.

Plus rapide, elle lui avait planté une paire de ciseaux dans la gorge.

Tout en se relevant, elle le regarda s'effondrer et, d'un coup de talon, enfonça encore les ciseaux jusqu'à sentir le carrelage sous leur pointe. La bouche du tueur bouillonnait dans la pénombre.

Elle crut, une milliseconde, que tout était fini, qu'elle avait vaincu. Mais une main l'attrapa par les cheveux et la projeta contre les étagères de fioles et de bocaux.

En heurtant la vitrine brisée, elle eut une pensée pour son visage entaillé. Puis elle se retourna et fit face à l'ennemi. Serpette. Scie égoïne. Elle eut le réflexe de se protéger la figure mais son bras ne répondit pas.

Cette fois, c'était la bonne.

Elle ferma les yeux, sans parvenir à former une seule pensée. Une détonation claqua contre les murs de faïence et tout s'arrêta. Elle n'éprouva aucune douleur nouvelle, aucun déchirement dans sa chair.

Elle hésitait à rouvrir les paupières. Petite déjà, elle ne voulait jamais se monter la tête, prendre ses espoirs pour des lanternes, ou une formule de ce genre, qu'elle ne se rappelait pas.

Mais une voix s'éleva dans l'obscurité :

— Tu me prends vraiment pour un con.

74

Niémans rengaina et actionna le commutateur. Ivana gémit en se protégeant les yeux. Penché sur les étagères dévastées, le flic se mit en quête d'une fiole ou d'une bouteille. Il en attrapa une et releva ses lunettes pour lire le libellé de l'étiquette. Il la reposa et en choisit une autre, se livrant au même manège d'apothicaire.

En état de choc, trempée de sang et de formol, Ivana eut cette réflexion bizarre : *Niémans n'est pas vieux, il est myope.*

D'autorité, il la fit asseoir, ôta avec précaution le gant déchiqueté et versa une bonne dose d'antiseptique sur ses deux blessures – la paume et la veine sur le dos de la main. Ivana ne cria même pas : elle n'en avait plus la force.

— Je suis parfois un peu lent mais j'ai fini par piger, murmura Niémans. En éliminant les trois leaders, le tueur a stoppé le système. Cette nuit, les autres Émissaires n'ont pas achevé la cérémonie. D'ailleurs, il y a fort à parier que la plupart n'ont jamais été au courant. Cet eugénisme atroce était le fait seulement de quelques tarés.

Ivana ne trouvait rien à répondre – elle avait eu ce raisonnement une heure plus tôt. Maintenant, c'était l'idée de sa mort, si proche, si évidente quelques secondes auparavant, qui refusait de la quitter.

— Autre chose, continua-t-il en déchirant un des pans de sa chemise pour bricoler un bandage. On a retourné l'unité de soins dont tu m'as parlé. Il ne manquait qu'un môme…

Elle baissa les yeux et eut la surprise de repérer, à côté d'un des cadavres, les tubes à essai étiquetés aux noms des victimes qui avaient survécu à la grande casse.

— Il s'agit de Jean, le gamin de Rachel, reprit-il en enveloppant de tissu la main d'Ivana. J'ai d'abord cru qu'il grillait quelque part, puis je me suis dit qu'elle l'avait enlevé, après avoir tué les trois ordures. Elle a pris la fuite avec lui. Voilà toute l'histoire…

Quand le pansement fut achevé, Ivana le remercia d'un signe de tête et ramassa le tube qui portait le nom de Jean.

— La solution qui lui était destinée ce soir, expliqua-t-elle. Vous vous trompez.

— Quoi, je me trompe ?

— Il faut retrouver mon calibre, chuchota Ivana.

Ils se penchèrent tous les deux vers le sol trempé de sang et de viscères. Ils repérèrent ensemble le Sig Sauer qui trempait comme un jouet de gosse dans une flaque brunâtre.

Niémans le nettoya puis vérifia le canon en actionnant la culasse. Enfin, il tendit l'arme à Ivana. Elle nota la précision du geste, et sa prudence – toujours l'index dressé au-dessus du pontet.

Ivana s'en empara sans précaution et le rengaina au plus vite.

— Je sais où est partie Rachel.

75

Dès qu'elle revit la grange, elle sut qu'elle avait deviné juste.

Cette bâtisse en bois bordeaux, au toit de zinc, si sobre qu'elle confinait à une quintessence, était le refuge idéal pour Rachel.

— C'est quoi, ça ? demanda Niémans, qui avait de nouveau dégainé.

— La crèche du petit Jésus, murmura-t-elle. (D'un signe de tête, elle désigna le Glock.) Remballez-moi ça. On n'en est plus là.

Niémans obtempéra, l'air gêné. Ils marchèrent vers l'édifice avec une solennité dont ils avaient à peine conscience. Ivana poussa la double porte et repéra tout de suite, dans la pénombre, la jeune femme assise sur le banc de bois gris. Là même où elle lui avait lavé les pieds.

L'odeur de crottin était toujours là, les machines-outils aussi. Et les oiseaux s'envolèrent au même signal. Pourtant, cette nuit-là plus encore que la fois précédente, l'espace, avec ses poutres de bois brut, évoquait la nef d'une église. Un lieu de culte primitif où la parole la plus simple, et même le silence, suffisait pour exprimer sa foi.

Rachel n'était pas seule.

Dans ses bras, Jean dormait.

Elle aurait pu évoquer une pietà mais Ivana songea plutôt à la photo d'Eugene Smith qui l'avait bouleversée durant son adolescence, *Tomoko Uemura in Her Bath*. Celle d'une mère japonaise donnant le bain à son enfant né difforme, conséquence de la pollution au mercure de la baie de Minamata.

C'était la même harmonie, la même douceur, atteignant la beauté sacrée d'un chef-d'œuvre. La puissance de l'amour, rayonnante, éblouissante, surpassant à jamais les coups tordus de la vie.

Ils s'approchèrent, Niémans la main sur son Glock, Ivana les mains dans les poches – elle ne voulait pas que Rachel voie sa blessure.

Rachel parut heureuse de la revoir. Dans ses yeux, la complicité joyeuse des premiers jours était revenue. Surtout, elle ne semblait pas étonnée qu'Ivana ait échappé à une mort certaine.

Niémans, qui n'était jamais à un cliché près, annonça :

— Tout est fini, Rachel.

Il n'avait pas sorti les pinces, mais c'était moins une. Rachel dégagea son bras qui soutenait la nuque de Jean – l'enfant dormait profondément et s'enfouit avec naturel dans les plis de la robe noire – et posa son index sur ses lèvres.

— Ne le réveillez pas. J'ai eu assez de mal comme ça à l'endormir.

Elle lança un regard à Ivana. Malgré elle, la fliquette éprouva de nouveau la joie souveraine, l'apaisement profond qu'elle avait ressentis là quand la jeune femme lui lavait les pieds.

Puis l'Émissaire considéra son fils endormi. Un sourire flottait sur le visage de Rachel, comme si elle était en train de rêver cette étreinte, cette seconde…

— Jakob m'avait promis qu'il ne sacrifierait jamais Jean, ajouta-t-elle en chuchotant.

Elle parut reprendre son souffle mais en réalité, elle essayait d'avaler quelque chose qui ne passait pas. À cet instant seulement, Ivana comprit que Rachel pleurait.

— Vous, vous avez des enfants ? demanda-t-elle à Niémans en relevant la tête.

— Non.

— C'est triste à dire mais j'ai toujours plus aimé Jean que mes deux petites. Ou plutôt, c'est lui qui a toujours eu besoin de plus d'amour.

Elle se mit à le bercer doucement.

— Je ne dis pas ça parce qu'il est plus fragile mais parce qu'il ne connaît que l'amour. Sa conscience n'est que lumière… Et j'ai toujours essayé d'être à la hauteur. L'innocence, pour l'être humain, est un défi de tous les instants. Auprès de lui, je me rapproche du Seigneur, de cette sérénité sans tache qui est le contraire de la nature humaine.

Son visage se contracta. Ses iris s'étaient voilés, comme si une plume d'acier leur avait injecté une encre sombre.

— Alors, même si Jean est condamné, il vivra jusqu'au dernier jour que Dieu a décidé, sous ma protection.

Ivana était bouleversée mais Niémans ne semblait pas marcher dans la combine.

— Durant toutes ces années, asséna-t-il, les sacrifices des autres enfants ne vous ont pas gênée.

À travers ses larmes, Rachel sourit avec condescendance. Niémans avait une manière trop simple, trop brutale de présenter les choses.

— Samuel et Jakob disaient qu'ils étaient le prix à payer pour nos récoltes.

— Vous parlez du vin ?

Elle eut un petit rire, cette fois clairement méprisant.

— Je parle de notre sang. La pureté de notre race se consolide au prix de l'élimination des gènes récessifs. Chaque année, nous devons brûler nos déchets, c'est-à-dire ces enfants malformés qui permettent, d'une certaine façon, de faire naître des spécimens… réussis.

La jeune femme renversa la tête et ferma les paupières. Malgré son jeune âge, elle était déjà de la trempe des grands prédicateurs, ceux qui, du haut de leur chaire ou de leur colline, subjuguent tous les autres.

— « Je dirai aux moissonneurs : "Arrachez d'abord l'ivraie, et liez-la en gerbes pour la brûler, mais amassez le blé dans mon grenier." »

— Comment t'as pu accepter de telles atrocités ? intervint Ivana.

— Il arrive un moment où croire, c'est simplement obéir aux ordres.

— Qui était au courant des sacrifices ? interrogea Niémans, en flic qui aime retrouver ses petits.

— Jakob, Samuel, Zimmermann, et quelques autres. Je vous donnerai leurs noms.

Ivana reprit l'information au vol :

— Zimmermann, il faisait ça pour l'argent ?

— Non. Il était des nôtres. Sans doute un des plus valeureux. Il a accepté de vivre chez les Mondains pour se procurer les produits nécessaires à notre mission.

Ivana retrouvait bien sa « jeune fille à la perle », en sachant que la perle était ici un grain de pure folie. Rachel ne voyait aucun inconvénient à scier les phalanges de Marcel ni à mener chaque année à l'autel du sacrifice une brassée d'enfants, pourvu que cela serve l'*Ordnung* et la *Gelassenheit*.

— Depuis combien de générations dure cette atrocité ?

— Depuis Otto Lanz.

Ivana connaissait la réponse mais elle aussi était flic. Mettre les points sur les *i* est toujours nécessaire, même quand ils ont la violence des clous dans la croix.

— Tu participais à la cérémonie ?

— Je conduisais les enfants à l'hôpital.

Ivana ressentit une décharge électrique. Durant une seconde, elle eut envie de tuer cette sinistre créature.

Mais Niémans sortit de sa poche le tube à essai qu'il avait embarqué.

— C'est une dose mortelle ?

— Non.

— Il fallait que les enfants soient vivants au moment du sacrifice ?

— Sinon, ça n'aurait pas été un sacrifice.

Ivana repéra un outil – un long manche surmonté d'une griffe à trois dents – qui lui parut parfait pour lui arracher le visage. Mais Niémans, sans quitter des yeux Rachel, attrapa son adjointe par le col pour la maintenir en place. Cette seule prise, provenant d'un homme impassible qui menait à bien son boulot envers et contre tout, fit fondre sa colère.

Le calme du flic était comme la corde qui relie les alpinistes – en rappel, elle devait simplement suivre le mouvement.

— Vous êtes prête à signer des aveux ? demanda Niémans comme pour bien signifier qu'on était dans l'antichambre du juge.

— Ma mission est accomplie, murmura-t-elle en caressant encore les cheveux de l'infirme. Les trois démons qui nous servaient de chefs sont morts. Aucun enfant n'a été sacrifié cette année. Et ne le sera jamais plus.

Ivana se libéra de l'emprise de Niémans et s'approcha de Rachel.

— Ton tabac, ordonna-t-elle.

Pour la première fois, Rachel parut étonnée.

Lentement, sa main droite se détacha et disparut dans sa poche. Y avait-il un risque ? Ivana ne le pensait pas mais, le cas échéant, elle était prête à dégainer. *Be my guest,* pensa-t-elle.

Mais Rachel tendit finalement son tabac artisanal, ses feuilles à rouler pas possibles, ses allumettes tempête.

Ivana les lui piqua et se dirigea vers la double porte de la grange.

76

L'aube n'était pas près de se lever, même si les feux donnaient déjà au ciel une teinte rosâtre. Prise au piège de la nuit, la terre paraissait plus noire que jamais, dure, condensée comme du permafrost. En même temps, les fumerolles des foyers éteints lui conféraient un aspect brûlant et volcanique.

Ivana frissonna et se remit à la tâche.

— Merde, jura-t-elle à voix basse.

Avec sa blessure, pas moyen de rouler sa tige. Elle s'obstina pourtant en misant largement sur sa main gauche.

— Qu'est-ce que tu fous ? demanda Niémans derrière elle.

— J'me fais une clope.

— Donne-moi ça.

Il s'empara du petit tube tout froissé, taché de sang, et se mit en devoir de le parfaire. En quelques secondes, une belle cigarette se coula entre ses doigts.

— J'te l'allume ou quoi ?

Elle la saisit de sa main valide sans répondre. Clope au bec, elle réussit tant bien que mal à gratter une des allumettes de Rachel.

La première taffe lui brûla la gorge.

La deuxième lui fit tourner la tête.

La troisième, enfin, lui redonna sa lucidité.

Elle eut l'impression que son propre être réintégrait son corps. Elle se sentait redevenir Ivana Bogdanovic, trente-deux ans, lieutenant de police dans un office central aux allures d'avant-poste des enfers.

Puis elle éprouva un dégoût. À fumer son tabac, elle avait soudain l'impression que c'était Rachel elle-même, sa cruauté meurtrière, sa passion maternelle, qui lui pénétrait les poumons.

Elle balança la clope et questionna :

— Vous vous souvenez du 151, avenue Pablo-Picasso à Nanterre ? Les tours Aillaud ?

— Toute ma jeunesse ! répondit Niémans sur un ton faussement enjoué.

— J'vous parle de la fille sur le parvis. Celle qu'a vidé un chargeur dans le visage de son dealer, accessoirement le père de son fils.

Niémans fit un pas pour être à sa hauteur. Ils se tenaient tous deux face à l'horizon fumant, encore chaud des brasiers éteints.

— Où tu veux en venir ?

— À l'époque, vous avez pris cette fille sous votre aile et vous avez effacé les preuves qui l'accusaient.

Niémans la considéra avec une expression d'angoisse. Son long visage avait la dureté – mais aussi la beauté – d'une sculpture religieuse. Celle d'un martyr, ou même d'un Christ.

— Tu veux que je m'assoie sur ses crimes ?

— Non, mais je me demande si je vaux mieux qu'elle.

De l'angoisse, son expression passa à la détresse puis au soulagement.

Il posa sa main sur son épaule et il ouvrait la bouche pour répondre quand une voix résonna dans leur dos :

— On y va ?

Ils se retournèrent et découvrirent un étrange tableau. Rachel se tenait devant eux, dans sa robe noire chiffonnée de larmes, les cheveux à peine tenus par sa coiffe de prière. Elle poussait devant elle une brouette, dans laquelle reposait le corps de Jean, comme enroulé dans le sommeil.

Les deux flics comprirent et s'effacèrent pour la laisser passer.

Ils se mirent en route. Pas question de prendre la Mégane : il fallait marcher ainsi, tels des pèlerins, jusqu'au poste de gendarmerie.

Ivana eut l'impression de se dédoubler et d'observer la scène de loin, comme dans un plan large de cinéma. Un grand mec coiffé trop court, lunettes Sécu et manteau noir, une petite rousse à l'air racaille, main bandée et veste de survêt', une jeune femme d'un autre temps portant une coiffe d'organdi et des chaussures de gendarme, poussant un enfant endormi dans une brouette.

Peut-être pas la procession du siècle, encore moins *L'Angélus* de Millet, mais quelque chose qui avait à voir avec la foi et les péchés, la mansuétude et les regrets.

Et sans aucun doute une forme de justice.

DU MÊME AUTEUR

AUX ÉDITIONS ALBIN MICHEL

LE VOL DES CIGOGNES, 1994
LES RIVIÈRES POURPRES, 1998
LE CONCILE DE PIERRE, 2000
L'EMPIRE DES LOUPS, 2003
LA LIGNE NOIRE, 2004
LE SERMENT DES LIMBES, 2007
MISERERE, 2008
LA FORÊT DES MÂNES, 2009
LE PASSAGER, 2011
KAÏKEN, 2012
LONTANO, 2015
CONGO REQUIEM, 2016
LA TERRE DES MORTS, 2018
LA DERNIÈRE CHASSE, 2019

Le Livre de Poche s'engage pour l'environnement en réduisant l'empreinte carbone de ses livres. Celle de cet exemplaire est de :
250 g éq. CO_2
Rendez-vous sur
www.livredepoche-durable.fr

Composition réalisée par NORD COMPO

Achevé d'imprimer en France par
CPI BRODARD & TAUPIN (72200 La Flèche)
en avril 2021
N° d'impression : 3043203
Dépôt légal 1re publication : mai 2021
LIBRAIRIE GÉNÉRALE FRANÇAISE
21, rue du Montparnasse – 75298 Paris Cedex 06

27/2699/4